HISTÓRICOS PARA TODOS

HISTÓRICOS PARA TODOS

1 e 2 SAMUEL

JOHN GOLDINGAY

THOMAS NELSON
BRASIL®

As citações bíblicas são traduções da versão do próprio autor, a menos que seja especificada outra versão da Bíblia Sagrada.

Os pontos de vista desta obra são de responsabilidade de seus autores e colaboradores diretos, não refletindo necessariamente a posição da Thomas Nelson Brasil, da HarperCollins Christian Publishing ou de sua equipe editorial.

Publisher *Samuel Coto*
Editor *André Lodos Tangerino*
Tradutor *José Fernando Cristófalo*
Copidesque *Josemar de Souza Pinto*
Revisão *Carlos Augusto Pires Dias*
Diagramação *Sonia Peticov*
Capa *Rafael Brum*

DADOS INTERNACIONAIS DE CATALOGAÇÃO NA PUBLICAÇÃO (CIP)
(Benitez Catalogação Ass. Editorial, MS, Brasil))

G571h

Goldingay, John

Históricos para todos: 1 e 2 Samuel / John Goldingay; tradução José Fernando Cristófalo. — 1.ed. — Rio de Janeiro: Thomas Nelson Brasil, 2022.
272 p.; 12 x 18 cm.

Tradução de *1 and 2 Samuel for everyone.*
ISBN 978-65-5689-447-8

1. Bíblia — Antigo Testamento. 2. Bíblia — Ensinamentos. 3. Bíblia. A.T. Samuel — História e interpretação. I. Cristófalo, José Fernando. II. Título.

11-2021/16 CDD: 222.406

Índice para catálogo sistemático:
1. Samuel: Cristianismo 222.406

Aline Graziele Benitez — Bibliotecária — CRB-1/3129

Rua da Quitanda, 86, sala 218 — Centro
Rio de Janeiro — RJ — CEP 20091-005
Tel.: (21) 3175-1030
www.thomasnelson.com.br

SUMÁRIO

AGRADECIMENTOS

A tradução no início de cada capítulo (e em outras citações bíblicas) é de minha autoria. Tentei me manter o mais próximo do texto hebraico original do que, em geral, as traduções modernas, destinadas à leitura na igreja, para que você possa ver, com mais precisão, o que o texto diz. Embora prefira utilizar a linguagem inclusiva de gênero, deixei a tradução com o uso universal do gênero masculino caso esse uso inclusivo implicasse em dúvidas quanto ao texto estar no singular ou no plural. Em outras palavras, a tradução, com frequência, usa "ele" onde em meu próprio texto eu diria "eles" ou "ele ou ela". A restrição de espaço não me permite incluir todo o texto bíblico neste volume; assim, quando não há espaço suficiente para o texto completo, faço alguns comentários gerais sobre o material que fui obrigado a suprimir. Ao final do livro, há um glossário dos termos-chave recorrentes no texto (termos geográficos, históricos e teológicos, em sua maioria). Em cada capítulo (exceto na introdução), a ocorrência inicial desses termos é destacada em **negrito**.

As histórias que seguem a tradução, em geral, envolvem meus amigos, assim como minha família. Todas elas ocorreram, de fato, mas foram fortemente dissimuladas para preservar as pessoas envolvidas, quando necessário. Por vezes, o disfarce utilizado foi tão eficiente que, ao relê-las, levo um tempo para identificar as pessoas descritas. Nas histórias, Ann, a minha esposa, aparece com frequência. Ela faleceu enquanto eu escrevia este volume, após negociar com a esclerose múltipla durante 43 anos. Compartilhar os cuidados e o desenvolvimento de sua enfermidade e crescente limitação, ao longo desses anos, influencia tudo o que escrevo, de maneiras facilmente perceptíveis ao leitor, mas também de formas menos óbvias. Agradeço a Deus por Ann e estou feliz por ela, mas não por mim, pois ela pode, agora, descansar até o dia da ressurreição.

Sou grato a Matt Sousa por ler o manuscrito e me indicar o que precisava corrigir ou esclarecer no texto. Igualmente, sou grato a Tom Bennett por conferir a prova de impressão.

INTRODUÇÃO

No tocante a Jesus e aos autores do Novo Testamento, as Escrituras hebraicas, que os cristãos denominam de Antigo Testamento, *eram* as Escrituras. Ao fazer essa observação, lanço mão de alguns atalhos, já que o Novo Testamento jamais apresenta uma lista dessas Escrituras, mas o conjunto de textos aceito pelo povo judeu é o mais próximo que podemos ir na identificação da coletânea de livros que Jesus e os escritores neotestamentários tiveram à disposição. A igreja também veio a aceitar alguns livros adicionais, os denominados **"apócrifos"** ou "textos deuterocanônicos", mas, com o intuito de atender aos propósitos desta série, que busca expor "o Antigo Testamento para todos", restringimos a sua abrangência às Escrituras aceitas pela comunidade judaica.

Elas não são "antigas" no sentido de antiquadas ou ultrapassadas; às vezes, gosto de me referir a elas como o "Primeiro Testamento" em vez de "Antigo Testamento", para não deixar dúvidas. Quanto a Jesus e os autores do Novo Testamento, as antigas Escrituras foram um recurso vívido na compreensão de Deus e dos caminhos divinos no mundo e conosco. Elas foram úteis "para o ensino, para a repreensão, para a correção e para a instrução na justiça, para que o homem de Deus seja apto e plenamente preparado para toda boa obra" (2Timóteo 3:16-17). De fato, foram para todos, de modo que é estranho que os cristãos pouco se dediquem à sua leitura. Meu objetivo, com esses volumes, é auxiliar você a fazer isso.

Meu receio é que você leia a minha obra, não as Escrituras. Não faça isso. Aprecio o fato de esta série incluir grande parte do texto bíblico, mas não ignore a leitura da Palavra de Deus. No fim, essa é a parte que realmente importa.

UM ESBOÇO DO ANTIGO TESTAMENTO

A comunidade judaica, em geral, refere-se a essas Escrituras como a Torá, os Profetas e os Escritos. Embora o Antigo Testamento contenha os mesmos livros, eles são apresentados em uma ordem diferente:

- Gênesis a Reis: Uma história que abrange desde a criação do mundo até o exílio dos judeus para a Babilônia.
- Crônicas a Ester: Uma segunda versão dessa história, prosseguindo até os anos posteriores ao exílio.
- Jó, Salmos, Provérbios, Eclesiastes, Cântico dos Cânticos: Alguns livros poéticos.
- Isaías a Malaquias: O ensino de alguns profetas.

A seguir, há um esboço da história subjacente a esses livros (não forneço datas para os eventos em Gênesis, o que envolve muito esforço de adivinhação).

1200 a.C.	Moisés, o êxodo, Josué
1100 a.C.	Os "juízes"
1000 a.C.	Saul, Davi
900 a.C.	Salomão; a divisão da nação em dois reinos: Efraim e Judá
800 a.C.	Elias, Eliseu
700 a.C.	Amós, Oseias, Isaías, Miqueias; Assíria, a superpotência; a queda de Efraim
600 a.C.	Jeremias, o rei Josias; Babilônia, a superpotência

500 a.C.	Ezequiel; a queda de Judá; Pérsia, a superpotência; judeus livres para retornar ao lar
400 a.C.	Esdras, Neemias
300 a.C.	Grécia, a superpotência
200 a.C.	Síria e Egito, os poderes regionais puxando Judá de uma forma ou de outra
100 a.C.	Judá rebela-se contra o poder da Síria e obtém a independência.
0 a.C.	Roma, a superpotência

PRIMEIRO E SEGUNDO SAMUEL

Ambos os livros fazem, portanto, parte da extensa narrativa que abrange desde Gênesis até 1 e 2Reis, e eles levam essa narrativa ao seu segundo grande clímax. O primeiro grande clímax dessa história está na saída dos israelitas do Egito, o período do povo no Sinai e a chegada deles a Canaã. O segundo clímax inclui o reino de Davi, durante o qual Israel se tornou não apenas um povo livre, mas uma nação próspera, logrando uma posição importante no cenário internacional de sua região. Entre esses dois ápices encontramos o cada vez mais sombrio relato do livro de Juízes, que se encerra com algumas histórias horripilantes, expressando como as coisas são quando as pessoas fazem o que é certo aos seus próprios olhos, por não haver rei em Israel (como o próprio texto de Juízes afirma). Juízes, portanto, aplaina o caminho para a história de como Israel passa a ter reis. O idílico relato do livro de Rute, igualmente, prepara o caminho num outro sentido. Além de fornecer um bem-vindo contraste aos fatos registrados em Juízes, trata-se da história sobre a família de Davi, pois Rute é a bisavó do futuro rei de Israel. Por conseguinte, ter reis que possam exercer alguma liderança moral possibilita ao povo dar as costas ao caos social e moral do período de Juízes. Assim, 1 e 2Samuel não apresentam histórias que rivalizam em horror com aquelas reportadas no livro de Juízes. Contudo, a narrativa deles não descontrói a impressão anterior, pois, à sua própria maneira, as histórias reportadas sobre os dois primeiros reis, Saul e Davi, também os retratam como indivíduos que faziam o que era certo aos seus próprios olhos. Estar assentado no trono torna mais fácil agir desse modo. Pode-se dizer que 1 e 2Samuel contêm histórias sobre homens agindo dolosamente. Saul e Davi não são os únicos personagens desses livros a fazer isso, mas ambos tomam a iniciativa.

A história sobre o reinado de Saul está em 1Samuel, enquanto 2Samuel registra o reinado de Davi. Os capítulos iniciais de 1Samuel relatam o pano de fundo da ascensão de Saul ao trono, no qual o profeta Samuel desempenha um papel de extrema relevância (razão pela qual dá nome aos dois livros). Os capítulos centrais reportam como Saul alcançou a posição de rei, obteve uma ou duas grandes conquistas, mas, então, começou a ver tudo desmoronar. Logo, Deus ungiu Davi como o sucessor de Saul e os derradeiros capítulos de 1Samuel registram o crescente e contínuo conflito entre Saul e Davi, no qual o primeiro tenta garantir o seu trono, e o segundo, a sua vida.

Segundo Samuel segue um enredo similar. Os capítulos inaugurais relatam como Davi se torna rei, enquanto os centrais falam de seus grandes feitos e do compromisso de aliança estabelecido por Deus com ele. Todavia, eles também revelam como as coisas, em breve, começam a ruir. Os capítulos finais do livro reportam os conflitos dentro da própria família de Davi e nos deixam em suspense quanto ao que ocorrerá a seguir. Como outros "livros", de Gênesis a 2Reis, a narrativa como um todo não chega a uma conclusão, porém termina com um gancho, que leva o leitor a abrir a página no livro de 1Reis para descobrir a sequência.

Como parte da grande narrativa que abrange Gênesis a 2Reis, esses dois livros, claro, devem ter sido escritos após o último evento registrado por eles, ou seja, a queda de Jerusalém e o translado de muitos habitantes de Judá para a Babilônia, no século VI a.C. Não possuímos nenhuma evidência inequívoca indicando se foram escritos durante esse evento ou mais tarde, no período persa. O fato é que eles incorporam antigas tradições e dificilmente, na época, foram escritos do zero. Assim, a versão que foi incorporada à Escritura pode ser um tipo de segunda edição da narrativa originariamente escrita décadas antes, porém há teorias acadêmicas sobre essa mudança. Na realidade, não há evidências suficientes para definir quando os livros foram, de fato, escritos, mas isso não impede que apreciemos a história que eles contêm, nem que deixemos de ver o que Deus queria que Israel aprendesse com eles.

Desde então, o povo de Judá não teve reis próprios até obter a independência, no século II a.C. No contexto das décadas e séculos após a queda de Jerusalém, outros textos do Antigo Testamento sugerem que o povo poderia estar equivocado quanto à ideia de ter reis. Por um lado, 1 e 2Samuel reportam a forma pela qual Deus esteve envolvido na indicação deles, bem como relatam Deus estabelecendo compromissos de aliança inequívocos com Davi e seus sucessores. Do outro, os livros contam como possuir reis humanos também compromete a ideia de Deus ser o rei de Israel, e de como esses reis são pessoas caracterizadas, no mínimo, tanto pela obstinação humana quanto pela submissão às expectativas de Deus em relação a nós, como seres humanos e como líderes. No contexto do exílio e posteriormente, esses livros encorajam Israel a esperar que Deus ainda irá cumprir o compromisso de aliança feito a Davi e também advertem os israelitas (e qualquer um que ocupe o trono em cumprimento da promessa) a reconhecer que os reis sempre terão pés de barro.

IMPÉRIO HITITA
(Hati)
lago de Van
mar Cáspio
lago Úrmia
HURRITAS
ANATÓLIA
(Turquia)
MITANI
Carquemis
Harã
Nínive
Assur
ASSÍRIA
Ugarite
MESOPOTÂMIA
CHIPRE
Nuzi
SÍRIA
(ARÃ)
Mari
MÉDIA
rio Eufrates
rio Tigre
O GRANDE MAR
(mar Mediterrâneo)
Damasco
Hazor
Siquém
rio Jordão
Babilônia
BABILÔNIA
Susã
CANAÃ
delta do Nilo
Jerusalém
SUMÉRIA
mar Morto
Ur
PÉRSIA
EGITO
Tânis
lagos Amargos
ARÁBIA
mar Inferior
(golfo Pérsico)
Mênfis
rio Nilo
SINAI
golfo de Ácaba
mar Vermelho

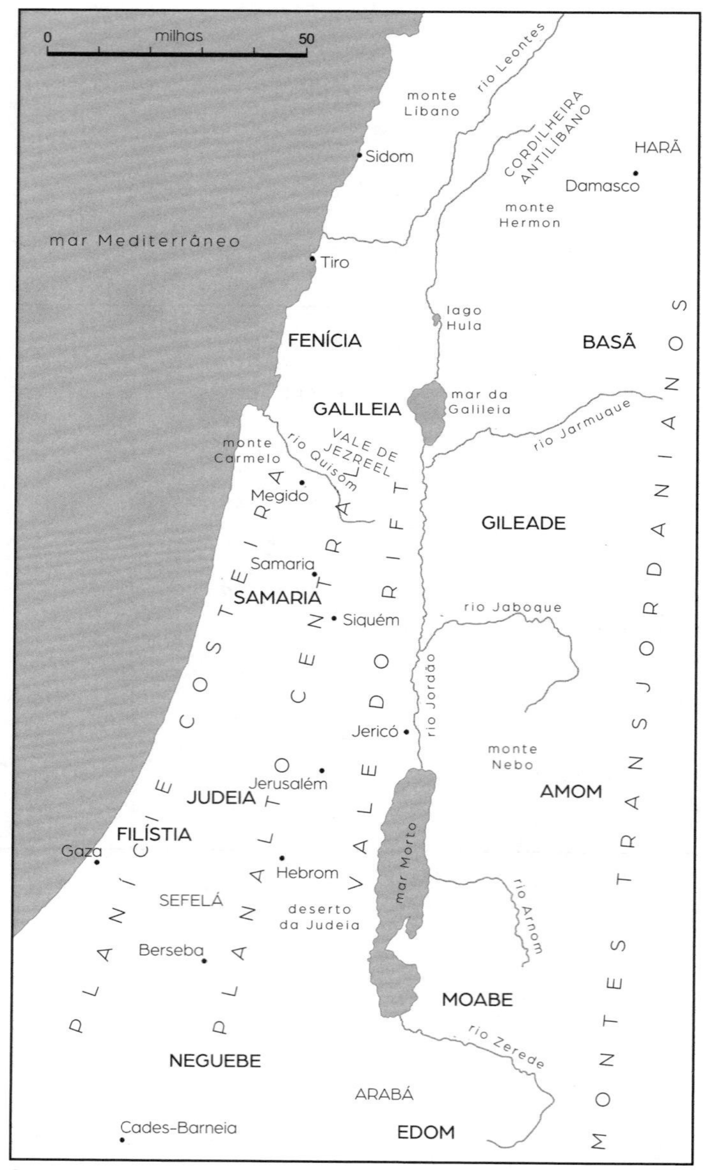

0
milhas
50
rio Leontes
monte Líbano
CORDILHEIRA ANTILÍBANO
HARÃ
Sidom
Damasco
monte Hermon
mar Mediterrâneo
Tiro
lago Hula
FENÍCIA
BASÃ
mar da Galileia
GALILEIA
rio Jarmuque
VALE DE JEZREEL
monte Carmelo
rio Quisom
Megido
GILEADE
Samaria
SAMARIA
Siquém
rio Jaboque
rio Jordão
Jericó
monte Nebo
Jerusalém
JUDEIA
AMOM
FILÍSTIA
Gaza
Hebrom
mar Morto
rio Arnom
SEFELÁ
deserto da Judeia
Berseba
MOABE
rio Zerede
NEGUEBE
ARABÁ
Cades-Barneia
EDOM
PLANÍCIE COSTEIRA
PLANALTO CENTRAL
VALE DO RIFT
MONTES TRANSJORDANIANOS

1SAMUEL

1SAMUEL 1:1–8

COMO NÃO DEMONSTRAR EMPATIA I

[1]Havia certo homem de Ramataim, dos zufitas, das montanhas de Efraim, chamado Elcana, filho de Toú, filho de Zufe, um efraimita. [2]Ele tinha duas esposas. O nome de uma era Ana; o nome da outra era Penina. Penina tinha filhos, mas Ana não tinha filhos. [3]Esse homem costumava subir de sua cidade, ano após ano, para curvar-se e oferecer sacrifício a *Yahweh* dos Exércitos, em Siló. Hofni e Fineias, os dois filhos de Eli, eram sacerdotes de *Yahweh* ali. [4]No dia em que Elcana sacrificava, ele dava porções a Penina, sua esposa, e a todos os filhos e filhas dela, [5]mas a Ana ele dava uma porção dupla porque a amava, embora *Yahweh* tivesse cerrado o seu ventre. [6]A sua rival a provocava grandemente para irritá-la, porque *Yahweh* tinha cerrado o seu ventre. [7]Assim ela fazia, ano após ano. Sempre que subia à casa de *Yahweh*, ela provocava [Ana] e, por isso, esta chorava e não comia. [8]Elcana, seu marido, lhe dizia: "Ana, por que você chora, por que não come, por que o seu espírito está triste? Não sou melhor para você do que dez filhos?"

Raramente elevo a minha voz quando leio um *e-mail*, mas fiz isso algumas semanas atrás, quando recebi a mensagem de uma amiga que retornou a um país asiático, há dois ou três anos. Por longo tempo, ela e o marido ansiavam ter filhos, mas ela não conseguia engravidar. Então, aquele casal concluiu que isso jamais ocorreria. Isso parecia um contrassenso, pois ela é uma das pessoas mais amorosas e compassivas que conheço; era possível imaginar que grande mãe ela seria. Em contrapartida, conheço outros casais adoráveis que, por diferentes motivos, não desejam ter filhos, mas que (suspeito eu) se tornariam ótimos pais caso isso ocorresse. Todavia, eles se sentem completos mesmo sem possuir filhos. O primeiro casal, ao contrário, queria muito engravidar. Eles tentaram ter um cachorro, pois os animais de estimação podem ser uma forma de atenuar um pouco a falta de um cônjuge ou de um bebê, quando isso parece quase impossível. Então, recebi o *e-mail* informando que ela estava grávida de dois meses! Assim, a minha reação foi gritar. Agora, ela está no quarto ou quinto mês de gravidez, o que indica que tudo irá correr bem.

O caso de Ana era similar ao desse casal, mais do que aos outros dois casais que não tinham grandes anseios por filhos. O desejo profundo por filhos é, com frequência, algo cultural. Numa sociedade tradicional, a feminilidade de uma mulher parece estar ligada à sua capacidade de procriação; a ausência de filhos a torna incompleta como mulher. No Ocidente, entretanto, a incapacidade de conceber filhos também pode afetar profundamente uma mulher; isso corresponde apenas a um aspecto do modo pelo qual a feminilidade foi criada e à psicologia feminina (uso "feminilidade" para evitar dar a impressão de que toda mulher deveria ter filhos).

Provavelmente, isso também era, de fato, importante para Elcana. Em certo sentido, isso era relevante porque ele e Ana precisavam ter filhos para ajudá-lo na administração do negócio familiar. Além disso, a quem ele iria transferir a terra da família caso não tivessem filhos? Contudo, essa situação não é necessariamente uma questão apenas prática. Conheço homens que se sentem incompletos por não terem filhos, quer isso seja decorrente da infertilidade deles, quer da esposa.

Muito plausivelmente, a lógica por trás do fato de Elcana ter duas esposas envolve tanto o desejo quanto a necessidade de ter filhos, como foi o caso em que a estéril Sara encorajou Abraão a tomar Hagar como uma segunda esposa (veja Gênesis 16). A esperança de Elcana é que Penina possa lhe dar filhos, e, de fato, ela pode. Na verdade, ela parece tê-los tão facilmente quanto é capaz de fazer o almoço. A cada ano, quando a família vai a Siló para o festival, parece que há mais um bebê pelo qual agradecer a Deus. Então, o que parecia uma solução acaba se tornando também um problema. A situação, novamente, traça um paralelo com a narrativa envolvendo Abraão, Sara e Hagar. Em teoria, encorajar Abraão a desposar Hagar parecia uma boa ideia, mas Sara se sentiu diferente quando Hagar, na prática, engravidou. Da mesma forma, na teoria, tomar Penina como segunda esposa pareceu uma boa ideia para Elcana, mas não para Ana, quando Penina começou a ter um filho atrás do outro. Na vida real, Hagar passou a ser uma contínua provocação a Sara, tal como Penina se tornou uma provocação constante a Ana. Talvez ela pouco fizesse, de modo deliberado, para provocar Ana. Nos casos de Hagar e Penina, a própria gravidez seria suficientemente provocativa.

Desse modo, Elcana descobre-se vivendo em meio a uma permanente tensão familiar, além da profunda depressão na alma da mulher a quem primeiro e mais ele amou. O pobre homem faz o melhor que pode para lidar com a situação, mas nós, homens, não temos a menor capacidade de compreender as mulheres. "Não sou melhor para você do que dez filhos?" Sinceramente, Elcana, de modo nenhum. Não tente aplicar um pequeno curativo em uma ferida enorme. Encoraje-a a falar um pouco mais sobre isso.

A ordem dos livros na Bíblia hebraica é distinta da ordem encontrada em nossa Bíblia. No caso da Bíblia hebraica, 1Samuel vem diretamente após o livro de Juízes (Rute aparece mais adiante). Então, isso sugere ler essa história como o início da fase da história de Israel subsequente a Juízes. Ao terminarmos de ler o livro de Juízes, ficamos com um gosto desagradável em nossa boca. As histórias tornam-se cada vez mais perturbadoras à medida que as pessoas são mais propensas a fazer "o que era certo aos seus próprios olhos", isto é, o que não é certo aos olhos de qualquer pessoa normal. Primeiro Samuel inicia-se contando-nos sobre determinada família, a exemplo de inúmeras narrativas em Juízes, e a história da família em questão começa com sofrimento e angústia, apesar de ser um relato com um final feliz e que nos encoraja a prosseguir na leitura em vez de desejar interrompê-la.

Em particular, o santuário em Siló era o local das últimas histórias desagradáveis em Juízes, embora, aqui, Siló seja o lugar no qual Ana obterá resposta às suas orações. Reconhecidamente, tudo indica que Eli, Hofni e Fineias deixam muito a desejar como sacerdotes, mas, o nascimento do filho de Ana também significará que Deus está no controle. Siló está situada ao sul das montanhas de **Efraim** e, dessa forma, numa posição relativamente central aos clãs que vivem na principal cadeia montanhosa de **Judá** e Efraim. No capítulo 2, aprenderemos que, na época, o **baú da aliança** ficava em Siló – parece que, de tempos em tempos, o baú da aliança era mudado de lugar, por motivos que desconhecemos. A sua presença ali tornaria Siló o local natural para um dos festivais de peregrinação que Israel realizava a cada ano.

A **Torá** expressa que todo o Israel comparecia diante de Deus três vezes ao ano para tais festivais, mas, para a maioria das famílias, não seria muito prático abandonar o trabalho em suas propriedades, por duas ou três semanas, a fim de fazer a jornada até o santuário central daquela maneira. O hábito de Elcana envolve algo mais prático. Ramataim (Arimateia, no Novo Testamento, cidade da qual procedia o homem que providenciou uma tumba para Jesus) situava-se nas planícies, não muito distante de Siló; mais adiante, no capítulo 2, a locação da casa daquela família é chamada de "Ramá", o que sugere que *Ramataim* seja outro nome para Ramá, ainda mais próxima de Siló, apenas um dia de jornada rumo ao sul. Assim, uma vez por ano, Elcana levava a sua família para lá. Provavelmente, esse evento era o festival de peregrinação do outono, o período mais propício para deixar a fazenda, porque a colheita já estava concluída e o trabalho para a colheita do próximo ano ainda não havia começado. Dessa forma, as pessoas iam ao festival para dar graças pela produção do ano que passou (felizmente) e buscar a bênção de Deus para o ano seguinte. Além disso, eles estariam recordando a maneira pela qual ***Yahweh* dos Exércitos** os havia libertado do Egito e levado para uma terra que era deles. Ainda, as famílias viviam em tendas, durante o período do festival (não havia hotéis), revivendo as condições daquela jornada do Egito até **Canaã**; eis o motivo do nome do festival ser Sucot (tendas, cabanas ou "tabernáculos").

Os sacrifícios aos quais o relato se refere são os sacrifícios de comunhão, não ofertas queimadas (que eram integralmente oferecidas a Deus), nem sacrifícios destinados a lidar com ofensas. Quando se apresentava uma oferta de comunhão, parte dela era dedicada a Deus (ou seja, ela era queimada, como ocorre com a oferta queimada, em sua totalidade), mas o restante era compartilhado pelas pessoas que faziam a oferta. Assim, era como um churrasco do qual Deus e a família ofertante compartilhavam. Um dos sacerdotes lidaria com a parte técnica do sacrifício, incluindo a aspersão do sangue do animal sobre o **altar** e a queima das partes que seriam dedicadas a Deus. Elcana, como o chefe da família ofertante, distribuía os cortes a todos os membros da família, assegurando que todos recebessem sua justa porção. A exceção a essa regra era o fato de Elcana dar uma porção dobrada a Ana, como sinal de seu amor por ela e para compensar o fato de ela não possuir filhos. Talvez isso funcionasse com alguém que goste muito de bifes, mas esse não é o caso de Ana.

Consideraremos a ideia de Deus cerrar o ventre ao abordarmos os versículos 20-28.

1SAMUEL **1:9-11**
HORA AMARGA DA ORAÇÃO

[9]Após terem comido e bebido em Siló, Ana se levantou. Eli, o sacerdote, estava sentado, junto à porta do palácio de *Yahweh*. [10][Ana] estava amargurada em espírito. Ela fez um pedido a *Yahweh* e pranteou profusamente, [11]mas fez uma promessa. Ela disse: "*Yahweh* dos Exércitos, se olhares realmente para a aflição de tua serva, se atentares para mim e não tirares a tua serva da mente, mas deres à tua serva um descendente masculino, eu o entregarei a *Yahweh* por todos os anos de sua vida. Nenhuma navalha virá sobre a sua cabeça."

No fim dos anos 1970, um antigo colega, Lew Smedes, escreveu um livro de memórias chamado *My God and I* [Meu Deus e eu], que remonta à sua infância, em Michigan, nos idos de 1920 a 1930. A família tinha imigrado da Holanda, e o pai de Lew faleceu quando ele ainda era muito pequeno, deixando a sua mãe com quatro filhos. Contaram-lhe que, quando os agentes funerários carregaram o corpo de seu pai para fora da casa, sua mãe gemeu em frísio, sua língua nativa, Deus é "*zoo zuur*" [tão amargo]. Subsequentemente, ele conta que um hino chamado *Ó doce, grata oração* jamais foi doce em seu lar. Ele sempre chorava quando a família se reunia para orar. O encontro com Deus também parecia uma tristeza para sua mãe, fosse no lar ou nos encontros de oração da igreja. Ele não conseguia compreender as orações que a mãe fazia no idioma que ela trouxera da Europa, mas era capaz de reconhecer os soluços, as lágrimas e os suspiros. (Muitos anos mais tarde, Lew perguntou à sua mãe por que ela jamais se casara novamente. A mãe explicou que, embora se sentisse tão cansada e sozinha, temia que outro marido não cuidaria dos seus filhos tão bem quanto ela. Ele comenta que, então, compreendeu quão profundamente ele mesmo encontrou o amor de seu Pai celestial oculto no amor de sua mãe terrena.)

De igual modo, a hora da oração para Ana foi, a princípio, amarga, mas, no devido tempo, tornou-se doce. Presumidamente, Ana orava quando estava em sua casa, na vila, como outros israelitas faziam, mas as ocasiões nas quais a família ia a Siló seria um tempo natural para orações especiais. Já vimos como o festival anual destinava-se a ser um evento de grande júbilo e celebração, quando o povo se regozijava pela colheita que Deus lhes proporcionara e também comemorava o fato de Deus lhes ter libertado e dado um lugar naquela terra. Contudo, para Ana, tais festividades se tornaram ocasiões nas quais a sua infertilidade era sempre realçada. Esse fato exercia uma pressão adicional sobre sua agenda com Deus. Além disso, o santuário, que, afinal, é o foco do festival, constitui a habitação terrena de Deus, similar à morada de Deus nos céus. Trata-se do palácio de Deus; o hebraico não possui uma palavra para "templo", mas usa tanto um termo para "casa" quanto para "palácio", porque o templo é o equivalente ao lar de um ser humano e, em particular, equivalente ao palácio de um rei. É um portal; um lugar de contato, de intercâmbio e de movimento entre este mundo e o céu; um lugar do qual as orações e louvores podem naturalmente alcançar os céus e por meio do qual as mensagens celestiais podem chegar à terra. Portanto, nesse lugar a oração é especialmente possível; e, para Ana, a dor associada a essa celebração anual torna o santuário o local em que a oração também é necessária.

O festival, igualmente, é uma ocasião para se comer e beber, e sabemos que essas atividades podem sair do controle. Assim, um dos motivos pelos quais Eli estaria sentado à porta do santuário seria para evitar a entrada de pessoas em estado de embriaguez. Sempre foi parte da responsabilidade dos funcionários do santuário agir como porteiros, para assegurar que nada ou ninguém impuro tenha acesso ao santuário e o contamine. Pode-se imaginar quão cansativa essa tarefa podia se tornar, e tenho a impressão de que Eli se sentirá extremamente contente quando todos esses peregrinos retornarem às suas casas e ele voltar à sua rotina.

Ana adentra o santuário com seu espírito amargurado. Em outras palavras, ela está em um estado similar ao de Noemi, descrito apenas algumas páginas antes, em nossa Bíblia. Deus permitiu que Noemi passasse por uma série de experiências difíceis que ela descreve como "amargas". Similarmente, Deus permite que a sorte de Ana seja tão difícil quanto a de Noemi, e o narrador da história sabe que a amargura envolveu a própria alma dela. Pode-se imaginar que esse sentimento a tornaria hesitante quanto à oração. Talvez Ana sentisse que não tivesse nenhum pedido a fazer ao Deus que havia cerrado o seu ventre. Ou é possível que ela sentisse que precisava se recompor antes de orar. Felizmente, o seu desespero sobrepuja tais instintos. Há um livro, intitulado *Oração: o segredo de abrir o coração*, de Ole Hallesby [Curitiba, PR, Editora Esperança, 1ª edição, 2019] que fala sobre como podemos considerar a dúvida, a ira ou a amargura como obstáculos à oração, quando, na realidade, esses sentimentos são o nosso caminho a ela — eles constituem as coisas sobre as quais nos achegamos a Deus para falar. Instintivamente, Ana sabia que devia ser assim.

Ela se apresenta diante de Deus com um "apelo". Como em nosso idioma, o termo hebraico possui um pano de fundo legal.

Num discurso coloquial, esse termo pode sugerir entrar com uma petição em um tribunal quando você é tratado de maneira imprópria e deseja que o tribunal tome alguma atitude a respeito. Essa é a natureza da oração por si mesmo (ou por alguém mais). Você está presumindo o direito de ir à corte celestial e instar (demandar é quase a palavra) para que ela aja em seu benefício. Eis o que Ana está fazendo, pois possui meios de apoiar a sua petição. Ela dirige a palavra a ***Yahweh* dos Exércitos**, o Deus que o povo veio cultuar no festival; o título implica que a soberania e o poder que eles reconhecem naquela ocasião é importante não apenas no contexto de grandiosos eventos políticos e militares, mas no âmbito das necessidades de pessoas comuns. Se Deus é *Yahweh* dos Exércitos, então esse poder deveria ser aplicado na vida dela. Ana chora copiosamente. Isso seria uma expressão de sofrimento, mas também outra forma de atrair a atenção divina.

Ana suplica a Deus que olhe para ela. No momento, revistas coloridas estão veiculando uma série de corajosos anúncios que retratam crianças com fenda palatina e condições similares. Como é possível resistir quando você olha para uma criança adorável, que é portadora de uma enfermidade tão infeliz, e sabe que pode suprir a necessidade dela preenchendo um cheque? Ao olhar para Ana e as dinâmicas de sua família, como Deus pode resistir e não intervir na vida dela? Ana especialmente roga a Deus para estar atento a ela e não a esquecer. As palavras hebraicas são, usualmente, traduzidas por *lembrar* e *esquecer*, mas elas significam algo mais deliberado do que esses verbos normalmente sugerem. Na oração, com frequência, as pessoas pedem a Deus para não apenas olhar, como também pensar, deliberadamente, na convicção de que aplicar a mente em algo leva a ação, enquanto tirar da mente leva a uma inação contínua.

Ana apela para sua condição de serva. Pode parecer estranho referir-se à condição servil como uma condição positiva, mas é dessa forma que o Antigo Testamento a enxerga, especialmente em conexão com a oração. O relacionamento entre um servo e o seu senhor é de mutualidade. O servo está comprometido com o seu senhor e, em contrapartida, o seu senhor, com o servo. Ana diz: "Eu sou sua serva. Por favor, irás agir em relação a mim como um senhor deve agir?"

Além disso, ela faz uma promessa. As regras na **Torá**, o conselho em Eclesiastes, bem como algumas histórias do Antigo Testamento chamam a atenção das pessoas para o perigo de fazer promessas, especialmente quando Deus é o objeto delas. Todavia, Ana aceita o risco. Em seu caso, é um voto particularmente caro. Na prática, Ana está prometendo que Samuel se tornará um "nazireu", uma pessoa devotada a Deus, cuja dedicação é expressa em deixar os cabelos crescerem de forma incomum. O que você faz com o seu cabelo é uma declaração em muitas culturas; foi assim com George Washington, John Adams e Thomas Jefferson e, não muito tempo atrás, com os *hippies*, nos anos 1960. Os demais elementos nesse compromisso estão descritos em Números 6; a abstinência de bebidas alcoólicas e a ausência de contato com qualquer coisa "tabu" ou impura, da mesma forma que os sacerdotes. A descrição de um nazireu, em Números 6, relaciona-se a alguém que faz um voto temporário desse tipo; o compromisso que Ana deseja fazer para seu filho será para toda a vida dele. Presume-se que ele teria o direito de renegociar o voto caso desejasse fazê-lo; no Antigo Testamento, os pais não podem impor condições aos seus filhos. No que tange a Ana, ela está disposta a entregar o filho que tanto deseja a Deus.

Esse elemento na história sugere outra ligação com a parte posterior de Juízes, que dá muito espaço ao relato de outra mãe infértil a quem Deus permite ter um filho e que será devotado a ele (veja Juízes 13—16). Naquela história, Deus é quem decide pela dedicação da criança, enquanto aqui, em 1Samuel, a ideia é de Ana. Por outro lado, Sansão não é muito bom no cumprimento da vocação que lhe foi imposta, o que sugere outro motivo pelo qual esse voto é arriscado. Em contraste, o filho de Ana cumprirá fielmente a vocação a ele destinada.

A promessa de Ana funciona.

1SAMUEL **1:12-19A**

COMO NÃO DEMONSTRAR EMPATIA II

[12]Enquanto ela apresentava a sua súplica diante de *Yahweh*, Eli estava observando a boca de Ana [13]e, por ela estar falando em seu coração (os seus lábios apenas tremiam, e sua voz não era audível), Eli pensou que ela estivesse bêbada. [14]Eli lhe disse: "Por quanto tempo você agirá como uma embriagada? Mantenha o vinho distante de você." [15]Ana replicou: "Não, senhor, sou uma mulher de espírito duro e não bebi vinho ou licor. Eu estava me derramando diante de *Yahweh*. [16]Não tome a sua serva como uma mulher indigna, pois foi por causa de minha grande irritação e provocação que tenho falado todo este tempo." [17]Eli replicou: "Vá em paz. O Deus de Israel: ele concederá o pedido que você lhe fez." [18]Ela disse: "Que a tua serva encontre favor em teus olhos." A mulher seguiu o seu caminho e comeu, e seu semblante não estava mais [amargo]. [19a]Eles levantaram cedo de manhã, curvaram-se diante de *Yahweh* e retornaram à sua casa, em Ramá.

Pouco tempo atrás, uma mulher me procurou para conversar sobre as formas de abuso de seu marido sobre ela. Isso envolvia algum abuso físico, ocorrido uma ou duas vezes, mas o histórico não o descrevia como um indivíduo inerentemente violento ou um ébrio. O problema residia mais em sua atitude negativa, crítica e desdenhosa em relação a ela. O amor que ele, outrora, demostrava por ela parecia ter desaparecido por completo. Então, ela veio me consultar sobre o que deveria fazer. A dificuldade com respeito ao aconselhamento pastoral era que eu tinha em minha mente algumas das coisas que o Novo Testamento diz sobre a submissão das esposas ao marido e sobre estarem dispostas a sofrer como Jesus sofreu. Por consequência, cometi dois erros em minha tratativa pastoral com ela. Falhei em considerar as diferenças entre a provável situação pressuposta por aquelas exortações do Novo Testamento e falhei, de fato, em apreciar as dinâmicas e a dor da situação daquela mulher. (Felizmente, ela foi extraordinariamente paciente comigo em vez de me desprezar como outro homem abusivo, de modo que aprendi muito com aquele encontro, ainda que ela não tenha se beneficiado em nada com ele.)

É preciso ter um pouco de compreensão com Eli. Sem dúvida, o festival lhe proporcionava inúmeras ocasiões nas quais ele precisava exercer alguma disciplina, especialmente quando as pessoas se excediam na celebração. Outras partes do Antigo Testamento indicam que Israel sabia abusar do álcool, não apenas em festivais (Isaías 5.11-12 é um exemplo). Esse fato não fez o Antigo Testamento defender a abstinência, não mais do que o Novo Testamento, mas o fez advertir quanto aos perigos do consumo excessivo de bebidas alcoólicas. Eli simplesmente conclui que Ana está em estado de embriaguez. Ele vê alguém murmurando e estremecendo, mas proferindo palavras sem coerência: assim, ele pensa que sabe qual é o problema de Ana e não precisa perguntar. Para Eli, acessar o próprio lugar no qual Deus está, naquele estado, caracteriza Ana, obviamente, como uma "mulher sem valor".

Trata-se de uma expressão assustadora. A palavra para "sem valor" ou "indigno" é *belial*, que foi um termo, mais tarde, usado em relação ao diabo. No Antigo Testamento, o termo não tinha esse significado, mas pode-se imaginar porque, com o tempo, passou a sugerir isso. Ele implica um grau acentuado de impiedade, constituindo o tipo de palavra que o Antigo Testamento utiliza para descrever pessoas que levam outras a adorar deuses dos demais povos, que não emprestam aos necessitados ou que desejam estuprar um convidado. Irônica e dolorosamente, 1Samuel, em breve, usará essa palavra para retratar os próprios filhos de Eli.

Como a mulher a quem descrevi, Ana é mais respeitosa com Eli do que ele talvez merecesse. Sua autodescrição como dura de espírito é surpreendente; as traduções, usualmente, concluem que isso significa que ela está profundamente angustiada, mas não é isso o que a expressão normalmente quer dizer. A despeito de sua tristeza por causa da infertilidade, Ana já se apresentou como uma mulher forte. Sua amargura está ligada a isso; o fato de sentir amargura não significa que Ana seja uma pessoa a quem se possa menosprezar. Ela tem se apresentado diante do Deus que cerrou o seu ventre com mais coragem do que, em geral, ouvimos ser apropriado mostrar diante dele. É a sua tenacidade, em vez da fraqueza de espírito, que a tem feito se derramar diante de Deus.

Ana enfatiza o mesmo ponto em diferentes palavras, quando se descreve indo à oração em consequência de sua irritabilidade e da provocação da qual tem sido alvo. Ela está sob constante provocação por parte de Penina (esteja Penina consciente disso ou não). Ana também está sob a provocação da parte de Deus, que lhe cerrou o ventre? Eis por que está irritadiça. Uma vez mais, as traduções, em geral, a descrevem como angustiada, mas a palavra hebraica usualmente significa irritadiça, no sentido de estar ofendida e irada. O seu estado emocional ilustra como o sentimento de ira ou de irritação não são obstáculos para a oração. Isso não impossibilita a oração; a torna possível e necessária, dando ao que ora energia e persistência ("todo este tempo"). Isso significa que você não apenas segue os movimentos da oração, mas prossegue perguntando até obter uma resposta.

Eli, em desespero, tenta reagrupar e relembrar as instruções que lhe foram dadas no seminário sobre como lidar com mulheres perturbadas e iradas e, por fim, consegue agir de modo apropriado. Diversas histórias, no Antigo Testamento, ilustram a dinâmica da oração nessa conexão, e o caso em questão é um exemplo. Como a palavra "súplica" sugere, quando o Antigo Testamento se refere à oração, o texto não tem em mente algo como meditação ou reflexão, uma prática designada a nos mudar. A oração é mais parecida com o relacionamento de uma criança com o seu pai ou a sua mãe. Quando um filho é ferido ou se sente assustado, ele vai atrás de seus pais para que eles façam algo a respeito, e (felizmente) eles asseguram à criança que farão. Eli sabe que o seu trabalho como pastor, naquele contexto, é transmitir a resposta de Deus à oração de Ana. No Antigo Testamento, as respostas de Deus às orações nem sempre são positivas, tal como ocorre com a resposta dos pais aos pedidos de seus filhos. Haverá ocasiões em que a reação inicial de Eli, na qual ele admoesta Ana, será a certa. Agora, ele vê que a situação não é essa e que requer trazer a verdadeira resposta de Deus.

Não sabemos como ele percebeu qual era a resposta a ser dada, que se revelou correta por meio do que vem a seguir. O motivo de ser a resposta certa também emergirá no devido tempo: embora nem toda mulher infértil que se lance a Deus, da maneira que Ana está fazendo, obtenha essa resposta, a intenção divina aqui é fazer algo especial para ela, que esteja relacionado ao cumprimento do propósito supremo de Deus com respeito a Israel (e para mim e você). Ana é afortunada por ser alguém cuja necessidade será atendida como parte do cumprimento daquele propósito divino.

A resposta correta, da parte de Eli, começa com: "Vá em **paz**." Ora, paz de coração é algo que Ana não possui no momento. Ela está destroçada por sua infertilidade e os efeitos disso no relacionamento com sua família e demais membros da comunidade. Contudo, uma declaração sobre paz, no Antigo Testamento, normalmente não está relacionada a paz de coração. Tipicamente, o Antigo Testamento lida com as mesmas ideias que a fé cristã, mas, com frequência, utiliza palavras diferentes. Quando quer desejar paz a alguém no nosso sentido, o texto traz algo como: "Não tenha medo." As palavras de Eli sobre paz abrigam implicações de maior alcance. *Paz* denota bem-estar, plenitude de vida. Para alguém na posição de Ana, é impossível imaginar bem-estar e plenitude de vida sem a ideia implicar sua maternidade. A bênção de Eli pressupõe que Deus irá atender à sua oração, não simplesmente fazê-la se sentir melhor quanto a não ser mãe. Além disso, pode ser significativo que a expressão de Eli seja mais literalmente: "Vá em paz." Naquele momento, as coisas não estão indo bem em sua vida, mas estão destinadas a mudar.

A continuação das palavras de Eli torna isso explícito: "O Deus de Israel: ele concederá o pedido que você lhe fez." O sacerdote enfatiza quem é o Deus sobre quem ele e Ana estão falando. Ela havia abordado Deus como "***Yahweh* dos Exércitos**". Embora o segundo termo aponte para o poder divino, o primeiro indica ser aquele Deus revelado pelo nome a Israel. Eli usa aquele fato sobre *Yahweh*, que é "o Deus de Israel". Isso significa que Deus está comprometido com uma israelita como Ana. O título terá ainda mais significado à luz do que descobriremos sobre a importância para Israel do filho que ela irá gerar. As traduções, normalmente, trazem essa sentença na condicional, como: "Vá em paz, e que o Deus de Israel lhe conceda o que você pediu" (NVI). Em outras palavras, Eli pode ser entendido tanto fazendo uma declaração sobre o que *irá*, de fato, acontecer, quanto sobre o que *precisa* ocorrer. Caso este último entendimento seja o correto, deveríamos inferir que Eli está apenas dizendo: "Espero que Deus responda à sua oração." Isso seria um anticlímax e não faria o menor sentido, após ter encorajado Ana a ir em paz ou à paz. Em seu desejo ele está se identificando com o que percebe da intenção de Deus.

A reação de Ana às palavras de Eli também sugere que ela as entendeu como a confirmação do que Deus irá, de fato, fazer: ela segue o seu caminho e se alimenta com um semblante que não mais está abatido. Em certo sentido, a situação não mudou em nada, desde o momento em que Ana decidiu ir ao santuário. Ela não está mais grávida do que antes; todavia, agora ela sabe que irá engravidar. A sua experiência e a sua reação refletem a compreensão das respostas à oração presente em Salmos. Pode-se chamá-las de "resposta-de-oração fase um" e de "resposta-de-oração fase dois". A fase um corresponde a Deus dizendo: "Sim. Eu ouvi e farei isso"; a fase dois é Deus tornando em realidade. O simples fato de receber a resposta da fase um transforma Ana.

1SAMUEL **1:19B–24**
É NECESSÁRIO HAVER UM MILAGRE

[19b]Elcana dormiu com Ana, sua mulher, e *Yahweh* estava atento a ela. [20]No fim do ano, Ana tinha engravidado e deu à luz um filho. Ela lhe deu o nome de Samuel [e disse], porque

"eu o pedi a *Yahweh*". [21]Elcana, o marido, e toda a sua casa subiram para oferecer o sacrifício anual e [para cumprir] a sua promessa, [22]mas Ana não subiu. "Porque" [ela disse ao seu marido], "quando o menino for desmamado, eu o levarei. Nós veremos a face de *Yahweh*, e ele ficará lá permanentemente." [23]Elcana, seu marido, lhe disse: "Faça o que parecer bom aos seus olhos; fique até que você o tenha desmamado. Que Deus apenas cumpra a sua palavra." Então, a esposa ficou e cuidou de seu filho até tê-lo desmamado [24]e subiu com ele, quando o tinha desmamado, com um touro de três anos de idade, uma medida de farinha e um odre de vinho. Ela o levou à casa de *Yahweh*, em Siló, quando ele era um menino.

Em *Josué, Juízes e Rute para todos*, mencionei uma de minhas alunas que passou o último ano dedicando-se aos preparativos de seu casamento, mas que também desenvolveu dores de cabeça cada vez mais intensas. Cerca de um mês antes de seu casamento, ela fez uma ressonância magnética que sugeriu um tumor cerebral. Os médicos queriam operá-la o mais breve possível, embora o resultado da operação não fosse garantido; ela poderia sair da cirurgia com alguma incapacidade. Sua família e seus amigos encorajaram o casal a levar o casamento adiante, oraram por ela incessantemente e ajudaram os noivos na realização da cerimônia de núpcias, que ocorreu em apenas uma semana. Enquanto ela era levada para a cirurgia, sua mãe comentou: "Muitas pessoas estão orando por ela; esse tumor não tem a menor chance." Foi um comentário inspirador, mas claro que o curso da vida não funciona desse jeito. Não obstante, quando os cirurgiões abriram o cérebro da sua filha, eles não encontraram nenhum tumor, apenas um abscesso disforme. Então, eles o removeram, suturaram a incisão e começaram a coçar a própria cabeça (nesse meio-tempo, ela parou de sofrer com as enxaquecas). Teria sido um milagre? Uma infecção incomum? Alguma espécie de vírus que ela contraiu quando fez mergulho na África? A teoria seguinte foi de que a anomalia seria resultante de um pequeno orifício em seu coração que ela tinha desde a mais tenra infância, mas, na época, os médicos concluíram que isso não acarretava nenhuma disfunção cardíaca. Como pensar sobre a relação entre a maneira pela qual compreendemos as coisas do ponto de vista médico e a forma em que compreendemos o envolvimento de Deus quando algo extraordinário acontece?

Já observamos quão sugestivo é que o livro de 1Samuel venha após Juízes, na Bíblia hebraica, mas a ordenação dos livros em nossas Bíblias segue a ordem estabelecida pela tradução grega do Antigo Testamento. Nesse caso, é sugestivo que 1Samuel siga o livro de Rute e, portanto, que a história de Ana siga diretamente a história de Rute. As duas são mulheres cuja experiência de casamento, inicialmente, lhes trazem dor. Rute sofre a perda de seu marido, e Ana sofre com sua incapacidade de gerar filhos. Ambas são, então, mulheres que encontram cura e restauração.

A diferença reside no fato de que, no caso de Rute, tanto a perda quanto a salvação ocorrem sem a intervenção divina; pelo menos, a narrativa nada diz sobre Deus ter matado o primeiro marido dela, nem afirma que Deus lhe providenciou um novo marido. Noemi, na verdade, afirma as duas coisas e, em certo nível, Deus é mesmo responsável por ambos os eventos, pois, no fim das contas, ele é responsável por tudo o que ocorre. Contudo, a forma pela qual o Antigo Testamento fala sugere a presunção de que Deus carrega mais responsabilidade direta por alguns eventos do que por outros. Algumas ocorrências resultam da iniciativa de Deus, em lugar de apenas permitir que aconteçam.

Em contraste, 1Samuel afirma que Deus cerrou o ventre de Ana e, agora, estabelece uma conexão entre a sua capacidade de gerar um filho e o fato de Deus estar atento a ela em consequência do modo pelo qual ela lhe fez a petição (consideramos a ideia de Deus estar atento em nosso comentário sobre 1Samuel 1:9-11). Meu palpite é que, se você fosse capaz de olhar empiricamente (cientificamente) para o que ocorreu às duas mulheres, dificilmente encontraria uma diferença entre as suas experiências. Caso dispusesse dos registros médicos de Ana, descobriria que a sua incapacidade de conceber tinha alguma causa fisiológica ou anatômica e que a sua eventual gravidez era uma grande surpresa para os médicos. Eles, então, diriam que, algumas vezes, "milagres" (expressão pela qual querem dizer "eventos inexplicáveis") acontecem, do mesmo modo que poderiam ter dito sobre o caso daquela minha aluna.

Na Escritura, há alguns eventos que requerem explicação em termos de intervenção divina. Mesmo que tivéssemos toda a evidência científica no mundo, ainda seríamos incapazes de explicar a criação do mundo ou a ressurreição de Jesus (não somente a sua ressurreição, mas a sua transformação num tipo de vida renovada). Todavia, as Escrituras reconhecem que, na maior parte do tempo, a vida ocorre sem a intervenção divina e que Deus opera por meio de processos de causa e efeito. Assim, a história de Rute não fala de intervenções, embora isso implique a presunção de que Deus realizou algo especial por meio de uma série de eventos comuns, coincidências, atos de compromisso humano e a retenção do compromisso humano relacionado. A narrativa de Ana atribui a sua infertilidade a Deus e, então, igualmente, atribui a sua gravidez a ele.

Bem, Elcana foi envolvido também. Presume-se que Ana lhe contou o diálogo entre ela e Eli; as trocas posteriores entre Ana e Elcana sugerem que ela o fez. Nem mesmo consigo imaginar como foi quando eles tiveram relações sexuais nas semanas seguintes. A escala de tempo é, reconhecidamente, um pouco incerta. O relato faz referência ao fim do ano. Considerando que o festival mencionado é o que ocorre no outono, ao término do período agrícola, o fim do ano significará um ano após a visita em Siló. A maneira óbvia de compreender a história, então, sugere que ela ocorreu um ano antes de Ana ficar grávida. Novamente, como teria sido viver por um ano com aquelas palavras de Eli, viver todos aqueles meses com a resposta-de-oração fase um, mas não ver a fase dois? Uma forma menos evidente de entender a história é avaliar que Samuel, de fato, nasceu um ano depois, embora isso faça pouca diferença. Ana ainda precisa aguardar meses até obter alguma evidência de que a fase dois está em curso.

Quando a fase dois é confirmada, ela dá ao filho o nome de Samuel e o associa ao fato de tê-lo pedido a Deus. Agora, é quase uma regra em vez de uma exceção, que os comentários sobre os nomes das pessoas, no Antigo Testamento, não têm relação com o que teríamos pensado sobre o significado real do nome (p. ex., Abraão, na realidade, não significa "pai de muitas nações", como Gênesis 17 pode levar a pensar). Os comentários que o Antigo Testamento oferece, em geral, sugerem ligações possíveis, caso haja certo exercício de imaginação. Na realidade, não sabemos qual o possível significado do nome Samuel para alguém em Israel, embora a última sílaba o faça pensar numa possível relação com Deus, porque *el* é um termo hebraico para Deus. No entanto, o significado real do nome Samuel permanece incerto. O que é evidente é que não significa "pedido a Deus". Se houvesse um nome cujo significado é "pedido" ou "solicitado", esse nome seria Saul; eis, exatamente, o que Saul significa. Talvez os israelitas percebessem isso, ao ouvirem a narrativa, e é possível também que fizessem uma conexão com o fato de o ministério de Samuel, mais tarde, incluir a designação de Saul como primeiro rei de Israel, o processo que abre a possibilidade de mudar das atrocidades que caracterizaram as histórias em Juízes, quando "não havia rei em Israel". Em suma, a oração de Ana é aquela cuja resposta resulta em Saul.

Provavelmente, o ano no qual Elcana subiu para o festival e Ana permaneceu em casa seja um outro ano posterior, quando Samuel já tinha um ano de idade. No Ocidente moderno, ele já teria idade suficiente para ser desmamado, mas, nas sociedades tradicionais, o desmame ocorre bem mais tarde. Desse modo, o ano no qual Ana leva Samuel ao festival será quando ele não mais é um bebê, mas um menino. Não sabemos que promessa Elcana estava cumprindo no festival daquele ano, mas a ideia de prometer dar algo a Deus na forma de um sacrifício e, então, cumpri-lo é familiar. Constitui um dos motivos clássicos na instrução em Levítico 7 para a apresentação de uma "oferta de comunhão", citada nos versículos iniciais de 1Samuel. Em outras palavras, talvez a implicação seja de que, a cada ano, Elcana também fazia petições a Deus, pelas quais prometia expressar graças dessa maneira concreta e dispendiosa, caso fosse atendido, o que ocorria todos os anos. Não seria surpresa se a infertilidade de Ana e o conflito que isso gerava em sua própria casa fossem objeto de sua oração. Portanto, em sua ida ao primeiro festival após o nascimento de Samuel, Elcana tinha um motivo especial de júbilo e gratidão.

A **Torá** fala dos festivais como ocasiões para o povo "apresentar-se diante" de Deus, mas Ana usa uma expressão mais ousada; são eventos aos quais o povo comparece para "ver a face de Deus" (é o mesmo verbo hebraico, mas uma forma diferente dele). Decerto, ela não esperava ver Deus fisicamente; Ana é uma mulher sábia o suficiente para saber que Deus não é corporal e visível. Portanto, a sua ideia de ver Deus não difere muito da maneira pela qual os cristãos pensam quando falam em ver Deus com os olhos do coração, como, às vezes, expressamos. Ana sabe que realmente encontramos Deus, quando vamos à sua casa.

1SAMUEL **1:25—2:10**
SOBRE ABRIR MÃO DE SEU FILHO

25[Ana] abateu o touro e levou o menino a Eli. **26**Ela disse: "Com licença, senhor, tão certo quanto vives, eu sou a mulher que esteve aqui contigo, para fazer o meu apelo a *Yahweh*. **27**Foi por este menino que eu roguei, e *Yahweh* deu-me o que eu lhe pedi. **28**Por isso, eu mesma, em troca, entrego-o a *Yahweh*; por todos os dias que viver, ele será dedicado a *Yahweh*."

Ele curvou-se ali, diante de *Yahweh*,

CAPÍTULO 2

1e Ana orou:

"Meu espírito exulta em *Yahweh*, minha força se eleva em *Yahweh*.

Minha boca se abre amplamente diante de meus inimigos, porque me regozijo em tua libertação.

2Não há ninguém santo como *Yahweh*, porque não há ninguém além de ti; não há rochedo como o nosso Deus.

3Não mais expresse um discurso altivo, um discurso elevado, [nem] o discurso desenfreado deve sair de sua boca.

Porque *Yahweh* é um Deus que conhece; por ele, as ações são pesadas.

4Os arcos dos guerreiros são quebrados, mas pessoas que estavam caindo revestem-se de força.

5Pessoas que estavam fartas, empregam-se para obter pão, mas os famintos param [de ser famintos].

A mulher infértil dá à luz sete, mas a mulher com muitos filhos é abandonada.

[6]*Yahweh* é aquele que mata e que traz à vida, envia ao *Sheol* e traz de volta.
[7]*Yahweh* é aquele que torna pobre e torna rico, derruba e também levanta.
[8]Ele é aquele que levanta o pobre da sujeira, levanta o necessitado da pilha de lixo
e os faz sentar com as pessoas importantes, colocando-os em assentos de honra.
Porque os pilares da terra pertencem a *Yahweh*; ele estabeleceu o mundo sobre eles.
[9]Ele guarda os pés das pessoas comprometidas com ele, mas os incrédulos permanecem em silêncio na escuridão.
Porque não é pela força que uma pessoa prevalece;
[10]*Yahweh* despedaçará os seus oponentes.
Trovejará contra eles nas nuvens; *Yahweh* exercerá autoridade sobre os confins da terra.
Ele dará força a seu rei e elevará o chifre de seu ungido."

Enquanto escrevo, dois aniversários foram completados recentemente. Cerca de trinta anos atrás, em 1979, o xá do Irã foi destituído e o aiatolá Khomeini retornou do exílio para se tornar o "Líder" iraniano, uma posição mais poderosa que a de presidente. Alguns meses mais tarde, Nelson Mandela foi libertado da prisão, na África do Sul, iniciando a sua jornada para se tornar o presidente daquele país. O retorno do aiatolá Khomeini ao Irã para assumir a sua posição sob a nova Constituição do Irã foi saudada, tanto por cristãos quanto por muçulmanos, como um evento de libertação para o povo iraniano. A revista *Time* o nomeou como o homem do ano. Trinta anos depois, a atitude dos ocidentais é muito diferente daquela, na época, adotada pelo Ocidente. A libertação de Nelson Mandela, da mesma forma, parecia um acontecimento profundamente auspicioso para o povo sul-africano, e ainda é, apesar dos problemas que essa nação ainda enfrenta.

"*Yahweh* derruba e também levanta." Até que ponto isso é verdadeiro? Deus levantou Khomeini e Mandela? Tal como no contexto familiar, em relação a cerrar e abrir ventres, no âmbito da vida política há um sentido no qual Deus é responsável por tudo o que acontece. Todavia, a Bíblia, com frequência, também atribui responsabilidade a Deus por eventos específicos, sugerindo um envolvimento mais direto. Deus toma a iniciativa em vez de simplesmente permitir o curso natural dos fatos, e/ou há eventos que contribuem para o contínuo propósito divino, enquanto outros eventos não possuem essa carga de importância.

No contexto da história de Ana, uma primeira questão é por que o seu cântico de louvor, em razão do nascimento de seu filho, abre esse assunto para nós. Não é surpresa o fato de ela ter algum louvor a oferecer à luz do que Deus tem feito em sua vida, ao longo dos três ou quatro anos anteriores. Um dos significados de seu ato de louvor é que isso traz um desfecho adequado à interação entre ela e Deus no tocante à sua infertilidade. Quando você tem uma necessidade ou atravessa uma crise, a forma pela qual a vida com Deus funciona é o que (a) você leva a Deus e lhe suplica para fazer algo a respeito; você espera que (b) Deus firme um compromisso com você em relação ao seu pedido na forma que denominei como "resposta-de-oração fase um"; à qual (c) você responde com confiança e louvor; e, então, (d) Deus age, sob a forma que chamei de "resposta-de-oração fase dois". Essa sequência não alcança uma conclusão e um encerramento até que (e) você retorne a Deus para dar graças e o faça publicamente a fim de que outras pessoas possam unir-se a você em seu louvor e fortaleçam a própria confiança em

Deus e o compromisso com ele. Esse é um aspecto relevante da ida de Ana ao santuário.

Portanto, a sua visita envolve o seu agradecimento e louvor pessoal. O que Deus fez por ela possibilita que Ana reafirme: "Não há ninguém além de ti." Todavia, o amplo escopo de seu louvor não é endereçado diretamente a Deus. Ela fala sobre Deus na terceira pessoa, e, assim, é dirigido a outras pessoas (no devido tempo, a pessoas, como nós, que leem a sua história). Em sua natureza, como endereçada a Deus, é ação de graças, mas em sua natureza, ao falar sobre Deus, é um testemunho. A gratidão pelo que Deus fez não é completa até que a pessoa beneficiada conte às demais sobre o que ele fez. As palavras iniciais de Ana a Eli, portanto, assumem naturalmente a forma de palavras sobre Deus, não palavras a ele, mantendo a forma característica de ação de graças/testemunho: elas contam a sua história. "Eu sou a mulher que esteve aqui contigo, para fazer o meu apelo a *Yahweh*. Foi por este menino que eu roguei, e *Yahweh* deu-me o que eu lhe pedi." Assim, ao receber uma resposta de oração, você deve recontar o que Deus lhe fez. Igualmente, você aponta as implicações disso. Reconhece que não é apenas um evento isolado qualquer sem nada a dizer sobre o caráter divino e a maneira de ele agir. Admite ser uma indicação e confirmação sobre o caráter de Deus e o seu modo de agir. Eis por que o seu testemunho é tão importante para o relacionamento das demais pessoas com Deus. De forma paradoxal, é especialmente relevante às pessoas com as quais Deus não tem agido da maneira em que ele agiu com você. Ana encoraja outras mulheres estéreis a ir e suplicar a ação de Deus.

O mais surpreendente na ação de graças/testemunho de Ana é o seu poema de louvor não apresentar nenhuma relação óbvia ou indireta com a sua experiência com Deus, quando ele abriu o seu ventre. Seria um exagero até mesmo fazer uma ligação com o verso inicial sobre inimigos (ela não foi exatamente **libertada** de Penina) ou com a linha poética sobre a mulher infértil que teve sete filhos (embora Ana gere cinco mais). O seu louvor relaciona-se ao âmbito político, não pessoal, bem como ao seu povo, em vez de apenas consigo mesma.

A lógica por trás disso é que, embora seja importante para a sua mãe, o nascimento de Samuel possui um significado muito mais abrangente. Ele se tornará uma figura relevante na história israelita, tendo conexões com a libertação de Israel da opressão imposta pelos **filisteus** e, então, na unção do rei que Deus pretende usar nesse mesmo propósito (1Samuel 7; 9). O olhar do cântico de Ana está nesses eventos ainda futuros. Na realidade, a canção cita esses eventos como bênção ocorrida, porque Samuel já nasceu. Eles confirmam que ***Yahweh*** é o único que realmente merece ser chamado de "Deus", o Rochedo, o Criador, o Guardião, o único com poder sobre todo o mundo.

Em suma, o cântico de Ana constitui também uma profecia, como a canção de Miriã, em Êxodo 15, que antecipa a entrada de Israel em Canaã. A característica profética se torna mais explícita na última linha. Levantar o chifre, a exemplo de um animal como o touro faz, é uma imagem de extremo poder. Deus elevará o chifre de seu ungido. No contexto de sua história, não sabemos a quem Ana está se referindo, mas, alguns capítulos adiante, quando Samuel houver, de fato, ungido Saul, conheceremos a sua identidade. Ao sabermos sobre Davi, o ungido seguinte, e suas conquistas ainda maiores que as de seu antecessor, compreenderemos quão distante a profecia de Ana alcança o futuro. Quando Ana fala de sua libertação dos inimigos, está falando dos inimigos que ela compartilha com seu povo. Tais inimigos deveriam ser sábios o bastante para deixar a autoexaltação, como se fossem capazes de manter o domínio sobre o seu povo; eles não são. A pressão econômica que eles exercem sobre Israel chegará ao fim. O seu povo florescerá; seus inimigos declinarão.

Se Ana tivesse a mínima noção de que o nascimento de seu filho abrigava tamanha importância para Israel, isso tornaria o sacrifício que ela fez, em Siló, mais plausível. Esse sacrifício não envolveu apenas o abate de um touro (um bem valioso para uma família), mas a entrega de seu próprio filho. Podemos refletir sobre como ela conseguiu fazer isso, mas Ana sabe que o atendimento de sua necessidade não é algo apenas individual, mas inserido num propósito muito maior. Assim, ela pode confiar o filho aos cuidados de Eli e ao santuário — ou melhor, a Deus. O fato de Samuel curvar-se a Deus é um sinal de aceitação por sua vocação.

Na história que se desenrola em 1Samuel, *Yahweh* será, de fato, aquele que derruba e levanta rei. Infelizmente, no longo prazo (como foi o caso da ascensão de Khomeini e de Mandela), a importância de reis, como Saul e Davi, será mais ambígua. O que irá transparecer é que há uma interação entre a iniciativa divina e a resposta humana. É plenamente possível arruinar as iniciativas que Deus põe em movimento. Felizmente, Deus não desiste e pensa em outra iniciativa.

1SAMUEL **2:11-36**
QUANDO OS MINISTROS SÃO AUTOINDULGENTES

[11]Então, Elcana foi para casa, em Ramá. O menino ficou ministrando a *Yahweh*, na presença de Eli, o sacerdote. [12]Mas os filhos de Eli eram homens indignos; eles não reconheciam *Yahweh*. [13]A prática dos sacerdotes com o povo era tal que, quando cada pessoa oferecia um sacrifício, o rapaz dos sacerdotes vinha, quando a carne estava cozinhando, com um

garfo de três pontas em sua mão. [14]Ele o espetava na panela, na chaleira, no caldeirão ou pote; tudo o que o garfo trazia, o sacerdote tomava para si. Eis como eles agiam com todo o Israel que ia até lá, em Siló. [15]Além disso, antes de transformarem a gordura em fumaça, o rapaz dos sacerdotes vinha e dizia para a pessoa que fazia o sacrifício: "Dê [a mim] carne para o sacerdote assar; ele não aceitará carne cozida de você, somente crua." [16]Se a pessoa lhe dissesse: "Eles realmente devem transformar a gordura em fumaça agora e, então, pode pegar para si o que quiser", ele dizia: "Não, dê agora, ou irei tomá-la à força." [17]A transgressão dos rapazes na presença de *Yahweh* era muito grande, porque essas pessoas tratavam a oferta de *Yahweh* com desprezo.

[18]Ora, Samuel estava ministrando na presença de *Yahweh*, um garoto cingido num éfode de linho. [19]Sua mãe lhe fazia um pequeno manto e o levava todos os anos, quando subia com seu marido para oferecer o sacrifício anual. [20]Eli abençoava Elcana e sua esposa, dizendo: "Que *Yahweh* lhe dê descendência dessa mulher no lugar daquele por quem ela pediu a *Yahweh*", e eles voltavam para casa. [21]Porque *Yahweh* atentou para Ana, ela ficou grávida e teve três filhos e duas filhas, mas o menino Samuel crescia na presença de *Yahweh*.

[22]Ora, Eli estava muito velho. Ele ouviu sobre tudo o que seus filhos estavam fazendo a todo o Israel e sobre como eles estavam dormindo com as mulheres que serviam à entrada da Tenda do Encontro. [23]Ele lhes disse: "Por que vocês fazem coisas como essas sobre as quais ouvi, coisas perversas, de todas essas pessoas? [24]Não, meus filhos, porque o relato que ouço das pessoas de *Yahweh* espalhando não é bom. [25]Se alguém fizer algo errado contra outra pessoa, Deus pode implorar por ele, mas, se alguém fizer algo errado contra Deus, quem entrará com uma petição por ele?" Eles, porém, não escutaram a voz do pai porque *Yahweh* queria matá-los. [26]Mas o menino Samuel estava vivendo e crescendo e dando uma boa impressão a

ambos, a Deus e ao povo. [27]Um homem de Deus foi até Eli e lhe disse: [...] [30]"Portanto (o oráculo de *Yahweh*, Deus de Israel), eu disse que a sua casa e a casa de seu pai seguiriam [como sacerdotes] diante de mim para sempre, mas agora (oráculo de *Yahweh*) longe esteja isso de mim, porque a quem me honra eu honrarei, mas quem me despreza será desprezado [...] [34]Isto lhe será por sinal, que virá sobre os seus dois filhos, Hofni e Fineias: no mesmo dia, os dois morrerão. [35]Mas eu levantarei para mim mesmo um sacerdote fidedigno. Ele agirá de acordo com a minha mente e o meu espírito. Edificarei uma casa confiável para ele. Ele seguirá diante de meu ungido para sempre. [36]Todo aquele que restar da sua família virá curvar-se a ele, por um pagamento em prata e um pedaço de pão, e dirá: "Indicar-me-ás para uma das tarefas sacerdotais para que eu tenha comida para comer?"

A Quaresma teve início. De antemão, durante o jantar, os membros de nosso grupo de estudo bíblico estavam se perguntando qual das disciplinas quaresmais eles poderiam assumir. Argumentei que a disciplina seria mais bem compreendida como uma questão de fazer algo positivo em vez de apenas desistir de fazer algo. Então, na Quarta-feira de Cinzas, participei de um simpósio no seminário sobre "Psicologia do, com e para o pobre", que desafiou a todos nós quanto ao nosso compromisso com os pobres e, portanto, sugeriu ângulos sobre como a disciplina poderia envolver um compromisso positivo. Até onde eu sei, o fato de esse simpósio ter sido realizado numa Quarta-feira de Cinzas foi mera coincidência, apesar de ser das boas. Pastores e um professor, que também é pastor, precisaram se perguntar até que ponto o nosso ministério é autoindulgente. Creio que a maioria dos pastores é mais bem remunerada do que muitos membros de suas congregações, vive em casas melhores e possui um plano de saúde mais abrangente.

Isso, em conjunto com o relato dos filhos de Eli, levou a uma reflexão muito pouco confortável. A exemplo de reis e políticos, os ministros sempre constituíram uma bênção mesclada em Israel, como eles têm sido na igreja. Como no caso dos reis, uma das causas é a nossa propensão à autoindulgência, potencializada por estarmos numa posição que nos permite ceder a ela. No caso dos filhos de Eli, não há nenhum indício de que eles levaram o povo a cultuar falsos deuses, mas ambos estavam envolvidos naquilo que Paulo chamará de "fazer do nosso ventre o nosso deus" (Filipenses 3:19). Assim, então, eles não reconheciam ***Yahweh***. Com certa ironia, a história chama os filhos de Eli de "indignos"; esta foi a descrição aplicada a Ana pelo pai deles, quando Eli pensou que ela estivesse embriagada no festival.

Uma das causas da tentação era o fato de os sacerdotes receberem uma partilha dos sacrifícios como parte do suporte deles. Diferentemente de outros povos, eles não podiam entregar-se ao trabalho em uma fazenda a fim de obter sustento para si mesmos e suas respectivas famílias, mas uma das maneiras pelas quais Deus e a comunidade lhes forneciam provisão era a permissão de compartilharem de alguns dos sacrifícios. Em Levítico, há regras que prescrevem o que deve ser feito com os sacrifícios (o livro de Levítico, propriamente dito, ainda não existia no tempo de Eli, mas deveria haver alguma versão prévia de tais leis). Havia partes que eram destinadas diretamente a Deus e, portanto, queimadas e transformadas em fumaça, como este relato menciona, e havia partes que iam para os sacerdotes. No caso dos sacrifícios de comunhão, o tipo trazido por Elcana e sua família quando subiam a Siló, havia partes que eram compartilhadas pelas pessoas ofertantes, de maneira que essas eram ocasiões de confraternização e congraçamento entre as pessoas e Deus. Os sacerdotes de Siló ignoravam todas essas convenções. Tudo o que desejavam era assegurar uma boa refeição para si mesmos, e a função dos seus "rapazes" (seus assistentes) era a de concretizar esse objetivo. Dessa maneira, eles tratavam a oferta de *Yahweh* com desdém.

Mais adiante, aprendemos que isso não era tudo. Diz-se que há três questões espirituais com as quais os homens, particularmente os pastores, precisam lidar: dinheiro, sexo e poder. Os pastores são mais propensos a se complicar nessas áreas do que as pessoas comuns, colhendo consequências mais desastrosas para si mesmos e para outras pessoas. Em uma sociedade tradicional, como a de Israel, não há a questão do dinheiro, mas existem as coisas nas quais gostaríamos de gastá-lo, com as quais podemos cair na autoindulgência, de modo que o comportamento dos filhos de Eli em relação aos sacrifícios já ilustra que eles têm problemas com o primeiro e o terceiro elementos dessa tríade profana de dinheiro, sexo e poder. A alusão ao envolvimento deles com as mulheres que serviam no santuário, então, confirma o envolvimento deles com o segundo elemento e, novamente, com o terceiro, em razão da diferença de poder entre os sacerdotes e aquelas mulheres. (Não sabemos a forma de serviço delas, mas havia muitas tarefas práticas a serem realizadas no santuário em conexão com as ofertas.)

Existem outros aspectos assustadores na história. Um deles é a impressão ambígua de Eli. Ele é uma pessoa dividida. Já vimos que ele mostrou saber lidar, como também não lidar, com uma mulher como Ana no santuário. O mesmo ocorreu em relação aos seus filhos. É possível que ele e a esposa os tenham educado da melhor forma possível, quando eram garotos, mas Eli é incapaz de fazer algo com eles, agora que são adultos. O argumento de Eli é profundo: se você agir errado contra outra pessoa, Deus pode mediar para você, mas quem irá intervir por você, caso peque contra Deus? Infelizmente, eles já foram longe demais para escutar o pai.

Isso conecta-se a outro aspecto inquietante da história. Qual é a relação entre o compromisso divino e a obrigação humana? Deus havia dito que a linhagem de Eli sempre seria de sacerdotes. Não há essa promessa específica no Antigo Testamento, mas a ligação de alguns pontos soltos nas genealogias do Antigo Testamento sugere que a linhagem de Eli retrocedia a Arão, e a **Torá**, de fato, afirma que Deus designou os descendentes de Arão como a linha sacerdotal perpétua. As instruções em Êxodo 28—29 sobre a ordenação dos primeiros sacerdotes esclarecem o ponto; no entanto, dois dos filhos de Arão morrem precocemente por agirem de modo errado (Levítico 10). A promessa sobre o sacerdócio perpétuo assegura que Deus não mudará a sua mente quanto a essa questão, mas isso não significa que a nossa resposta humana em relação à promessa de Deus seja irrelevante. A linhagem de Eli irá seguir da mesma maneira que a dos dois filhos mais velhos de Arão. Além disso, tal como muitas passagens do Antigo e do Novo Testamentos pressupõem, há circunstâncias nas quais Deus desiste de pessoas e determina que não há alternativa para o julgamento. A alguém que se arrepende, Deus jamais diz: "Eu não o perdoarei", mas, algumas vezes (sempre?), o arrependimento parece ser um dom que Deus tem a oferecer às pessoas, e ele pode decidir não mais oferecer esse dom e deixar as pessoas receberem as consequências de seus atos. Eli será substituído por um sacerdote "fidedigno", porém mais fidedigno como profeta do que como sacerdote, e, no devido tempo, esse sacerdote fiel será Zadoque, o sacerdote sênior nos dias de Davi. (A história do sacerdócio de Israel é impossível de rastrear, e uma das relevâncias dessa história pode bem ser o fato de ela refletir as rivalidades quanto ao sacerdócio e explicar por que uma linhagem se perde e outra avança.)

Este é o contexto ao qual Samuel é levado! Ana tinha conhecimento? Quais as chances de ele ser educado e crescer de forma adequada, como um "rapaz" atuando entre outros "rapazes" implicados nos abusos perpetrados pelos filhos de Eli? Felizmente, Samuel está crescendo "na presença de *Yahweh*", bem como "na presença de Eli".

1SAMUEL 3:1–4:1A
UMA INTIMAÇÃO, NÃO UM CHAMADO

[1]Assim, o menino Samuel ministrava a *Yahweh* na presença de Eli, e a palavra de *Yahweh* era rara naquela época; não havia visão se espalhando. [2]Um dia, Eli estava deitado em seu lugar. Seus olhos tinham começado a falhar; ele não conseguia enxergar. [3]A lâmpada de Deus ainda não havia se apagado. Samuel estava deitado no palácio de *Yahweh*, no qual o baú de *Yahweh* estava. [4]*Yahweh* chamou Samuel. Ele disse: "Estou aqui", [5]e correu até Eli e disse: "Estou aqui, porque me chamaste." [Eli] disse: "Eu não o chamei. Volte e deite-se." Então, ele foi e se deitou. [6]*Yahweh* chamou novamente: "Samuel", e Samuel levantou-se, foi até Eli e disse: "Estou aqui, porque me chamaste." Ele disse: "Eu não chamei você, filho; volte e deite-se." [7]Ora, Samuel ainda não reconhecia *Yahweh*. A palavra de *Yahweh* ainda não tinha se manifestado a ele. [8]*Yahweh*, uma vez mais, chamou Samuel, uma terceira vez, e ele levantou-se, foi até Eli e disse: "Estou aqui, porque me chamaste", e Eli percebeu que *Yahweh* estava chamando o menino. [9]Então, Eli disse a Samuel: "Vá e deite-se, mas, se ele chamar você, diga: 'Fala, *Yahweh*, porque o teu servo está ouvindo.'" Assim, Samuel foi e se deitou em seu lugar.

[10]*Yahweh* veio e permaneceu ali, e chamou como das outras vezes: "Samuel, Samuel." Samuel disse: "Fala, porque o teu

servo está ouvindo." [11]*Yahweh* disse a Samuel: "Realizarei algo em Israel que fará tinir os ouvidos de todo aquele que ouvir isso. [12]Naquele dia, confirmarei a Eli tudo o que falei com respeito à casa dele, do começo ao fim, [13]quando eu lhe disse que julgaria a sua casa para sempre, pela transgressão da qual ele soube, de que seus filhos estavam desdenhando de Deus, e ele não os fez parar. [14]Portanto, juro com respeito à casa de Eli: a transgressão da casa de Eli jamais encontrará expiação por sacrifício ou por oferta" [...]

[15]Samuel deitou ali até de manhã e abriu as portas da casa de *Yahweh*. Samuel estava com medo de contar a Eli a visão, [16]mas Eli chamou Samuel e disse: "Samuel, meu filho." Ele disse: "Estou aqui." [17]Ele disse: "O que foi a coisa que ele lhe falou? Não esconda nada de mim. Que Deus faça isso com você, e que ele faça mais, se você esconder de mim algo de tudo o que ele lhe disse." [18]Então, Samuel lhe contou tudo e não escondeu nada dele. [Eli] disse: "Ele é *Yahweh*. Ele fará o que for bom aos seus olhos."

[19]Samuel cresceu. *Yahweh* estava com ele e não permitiu que nenhuma de suas palavras caísse por terra. [20]Todo o Israel, de Dã a Berseba, reconheceu que Samuel era digno de confiança como profeta pertencente a *Yahweh*. [21]*Yahweh*, novamente, apareceu em Siló, por meio de revelar-se a Samuel com a palavra de *Yahweh*,

CAPÍTULO 4

[1a]e a palavra de Samuel veio a todo o Israel.

Uma de minhas amigas está passando pelo "processo de discernimento", pelo qual a Igreja Episcopal busca decidir se ela é chamada para ordenação ao ministério. Esse processo envolve reuniões com um grupo de pessoas da sua igreja local, com oficiais diocesanos e também com o bispo. Inicialmente, o sacerdote em sua própria paróquia é o guardião do processo. Caso você não tenha o apoio dele, não será capaz nem de iniciá-lo. Na outra ponta do processo, o aspirante pode ser convidado a comparecer a uma conferência de candidatura e, no fim, o bispo que ordena você é que tem poder do sim ou do não. Na Grã-Bretanha, temos um processo bem diferente desse, porém com o mesmo objetivo. Em ambos os contextos, tenho amigos que passaram por esse processo e se convenceram de que o sacerdote, bispo ou alguma outra pessoa era como Eli. Deus estava chamando Samuel, mas Eli precisou de três tentativas para reconhecer o que estava acontecendo.

Há maneiras pelas quais o padrão do "chamado" de Samuel, de fato, reaparece quando pessoas são chamadas para um ministério reconhecido na igreja, embora as diferenças sejam tão marcantes que elas parecem mais significativas que as similaridades. Para começar, o chamado é algo que se aplica a profetas em vez de a sacerdotes. Em Israel, a pessoa não precisa de um chamado para se tornar um sacerdote. Isso decorre da família à qual você pertence. Pode-se dizer que Samuel é mais como um diácono do que um sacerdote pelo fato de ter um ministério prático no santuário; ele podia exercer aquele ministério sem pertencer à família certa, mas também não precisaria de uma vocação. Voluntários podiam ser aceitos.

Então, algo estranho ocorreu ao longo dos anos no tocante ao modo pelo qual falamos em termos de chamado e vocação em conexão com o ministério. Falar com os alunos quase sempre me leva a refletir que pensamos no ministério como algo que nos capacita a encontrar realização, pois nos possibilita expressar os dons que recebemos de Deus. O discernimento, portanto, começa quando buscamos perceber quais são os nossos dons e como podemos expressá-los. Não há nenhum traço desse pensamento no Antigo Testamento ou mesmo no Novo

Testamento. Samuel não é chamado porque este será o meio de ele encontrar realização (nem Paulo). Considerando que as conotações da palavra "chamado" mudaram, seria melhor utilizarmos a palavra "intimação" em lugar de "chamado" para descrever o que ocorreu a Samuel ou a Paulo. Samuel compreende a ideia quando, no meio da noite, reconhece que o seu chefe o intimou a fazer algo e se apresenta ao serviço; ele apenas não percebe quem é o chefe. (Paulo capta a ideia quando Jesus o agarra pelo pescoço e anuncia a intenção de lhe revelar o que ele irá fazer.) Penso não haver nada errado com o fato de as pessoas usarem seus dons para servir a Deus (espero também estar fazendo isso). Apenas que isso nada tem a ver com chamado.

Provavelmente, Samuel está, agora, um pouco mais velho, embora ainda possa ser descrito como um "menino". Da mesma forma que em 1Samuel 1:9, o santuário é citado como o palácio de ***Yahweh***; é o lugar no qual o grande Rei se digna de residir. Samuel dorme no santuário como uma espécie de guarda, até que a luz que queima ali, durante toda a noite, se apague ao amanhecer, embora a ideia de a luz ainda não ter se apagado talvez também tenha um significado simbólico; em Israel e no santuário, a luz é bem tênue. Da mesma forma, a visão falha de Eli não é algo que diga respeito apenas ao aspecto físico, mas também ao seu discernimento moral e religioso. Ele, evidentemente, dorme em algum lugar próximo. A presença do **baú da aliança** enfatiza a importância desse santuário como o lugar que representa a relação de aliança entre Deus e Israel, embora essa primeira referência ao baú também chame a atenção para a escuridão que está prestes a cair no próximo capítulo, quando o baú deixar Siló, para nunca mais retornar.

A intimação de Samuel constitui, mais ou menos, o começo da história dos profetas em Israel. Há uma pré-história; o

Antigo Testamento cita inúmeras pessoas como profetas ou que profetizam, mas, antes de Samuel: "a palavra de *Yahweh* era rara naquela época; não havia visão se espalhando." As expressões são um pouco estranhas, mas elas deixam claro que a profecia era algo ocasional. Regularmente, não se ouvia dizer que alguém havia tido uma visão profética. Isso está para mudar por causa de uma outra mudança que é iminente, ou seja, a instituição de um governo central em Israel. A profecia será necessária em associação com isso.

Especialmente, Deus ainda não falara nenhuma palavra profética a Samuel e, assim, este, até então, não tinha "reconhecido" *Yahweh*. Assumidamente, essa expressão causa um frio na espinha, considerando o modo com que ela foi usada em 2.12 em relação aos filhos de Eli. No entanto, Samuel crescia na presença de Deus (2:21), o que sugere que ele crescia com um conhecimento de Deus e em compromisso com ele, mas Deus ainda não lhe havia falado de maneira audível como, agora, ocorre. Desse modo, uma divertida cena se desenrola. Talvez Eli não deva ser tão responsabilizado quanto Samuel por falhar em perceber o que está acontecendo, embora o relato possa sugerir que o experiente profeta deveria ter sido mais perspicaz. Essa falha, uma vez mais, sugere que os problemas de Eli residem em seu discernimento espiritual tanto quanto em sua visão física. Nesse ínterim, Deus aguarda pacientemente pela compreensão de Eli. Quando isso ocorre, pelo menos, Eli sabe como uma pessoa deve responder, após perceber que Deus é quem está intimando.

Da mesma forma que enfatiza a soberania divina em lugar da realização humana, ser intimado ou convocado por Deus fornece o devido incentivo para o cumprimento de uma tarefa desagradável. O nosso instinto, ao lermos 1Samuel 3, é o de interromper a leitura após o versículo 10: "Fala, porque o teu servo está ouvindo", da mesma forma que a nossa reação é parar de ler Isaías 6 depois de: "Eis-me aqui. Envia-me!" Nos dois capítulos citados, é útil identificar o processo pelo qual o chamado de Deus ocorre, mas preferimos não nos identificar com o conteúdo dele. Samuel não é estúpido quando permanece acordado durante toda a noite após Deus aparecer a ele. O pobre Eli tentou colocar um freio em seus filhos, ao menos recentemente, mas decerto não se esforçou ou não usou de nenhuma ação firme o suficiente para ser levado a sério. Haveria coisas que poderiam desviar a ira divina, tais como os filhos mudarem os seus caminhos ou Eli discipliná-los, mas o Antigo Testamento sabe que, na ausência de uma mudança de comportamento, os sacrifícios e ofertas nada podem alterar. Eli pode submeter-se à declaração de Deus com coragem, e ele o faz, um pouco como Acã, em Josué 7, mas é muito tarde para mudar a transgressão que torna a ação de Deus imperativa.

Assim, Deus transforma o menino Samuel, de auxiliar no santuário, em alguém que será utilizado como canal por Deus para falar a todo o Israel. Não há nada da parte de Samuel que faz isso acontecer. O Senhor apenas decide que este é o servo que ele pretende usar nessa função.

1SAMUEL **4:1B–22**
O ESPLENDOR SE FOI

[1b]Israel foi ao encontro dos filisteus em batalha e acamparam em Pedra de Ajuda, enquanto os filisteus acamparam em Afeque. [2]Os filisteus formaram linhas de batalha para enfrentar Israel, e a batalha se espalhou, mas Israel foi derrotado diante dos filisteus. Eles abateram cerca de quatro mil homens em suas linhas no campo. [3]A companhia voltou ao acampamento, e os anciãos israelitas disseram: "Por que *Yahweh* nos derrotou hoje, diante dos filisteus? Vamos pegar o baú da aliança de *Yahweh*, de Siló, para nós mesmos, de modo que ele venha em

nosso meio e nos liberte das mãos de nossos inimigos." [4]Então, a companhia foi e carregou de lá o baú da aliança de *Yahweh* dos Exércitos que Está Assentado [Entronizado] entre os Querubins. Os dois filhos de Eli, Hofni e Fineias, estavam com o baú ali. [5]Quando o baú da aliança de *Yahweh* chegou ao acampamento, todo o Israel gritou bem alto, e a terra estremeceu. [6]Os filisteus ouviram o som dos gritos e disseram: "O que é esse som de um grande grito no acampamento dos hebreus?" Quando eles souberam que o baú de *Yahweh* tinha chegado ao acampamento, [7]os filisteus ficaram com medo, porque disseram: "Deus chegou ao acampamento." Eles disseram: "Ai de nós! Quem nos resgatará, porque nada igual a isso nos aconteceu antes? [8]Ai de nós! Quem nos resgatará das mãos desses poderosos deuses? Esses são os deuses que derrubaram os egípcios com todo tipo de golpes no deserto. [9]Sejam fortes, sejam homens, filisteus, ou vocês servirão os hebreus como eles os serviram. Sejam homens! Lutem!" [10]Então, os filisteus lutaram, e os israelitas foram derrotados e fugiram, cada um deles, para as suas tendas. O massacre foi muito grande. Dos israelitas, trinta mil soldados de infantaria caíram. [11]O baú de Deus foi tomado, e os filhos de Eli, Hofni e Fineias, morreram.

[12]Um benjamita correu das linhas e chegou a Siló naquele dia. Suas roupas estavam rasgadas, e havia terra em sua cabeça. [13]Quando ele chegou — Eli estava sentado em uma cadeira junto à estrada, observando, porque o seu espírito estava ansioso pelo baú de Deus. Quando o homem chegou para contar as novidades na cidade, toda a cidade chorou. [14]Eli ouviu o som do choro e disse: "O que é este som de tumulto?" O homem se apressou para vir e contar a Eli [...] [18]Quando ele mencionou o baú de Deus, [Eli] caiu para trás de seu assento, ao lado do portão. Seu pescoço quebrou, e ele morreu, porque o homem era velho e pesado (ele tinha liderado Israel durante quarenta anos). [19]Sua nora, esposa de Fineias, estava grávida e prestes a dar à luz. Quando ouviu o relato de que o baú de

Deus fora tomado e que Hofni e Fineias, seu marido, haviam sido mortos, ela curvou-se e deu à luz, porque as dores de parto lhe sobrevieram. [20]Enquanto ela morria, as mulheres que cuidavam dela disseram: "Não tenha medo, porque você teve um menino", mas ela não respondeu. Ela não prestou atenção. [21]Mas ela chamou o menino de "Onde-está-o-esplendor", dizendo: "O esplendor foi para o exílio de Israel", em conexão com a captura do baú de Deus, e com o seu sogro e o seu marido. [22]Ela disse: "O esplendor foi para o exílio de Israel, porque o baú de Deus foi tomado."

No sermão que proferiu ontem, o nosso reitor (de modo levemente apologético) nos contou que havia assistido a uma série de TV sobre um rapaz psicopata, que fora adotado por um agente da polícia. O padrasto do garoto deu-lhe um "código": não mate pessoas inocentes; tenha plena certeza de possuir evidências da culpa da pessoa; prepare-se cuidadosamente; não seja pego. Nosso reitor seguiu nos contando uma história sobre a irmã dele, que é diretora de uma escola em Watts, Los Angeles, em cuja área urbana os conflitos raciais, de 1965, ocorreram. A diretora tinha entrevistado um aluno que vendia entorpecentes na escola. Ele também possuía um "código": não seja apanhado; jamais revele a identidade de sua fonte; não tema uma pessoa como a sua diretora mais do que teme os seus fornecedores.

Os israelitas perceberam que precisavam de um código. Não permitam que outras pessoas controlem o seu destino; certifiquem-se de que Deus está com vocês quando estiverem lutando; portanto, levem o **baú da aliança** com vocês à batalha, porque ele representa a presença de Deus. Infelizmente, os filisteus também tinham um código, e o código deles funciona bem melhor. Mantenham o controle dos povos em derredor;

não desanimem quando os seus oponentes estão animados; quando o Deus deles estiver com eles, lutem mais forte.

O aspecto irônico da história reside nas teologias com os quais ambos os lados operam. É difícil decidir qual das teologias é mais mesclada. Os israelitas estão plenamente convictos de que Deus deseja que eles sejam livres do controle filisteu e que, provavelmente, Deus espera que eles lutem pela independência. No entanto, essas narrativas em 1Samuel são continuações das histórias em Juízes. Quando o texto diz que Eli tinha "liderado" Israel por quarenta anos, ele usa um verbo que descreve o exercício de **autoridade** pelos juízes, que eram os "líderes" de Israel no decurso desse período. Essas histórias indicam que a **libertação** de Israel do domínio dos demais povos ocorre porque Deus está envolvido na ascensão de líderes, capacitados por ele com a energia dinâmica para liderar. Em 1Samuel 4, não há essa conversa sobre Deus levantar líderes. Agora, a presença de um profeta em Israel para mediar as instruções de Deus ao povo enfatiza esse fato. Por presumirem que podem declarar guerra sempre que a ideia lhes parecer boa, os israelitas necessitarão de um profeta como representante do envolvimento e da intervenção de Deus na vida deles.

De maneira ainda mais óbvia, a reação de Israel diante de seu primeiro revés contrasta com a reação deles em Josué 7, por ocasião da derrota de Ai. Eles começam fazendo a pergunta certa ("Por que Deus permitiu que isso acontecesse?"), mas a questão é, na realidade, retórica. Então, ***Yahweh* dos Exércitos** entronizado entre os **querubins** estará no meio deles. Para esses israelitas, o baú se tornou o equivalente à imagem de um deus. Uma imagem não é idêntica ao deus que ela representa, mas uma reprodução por meio da qual o deus condescende em ter uma aparência concreta entre o povo. O exército presume que, igualmente, o baú garante a presença e o poder de Deus no meio deles. Como Deus, então, não daria a vitória ao exército?

A teologia dos filisteus é mais irônica. Como os israelitas, eles acham que a presença do baú no acampamento significa trazer a divindade para lá. Além disso, a história os retrata como bem informados sobre a pessoa e os atos do Deus de Israel, a exemplo do povo de Jericó e de Gibeom, quando os israelitas atravessaram o Jordão e lograram as suas primeiras vitórias. No entanto, a reação dos filisteus é endurecer ainda mais a batalha. E essa determinação prevalece! Isso ocorre, claro, porque ***Yahweh*** está mais preocupado com os equívocos dos israelitas do que com os enganos dos filisteus. Embora os israelitas possam pensar que *Yahweh* não ousaria deixá-los ser derrotados com o baú da aliança presente no meio deles, na realidade *Yahweh* está preparado para correr o risco de cair em descrédito, ou melhor, permitir que Israel seja derrotado evita ser "crido" como um tipo de divindade distinto do que *Yahweh* realmente é.

Quando o mensageiro benjamita se aproximou de Siló (ele teria corrido quase trinta quilômetros), o seu semblante já era suficientemente claro para revelar às pessoas que ele era portador de notícias terríveis; a sua aparência já era de uma pessoa enlutada por algum terrível evento. A fraqueza dos olhos de Eli significa que ele não pode ver isso, mas, de qualquer modo, a estrada junto à qual ele está assentado, aparentemente, não é aquela de fora da cidade, que leva as pessoas até o portão de entrada, mas talvez seja o caminho que leva ao santuário. A princípio, ele ouve o **choro** das pessoas; então, o mensageiro o alcança e lhe conta sobre a derrota, sobre a morte dos seus filhos e o destino do baú da aliança. Foram essas notícias que o fizeram cair para trás e morrer.

As notícias também afetam a sua nora, levando-a a entrar em trabalho de parto. Teria sido a perda do baú da aliança a causa de seus problemas de saúde? Lembre-se, o seu marido a traía com as mulheres que serviam no santuário, o que, provavelmente, era de seu conhecimento. Na verdade, segundo o seu sogro, no capítulo 2, toda a cidade sabia disso. Então, imagine as fofocas em torno de sua avançada gravidez... Estaria ela procurando sair de uma vida que se tornara insuportável? Talvez dar à luz um filho pouco significava para ela. No entanto, a sua morte lhe deu a oportunidade de marcar a importância do dia em que o bebê nasceu e talvez indicar que o terror do dia era, de fato, o destino do baú da aliança, não a morte de seu marido. O significado exato do nome que ela deu ao seu filho, Icabode, não é claro, mas seus comentários tornam as suas implicações suficientemente claras. O baú da aliança realmente representava a gloriosa presença de *Yahweh* no santuário, no meio de Israel. As pessoas comuns não podiam ver o baú da aliança ou os querubins, mas elas sabiam que eles estavam lá, bem como sabiam que eles representavam a presença invisível do glorioso Deus de Israel. A perda do baú da aliança sugere a partida do Deus da aliança. É como se Deus tivesse ido para o **exílio**. Seria um termo revelador para os leitores dessa história durante *o* exílio. Aquele evento constituiu a ocasião do exílio de Israel de sua terra. Constituiu também a ocasião na qual Deus abandonou o templo em Jerusalém, quando Deus retirou-se para um exílio voluntário. Essa história é uma espécie de antecipação daquela posterior.

1SAMUEL 5:1—7:1

NÃO SE BRINCA COM A ARCA DA ALIANÇA

[1]Quando os filisteus tomaram o baú de Deus, eles o levaram de Pedra de Ajuda para Asdode. [2]Os filisteus tomaram o baú de Deus e o levaram à casa de Dagom e o colocaram junto a Dagom. [3]Os asdoditas se levantaram cedo no dia seguinte, e,

ali, Dagom estava deitado, com o rosto voltado para o chão, em frente do baú de *Yahweh*. Então, eles pegaram Dagom e o colocaram de volta em seu lugar. [4]Eles se levantaram cedo na manhã seguinte, e, ali, Dagom estava deitado, com o rosto voltado para o chão, com a cabeça e ambas as mãos cortadas, sobre a soleira. Somente [o corpo de] Dagom permaneceu nele. [5]Eis por que os sacerdotes de Dagom e todo o povo que vai à casa de Dagom não pisam na soleira de Dagom, em Asdode. [6]A mão de *Yahweh* foi pesada sobre os asdoditas. Ele os devastou e os atingiu com hemorroidas [...] [6:1]O baú de *Yahweh* estava no território filisteu por sete meses. [2]Os filisteus convocaram os sacerdotes e adivinhos e disseram: "O que devemos fazer com o baú de *Yahweh*? Digam-nos o que devemos enviar com o baú do Deus de Israel ao seu lugar." [3]Eles disseram: "Se irão devolver o baú do Deus de Israel, não o devolvam sozinho. Enviem uma oferta de restituição de volta com ele. Então, vocês encontrarão cura. Ele fará a si mesmo reconhecido por vocês; sua mão certamente se afastará de vocês." [4]Eles disseram: "Que oferta de restituição devemos enviar de volta com ele?" Eles disseram: "Cinco hemorroidas de ouro e cinco ratos de ouro, o número de governantes filisteus, porque a mesma epidemia veio sobre todos eles — aos seus governantes também. [5]Vocês devem fazer modelos das hemorroidas e dos ratos que têm devastado a sua nação e dar honra ao Deus de Israel. Talvez ele alivie a sua mão de sobre vocês, seus deuses e sua nação."

[Os versículos 6-18, relatam como eles instam os filisteus a não seguir o exemplo dos egípcios, em sua resistência a Yahweh. Os filisteus enviam devidamente esses modelos com o baú em uma carroça puxada por vacas, que foram diretamente para Bete-Semes.]

[19]Mas [*Yahweh*] atingiu os homens de Bete-Semes porque eles olharam no baú de *Yahweh*. Ele atingiu setenta homens (cinquenta mil homens) entre o povo. O povo lamentou porque *Yahweh* tinha atingido as pessoas com tão pesado golpe.

[20]Os homens de Bete-Semes disseram: “Quem pode ficar de pé diante de *Yahweh*, este Deus santo? A quem ele pode subir de nós?” [21]Então, eles mandaram enviados aos habitantes de Quiriate-Jearim para dizer: “Os filisteus devolveram o baú de *Yahweh*. Desçam; levem-na para cima com vocês.”

CAPÍTULO 7

[1]Os homens de Quiriate-Jearim foram, tomaram o baú de *Yahweh* e o levaram para a casa de Abinadabe, na colina. Eles consagraram Eleazar, seu filho, para cuidar do baú de *Yahweh*.

Quando meus filhos eram pequenos, eu costumava ler as histórias da Bíblia para eles e, às vezes, eles me perguntavam: “Isso aconteceu de verdade?” Pelo que me lembro, eles não perguntavam isso quanto aos grandes eventos como a travessia dos israelitas pelo mar de Juncos (ou a ressurreição de Jesus), mas sobre histórias como essa, e acho que eles tinham seus motivos. As histórias sobre o mar de Juncos ou a ressurreição envolvem eventos muito mais maravilhosos — mesmo miraculosos —, contudo elas são contadas de uma forma muito prática. Pode-se acreditar nelas ou não, mas é difícil não chegar à conclusão de que as pessoas que as contavam realmente criam que elas aconteceram.

As aventuras do **baú da aliança** são reportadas de um modo diferente. A narrativa é mais como uma história em quadrinhos ou como uma das parábolas de Jesus. São maiores que a vida em seu modo de ser. Seguem uma fórmula; a mesma situação ocorre em Asdode, então em Gate e depois em Ecrom (são, na realidade, cinco cidades filisteias atingidas, daí o motivo da repetida referência a cinco governantes; todavia, em geral, encontramos três pessoas ou grupos de pessoas em uma parábola ou anedota). O relato possui um toque de humor, tal como um desenho animado ou uma parábola; ele faz troça do povo de Asdode, levantando bem cedo, a cada manhã, para ir ao templo de Dagom orar e encontrá-lo caído, humilhado. Essa comicidade é juvenil e escatológica: Deus envia julgamento sobre os **filisteus** causando-lhes bolhas em uma região muito desconfortável de sua anatomia, e os especialistas religiosos filisteus os encorajam a estabelecer a paz com Deus mediante o envio de imagens de hemorroidas e ratos de ouro. Como assim?

As parábolas de Jesus, então, possuem uma forma de incomodar os ouvintes, depois de atrair a atenção deles e fazê-los rir, de modo que eles terminam com um sorriso nervoso no canto da boca. Quando o baú da aliança volta ao território israelita, em Bete-Semes (a cidade israelita mais próxima aos filisteus), os israelitas não o tratam (e, portanto, não tratam Deus) de modo mais reverente ou sábio do que os filisteus e são submetidos a uma punição mais séria. (Os números constituem um enigma, pois setenta é seguido por cinquenta mil, mas, talvez, a última referência esteja lá para fazer uma comparação com a história que leremos mais adiante, em 2Samuel 24, quando esse número de pessoas é morto como um ato de disciplina sobre todo o povo.) Os filisteus descobrem, na prática, que a posse do baú constitui um grande problema e, então, de maneira apressada e inútil, mudam o baú de cidade em cidade. Os israelitas fazem o mesmo.

Pode-se argumentar que os israelitas demonstraram menos discernimento do que os próprios filisteus. Na realidade, até mesmo as vacas que puxam a carroça mostram mais sensatez que os homens de Bete-Semes. Os líderes espirituais dos filisteus, que querem se livrar do baú, pelo menos, reconhecem ser uma grande estupidez mexer com ***Yahweh*** porque (como os homens que lutaram na batalha do capítulo 4) eles sabem como *Yahweh* lidou com os egípcios. Uma vez mais, isso faz parte do desenho animado ou da parábola. É possível que os filisteus não conhecessem, na verdade, a história do êxodo. O ponto a ser enfatizado aqui é que os israelitas falharam em considerar o que ocorre então.

Os filisteus, no mínimo, reconhecem que precisam enviar uma oferta que represente alguma restituição pela maneira desdenhosa com que trataram Deus. Ao ofender alguém, você tenta compensar isso de algum modo, a fim de demonstrar que o seu arrependimento não é da boca para fora. A **Torá** estabelece práticas mediante as quais o ofensor pode fazer isso em relação a Deus com uma oferta de restituição (tradicionalmente traduzida em nosso idioma por "oferta pela culpa"). Os filisteus usam o termo que aparece na Torá nessa conexão. Há sinais de arrependimento ali. O povo de Bete-Semes reage com palavras muito apropriadas: "Quem pode ficar de pé diante de *Yahweh*, este Deus santo?" Eles usam a palavra "santo", da maneira correta, como apresentada no Antigo Testamento; ela sugere a assombrosa transcendência de Deus, o que significa que devemos levar Deus muito a sério. Eles descobriram, na prática, o que é declarado pelo Novo Testamento: "Deus é fogo consumidor" (Hebreus 12:29). Contudo, embora suas palavras sejam apropriadas, eles não sabem ir além com a sua conscientização. Tudo o que desejam é se livrar do baú.

Desconhecemos o motivo de eles escolherem Quiriate-Jearim. Trata-se de uma cidade situada nas montanhas (eis por que o povo de lá devia *descer* até Bete-Semes e levar o baú para *cima*, à cidade deles), a meio caminho de Jerusalém e perto da moderna rodovia, quando esta começa a se aproximar de Jerusalém. O baú está, portanto, mais próximo do coração de Israel do que de suas fronteiras. Será que o povo de Bete-Semes pensou que os habitantes de Quiriate-Jearim eram lentos de entendimento a ponto de estarem dispostos a abrigar esse perigoso objeto em seu meio? Se isso ocorreu, a piada é sobre eles. O povo desta cidade sabe como cuidar do baú com mais reverência, embora leremos em 2Samuel 6 (que retoma a história do baú), que há problemas adicionais decorrentes do cuidado solene com o baú.

1SAMUEL **7:2-14**
ATÉ AQUI *YAHWEH* NOS AJUDOU

[2]Desde o dia em que o baú foi colocado em Quiriate-Jearim, passou-se um longo tempo, vinte anos. Então, todo o povo de Israel lamentava diante de *Yahweh*, [3]e Samuel disse a toda a casa de Israel: “Se vocês estão retornando a *Yahweh* com toda a sua alma, removam os deuses estrangeiros e imagens de Astarote de seu meio e dirijam a sua alma a *Yahweh*. Sirvam a ele somente. Ele resgatará vocês das mãos dos filisteus.” [4]Assim, os israelitas removeram os Mestres e as Astarotes e serviram apenas a *Yahweh*. [5]Samuel disse: “Reúnam todo o Israel em Mispá, e eu suplicarei a *Yahweh* em seu favor.” [6]Eles se reuniram em Mispá, tiraram água e a derramaram diante de *Yahweh*. Eles jejuaram naquele dia e disseram ali: “Nós agimos errado contra *Yahweh*.”

Então, Samuel liderou os israelitas em Mispá, [7]e os filisteus ouviram que os israelitas tinham se reunido em Mispá. Os governantes dos filisteus subiram contra Israel, e os israelitas ouviram e ficaram com medo dos filisteus. [8]Os israelitas disseram a Samuel: “Não seja surdo a nós por não clamar a *Yahweh*, o nosso Deus, para que ele nos liberte das mãos dos filisteus.” [9]Então, Samuel pegou um cordeiro ainda não desmamado e o sacrificou como oferta queimada a *Yahweh*. Samuel clamou a *Yahweh* em favor de Israel, e *Yahweh* lhe respondeu. [10]Enquanto Samuel estava sacrificando a oferta queimada, os filisteus se aproximavam para a batalha contra Israel, mas *Yahweh* trovejou com grande voz naquele dia contra os filisteus, lançou-os em grande confusão, e eles foram derrotados diante de Israel. [11]Os homens de Israel saíram de Mispá e perseguiram os filisteus, derrubando-os até abaixo de Bete-Car.

[12]Samuel pegou uma pedra e a colocou entre Mispá e Sem e a nomeou de Pedra de Ajuda; ele disse: "Até aqui *Yahweh* nos ajudou." [13]Os filisteus submeteram-se e não mais entraram no território israelita. A mão de *Yahweh* esteve contra os filisteus todos os dias de Samuel. [14]As cidades que os filisteus tinham tomado de Israel retornaram a Israel, desde Ecrom até Gate; Israel resgatou todas [as cidades] do território das mãos dos filisteus, e houve paz entre Israel e os amorreus.

O termo "ajuda" pode ter uma variedade de conotações. Certa ocasião, uma das rodas da cadeira de rodas de minha esposa se soltou, quando estávamos a caminho da igreja. Enquanto eu estava abaixado, tentando recolocar a roda com Ann sentada na cadeira, um motorista parou e me "ajudou" a recolocar a roda. O seu gesto de me dar uma mão foi de grande auxílio e, talvez, tenha evitado que chegássemos atrasados à igreja. Mas, se ele não tivesse parado para me ajudar, decerto, com mais tempo, eu conseguiria recolocar a roda; pelo menos, consegui sozinho das outras vezes. No entanto, duas pessoas lograriam fazer esse conserto de maneira mais fácil e rápida. Por outro lado, nas ocasiões em que Ann teve pneumonia e não conseguia respirar direito, fui obrigado a levá-la ao Atendimento de Urgência. Em tais situações, a nossa necessidade por ajuda era muito diferente; era uma questão de vida ou morte, e sem a ajuda médica profissional eu estaria totalmente impotente.

O Antigo Testamento pode usar a palavra para "ajuda" nesses dois contextos, mas, quando o texto fala sobre a ajuda de Deus, a segunda conotação é a mais frequente. Então, "ajuda" não difere muito de **libertação**. É algo que Deus faz quando você não consegue ajudar a você mesmo. Quando Samuel dá o nome de "Pedra de Ajuda" ao lugar no qual Deus livra Israel dos **filisteus**, eis o tipo de ajuda ao qual ele está se referindo. Antes da calamitosa derrota, retratada no capítulo 4, o exército israelita mantinha a sua base em Pedra de Ajuda; talvez essa Pedra de Ajuda seja o mesmo lugar ou mesmo um lugar distinto com o mesmo nome, mas, seja como for, esse fato chama a atenção para a diferença entre os dois eventos. No capítulo 4, há certa ironia quanto ao nome daquele lugar. Caso se trate do mesmo lugar, é possível que sempre tenha tido esse nome, mas Samuel está agora chamando a atenção para um novo significado que esse nome possui desde então. Esse é, com frequência, o caso com os nomes do Antigo Testamento. De qualquer forma, anteriormente aquele não era um lugar no qual Israel experimentou a ajuda divina, seja quando eles não a buscaram, seja quando pensaram que podiam manipulá-la.

Pedra de Ajuda, agora, está de acordo com o seu nome. Não é mera coincidência que isso ocorra após Israel ter avançado em seu relacionamento com Deus, embora o povo, aparentemente, tenha necessitado de algum tempo. Obviamente, a devolução do **baú da aliança** por parte dos filisteus não significa uma resolução das tensões entre eles e os israelitas. Os filisteus ainda mantêm o controle sobre considerável área do território na planície costeira, considerada parte da "Terra Prometida". Por isso, Israel "lamenta" diante de Deus; o povo sofre com essa posição.

Agora, Samuel regularmente mostra-se capaz de agir como um líder firme. Uma mera demonstração de pranto não leva a lugar nenhum com ele. Esqueça as lágrimas; e quanto à sua posição em relação a ***Yahweh***, aos Mestres e Astarotes?

A palavra hebraica para Mestre é *baal*, um termo hebraico comum para um mestre, senhor ou proprietário de terras, mas também usada para descrever um deus **cananeu**. A sua utilização é, portanto, paralela ao uso de *Senhor* para descrever *Yahweh*. Assim, a exemplo de *Senhor*, com efeito, *Mestre* pode ser um nome próprio. O Antigo Testamento, em geral, usa *Mestre* como referência a um deus cananeu e *Senhor* para o verdadeiro Deus, *Yahweh*, a fim de sublinhar a diferença. Como outros povos antigos, os cananeus cultuavam inúmeros deuses e, estritamente falando, o Mestre era apenas um deles (embora fosse um dos mais proeminentes), mas aqui, como em outras passagens do Antigo Testamento, a narrativa usa o plural *Mestres*, como menção aos deuses cananeus em geral. De modo similar, Astarote ou Astarte era uma deusa específica, mas o nome veio a ser usado no plural como um termo geral para uma deusa. Portanto, os Mestres e as Astarotes denotam divindades cananeias, masculinas e femininas, como um todo. (Provavelmente, Astarote não é a pronúncia real do nome, mas uma versão adaptada que combina as consoantes do nome original e as vogais de *boshet*, uma palavra hebraica para “vergonha”. Assim, isso sugere que o culto a essas divindades é algo extremamente vergonhoso. Iremos encontrar outros nomes, como Is-bosete e Mefibosete, que são obviamente nomes adaptados.)

É possível que a abertura da história dê a entender que a derrota, reportada no capítulo 4, tenha levado os israelitas a abandonar *Yahweh*, com o intuito de servir a outros deuses e ver se a vida deles seria melhor. Caso seja verdade, passados alguns anos, isso não aconteceu. Eles, agora, estão "lamentando diante de *Yahweh*", mas não a ponto de abrir mão de recorrer aos outros deuses. Samuel os desafia a fazer isso. Dessa forma, inicialmente, eles removem esses deuses estrangeiros e, então, se reúnem com Samuel para ele **clamar** e suplicar a *Yahweh* em favor deles. Primeiro, deve haver uma ação que indique a "dedicação" ou "rededicação" a *Yahweh*; segundo, deve haver a expressão de tristeza no contexto de adoração, em palavras e formas simbólicas. Todos esses são aspectos de arrependimento. O ritual de derramamento de água não é mencionado em nenhum outro lugar do Antigo Testamento, mas poderia sugerir naturalmente uma forma de buscar purificação.

Corretamente, os filisteus percebem que o ajuntamento dos israelitas dessa forma representa um problema, mas (como os próprios israelitas no capítulo 4) eles não tiram as conclusões certas. Em vez de motivá-los a se retirarem, isso os faz atacar. Os israelitas, por seu turno, entram em pânico, não acreditando na promessa de Samuel quanto ao livramento de Deus. Felizmente, isso não faz Deus desistir e ir embora, e os israelitas novamente recorrem a Samuel, diferentemente do que fizeram em relação a Eli, no capítulo 4. Uma implicação e consequência disso é que Samuel cresce rapidamente. Ele começou como um zelador do santuário e, então, Deus o tornou um profeta. Nesse capítulo, ele passa a ser alguém "liderando" Israel ou exercendo **autoridade**, o termo que descrevia os "juízes", que foi também usado em relação a Eli. Da mesma forma, Samuel atua aqui como um sacerdote. Embora a sua adoção efetiva por Eli possa significar a sua inclusão na linhagem sacerdotal, as demais características singulares de histórias similares a essa sugerem que as regras na Torá ainda não estavam em vigência nos dias de Samuel. Além disso, ele ora em favor do povo, o que ele podia fazer tanto como profeta quanto como sacerdote. A sua oferta queimada acompanha a sua oração, de modo que o comprometimento do povo com Deus não é, novamente, apenas uma questão de palavras. O Antigo Testamento, a exemplo do derramamento de água, também não faz referência em outras passagens à oferta de um cordeiro ainda não desmamado (outra indicação de que as regras, nos dias de Samuel, eram diferentes daquelas estabelecidas na Torá). A resposta de Deus à sua oração não vem em palavras, mas em ação, por meio de um trovão que leva os filisteus à confusão, de modo que os israelitas não precisam lutar contra eles, mas apenas afastá-los para longe. Não poderia haver um contraste mais agudo com o relato do capítulo 4. Sim, Deus "ajuda" os israelitas no segundo sentido.

No hino *Ebenézer* [*Fonte és tu de toda bênção*], declaramos: "Cá meu 'Ebenézer' ergo." *Ebenezer* é a palavra hebraica para Pedra de Ajuda. O hino expressa uma percepção de não pertencimento a este mundo e um olhar futuro para o céu. No contexto dessa linha, o cântico expressa a convicção de que Deus, até aqui, tem estado conosco em nossa vida, para nos levar aonde estamos, e, certamente, não nos abandonará até que, de fato, alcancemos a nossa morada celestial. Para os israelitas, a batalha significou que Deus tinha sido uma ajuda extraordinária e decisiva, "tanto quanto é para nós", no sentido de possibilitar que eles alcançassem o seu destino como povo. Os israelitas ainda não tinham percorrido todo o caminho, mas estavam bem nele, e experimentar a ação poderosa de Deus em ocasiões como aquela tinha a capacidade de encorajá-los e fortalecê-los quanto à convicção de que Deus os levaria àquele destino. Durante a narrativa que abrangerá a história de Saul até os primeiros anos de Davi, Deus agirá assim.

1SAMUEL 7:15–8:20
INDIQUE-NOS UM REI

[15]Samuel exerceu autoridade em Israel todos os dias de sua vida. [16]A cada ano, ele ia e viajava a Betel, Gilgal e Mispá, e exercia autoridade sobre Israel em todos esses lugares; [17]então, ele retornava a Ramá porque ali era a sua casa. Lá, ele exerceu autoridade em Israel e construiu um altar para *Yahweh*.

CAPÍTULO 8

[1]Quando Samuel ficou velho, ele fez de seus filhos as pessoas que exerciam autoridade em Israel. [2]O nome de seu filho mais velho era Joel, e o nome de seu segundo filho era Abias; eles eram autoridades em Berseba. [3]Mas seus filhos não andaram em seus caminhos, buscaram lucro e aceitaram presentes, subvertendo o exercício de autoridade. [4]Então, todos os anciãos de Israel se reuniram e foram a Samuel, em Ramá, [5]e lhe disseram: "Bem, você está idoso, e seus filhos não têm andado em seus caminhos. Agora, indique-nos um rei para exercer autoridade como todas as outras nações." [6]A situação ficou desagradável aos olhos de Samuel quando eles disseram: "Dá-nos um rei para exercer autoridade sobre nós", e Samuel orou a *Yahweh*. [7]*Yahweh* disse a Samuel: "Ouça a voz do povo em tudo o que dizem a você, porque não é a você que eles rejeitaram, porque é a mim que eles rejeitaram como rei sobre eles. [8]De acordo com todos os atos que praticaram, desde o dia em que eu os tirei do Egito até este dia, eles me abandonaram e serviram outros deuses; assim eles também estão fazendo com você. [9]Então, agora, ouça a voz deles. Mas testifique solenemente contra eles e diga-lhes sobre a autoridade do rei que reinará sobre eles."

[10]Samuel falou todas as palavras de *Yahweh* ao povo que lhe estava pedindo um rei. [11]Ele disse: "Esta será a autoridade do rei que reinará sobre vocês. Ele tomará os seus filhos e os tornará em cocheiros e cavaleiros para si. Eles correrão à frente de sua carruagem. [12]Ele os fará comandantes de milhares e de

cinquenta. Eles ararão a terra dele, farão a sua colheita. Eles farão o seu equipamento de batalha e o equipamento de seu carro de guerra. [13]As suas filhas, ele tomará como perfumistas, cozinheiras e padeiras. [14]Os seus melhores campos, vinhas e olivais, ele tomará e dará aos seus servos. [15]Das suas sementes e das suas vinhas ele tomará o dízimo e dará aos seus comandantes e servos. [16]Os seus servos e as suas servas, os seus melhores jovens e jumentos, ele tomará e fará a sua força de trabalho. [17]Dos seus rebanhos, ele tomará o dízimo, e vocês mesmos se tornarão seus servos. [18]Vocês clamarão, naquele dia, por causa do rei que escolheram para vocês mesmos, mas *Yahweh* não responderá a vocês naquele dia."

[Os versículos 19 e 20 descrevem como o povo ainda insistiu em ter um rei para reinar sobre eles e lutar suas batalhas.]

Quase todos os dias, a televisão e os noticiários reportam o custo dos impostos que as pessoas comuns pagam ao governo. Algumas vezes, o custo reside em despesas inevitáveis. Aos representantes devem ser pagos salários e custeios de despesas, bem como necessitam de instalações para as reuniões, e, talvez, esses locais de encontro precisam ser razoavelmente notáveis para que o Estado e o governo central não pareçam inexpressivos. Uma tarefa fundamental do governo é manter a independência do país e, para isso, ele precisa manter uma força armada. O desejo de atrair pessoas competentes ao governo significa pagar salários mais elevados do que os praticados no mercado de trabalho privado. Além disso, despesas legítimas transformam-se em excessos e luxos questionáveis que, por seu turno, levam a fraudes na prestação de contas. O problema não é apenas de ordem financeira. Enquanto escrevo, a mídia está repleta de notícias sobre o envolvimento de um assessor do governo em um crime sexual, bem como sobre o governador cruzar a linha na tentativa de protegê-lo. É difícil enfrentar a realidade de que esses episódios não constituem casos isolados. Eles são endêmicos e inerentes ao funcionamento da política.

Eis o ponto de Samuel em sua advertência sobre o modo pelo qual o rei exercerá a sua liderança ou **autoridade**. O problema é decorrente da autoridade concedida a uma pessoa, seja em uma monarquia, seja em uma democracia. Infelizmente, tais problemas não são evitados pela instituição de um governo central. Quando "não havia rei em Israel" e "as pessoas faziam o que era certo aos seus próprios olhos", Israel experimentou o caos social e moral. A dolorosa abertura de 1Samuel 8 sublinha essa questão ao relatar que, como Eli, Samuel não tinha logrado manter os próprios filhos em seu caminho.

O trajeto no qual Samuel viajava para exercer autoridade cobria apenas uma pequena região, situada no centro do território. Não sabemos o que a sua atividade envolvia. Talvez fosse principalmente judicial e Samuel atuasse como um juiz de apelações, decidindo casos difíceis; e/ou, possivelmente, ele ensinava pessoas em uma cidade, especialmente os anciãos. A construção de um **altar** em sua cidade natal sugere a sua permanência na tradição de Abraão, Moisés e Josué. A atividade de seus filhos, em Berseba, os coloca longe do trajeto costumeiro do pai, isto é, na cidade situada no extremo sul de Israel, de modo que, talvez, essa fosse a função deles antes de assumirem mais responsabilidades em razão da velhice do pai.

A transgressão dos filhos de Samuel antecipa um problema bem conhecido no mundo moderno. Grupos ou indivíduos podem influenciar decisões por meio de presentes ou benefícios: "Por que não desfruta de duas semanas em meu condomínio no Havaí; ninguém mais está usando." É fácil justificar a aceitação de tais benesses. O político é mais bem remunerado que a maioria dos trabalhadores, mas possivelmente recebe menos do que receberia no setor privado. Samuel conseguiu resistir a essa tentação, mas seus filhos não. Eles não passaram pela experiência de acordar com o chamado de Deus, à noite, em sua formação como profetas.

Outra estranha característica da vida política do mundo atual é considerarmos que uma mudança de governo melhorará a situação do país, trazendo mais liberdade, justiça ou oportunidades de trabalho. Portanto, as nossas esperanças estão fadadas ao constante desapontamento, mas, apesar disso, concluímos que outra mudança de governante fará toda a diferença e, assim, seguimos indefinidamente. Na prática, Samuel expressa que ser governado por reis em vez de líderes como seus filhos não fará nenhuma diferença. Em grande parte, a sua realista argumentação quanto ao que significará ter uma forma de governo central, fixo e estável não implica que esse governo será caracterizado por uma prática grosseiramente abusiva. Reis e presidentes necessitam ter um corpo de funcionários, e estes devem ser pagos. As pessoas, às vezes, parecem pensar que os governos possuem fontes de recursos mágicas e misteriosas, o que não é verdade. "Não há ninguém, além de você, para pagar a conta."

Antes de chegar a esse ponto, Samuel é convidado a olhar para a situação de maneira teológica, não apenas pragmática. A história não nos conta a razão pela qual o pedido do povo desagrada a Samuel. É possível que as palavras subsequentes de Deus sugiram que Samuel sente-se rejeitado por eles. Embora não seja uma reação infundada de sua parte, numa análise mais profunda, o povo está rejeitando a Deus como rei. Certa feita, o povo de Gideão propôs que ele deveria "governar" sobre eles (eles usam a palavra "governar" em lugar de "reinar como rei", de modo que a ideia deles, então, era menos radical do que a ideia do povo no tempo de Samuel), mas Gideão declarou: "Eu mesmo não governarei sobre vocês, e meu filho não governará sobre vocês. ***Yahweh*** é aquele que governará sobre vocês."

Quando os israelitas, agora, declaram que desejam ter um rei e, assim, implicitamente, rejeitam o próprio Deus como rei, o esperado seria Deus dizer a Samuel: "Então, não atenda ao pedido deles. Diga-lhes que eu pretendo reinar sobre eles." No entanto, um dos aspectos mais assustadores da forma pela qual Deus governa o mundo é, às vezes, nos dar exatamente o que pedimos. Expressando da forma que Paulo escreveu em Romanos 1, Deus nos entrega aos desejos do nosso coração, a uma mente degradada. Portanto, como um ato de juízo, Deus diz: "Está bem, dê-lhes o que eles pedem." O pedido dos israelitas não é uma aberração estranha, pois está de acordo com a maneira com que eles têm agido em relação a Deus desde a saída do Egito. Portanto, este é o momento em que Deus diz: "Basta. É a gota d'água. Chega de sofrer. Estou fora!"

No entanto, sempre que Deus fala assim, isso não significa que é a sua última palavra. Depois de expressar isso é que Deus instrui Samuel a alertar os israelitas quanto às consequências de ter um governo central e de **clamar** como resultado. Porque nada termina antes de acabar. Talvez o povo caia em si e retire o pedido. Só que não!

Ao reafirmar o seu desejo, os israelitas o expressam novamente. Eles querem um rei que vá à frente deles e lute as suas batalhas. Em certo sentido, isso apenas reafirma o que significa possuir um rei. Uma teoria sobre a própria ideia de governo central é a de que a sua missão indispensável e singular consiste em defender a existência e a liberdade da nação, a sua integridade e as suas fronteiras em relação a quaisquer nações que as coloquem em risco. A experiência dos israelitas quanto ao reinado de Deus no tocante a essa missão é misturada. Em algumas ocasiões, Deus concede ao povo vitórias extraordinárias; em outras, Deus permite que eles experimentem fragorosas derrotas. Em uma história como a de 1Samuel 4, claro, Deus tinha bons motivos para permitir isso, mas como eles podem funcionar como povo quando estão sujeitos aos caprichos de Deus em relação ao que acontece entre eles e seus inimigos? Os israelitas desejam a liberdade para salvaguardar o próprio destino. Está certo, responde Deus.

1SAMUEL **8:21—9:27**
COMO SAUL PERDEU ALGUMAS JUMENTAS E ENCONTROU MAIS DO QUE IMAGINAVA BARGANHAR

[21]Quando Samuel ouviu todas as palavras do povo, ele as recontou aos ouvidos de *Yahweh*. [22]*Yahweh* disse a Samuel: "Ouça a voz deles. Faça um rei para eles." Samuel disse aos israelitas: "Cada um de vocês, vá para a sua cidade."

CAPÍTULO 9

[1]Havia um homem de Benjamim, cujo nome era Quis, filho de Abiel, filho de Zeror, filho de Becorate, filho de Afia, um benjamita, um homem de conteúdo. [2]Ele tinha um filho chamado Saul, um homem refinado e de boa aparência. Não havia ninguém mais belo que ele entre os israelitas; de seus ombros para cima, ele era o mais alto dentre todos do povo. [3]As jumentas pertencentes a Quis, pai de Saul, extraviaram-se, e Quis disse a Saul, seu filho: "Leve um dos rapazes com você e saia para procurar as jumentas."

[Nos versículos 4 e 5, eles passam algum tempo à procura das jumentas, e Saul está propenso a desistir.]

[6]Mas [o rapaz] lhe disse: "Ora, há um homem de Deus na cidade. O homem é honrado. Tudo o que ele diz verdadeiramente

acontece. Vamos lá, agora. Talvez ele nos diga sobre a jornada que devemos seguir."

[Nos versículos 7-10, Saul argumenta que não possui nada para dar ao homem, mas o rapaz tem um quarto de siclo.]

11Quando eles estão subindo em direção à cidade, encontram algumas garotas indo buscar água e lhes disseram: "O vidente está aqui?" **12**Elas lhes replicaram: "Ele está. Ali, adiante de vocês. Apressem-se, pois ele veio hoje à cidade porque o povo tem um sacrifício hoje no lugar alto." [...] **15**Ora, *Yahweh* tinha aberto os ouvidos de Samuel um dia antes de Saul chegar, dizendo: **16**"A esta hora, amanhã, eu enviarei a você um homem da terra de Benjamim. Você deve ungi-lo governante sobre o meu povo, Israel, e ele libertará o meu povo das mãos dos filisteus, porque tenho visto o meu povo, porque o seu clamor chegou a mim." **17**Quando Samuel viu Saul, *Yahweh* lhe declarou: "Ali está o homem de quem lhe falei. Este homem deve controlar o meu povo."

[Nos versículos 18-21, Samuel revela a Saul que as jumentas estão a salvo, mas que ele tem algo mais a lhe contar.]

22Samuel pegou Saul e seu rapaz, levou-os até o salão e lhes deu um lugar de honra entre os convidados (eles somavam trinta pessoas). [...] **24b**Então, Saul comeu com Samuel naquele dia, **25**e, quando eles desceram do lugar alto para a cidade, ele falou com Saul no telhado. **26**Cedo, de manhã, ao romper do dia, Samuel chamou Saul no telhado: "Levante-se, e eu o despedirei." Saul levantou-se, e os dois, ele e Samuel, foram para fora. **27**Enquanto eles desciam aos limites da cidade, Samuel disse a Saul: "Diga ao rapaz para passar adiante de nós" (e ele assim o fez), "mas você pare aqui, agora, e eu o deixarei ouvir a palavra de Deus".

Certo amigo começa o seu ministério na igreja amanhã, quinze anos depois de sentir, pela primeira vez, que talvez tivesse sido chamado ao ministério. Claro que ele tem estado envolvido no ministério de diferentes maneiras, no decurso desses quinze anos, mas, agora, ele foi oficialmente designado a uma igreja (e irá receber um salário!). Na noite passada, estávamos comparando nossas anotações sobre chamados ao ministério e encontramos sobreposições, bem como distinções. No caso de ambos, a história remonta ao meio de nossa juventude, tempo no qual, pela primeira vez, olhamos para a nossa fé cristã com seriedade. Ele refletira sobre o ministério, na época, porque, de alguma forma, pensava ser este o único modo de viver seriamente a vida cristã. Com o passar do tempo, ele veio a perceber que havia um sentido no qual esse pensamento era, de fato, verdadeiro, mas que também havia um sentido no qual era falso. Somente mais tarde é que um pastor lhe sugeriu que seus dons talvez indicassem que o seu chamado ao ministério era mais no sentido técnico. Quanto a mim, embora o meu interesse pela teologia tenha sido despertado ainda na adolescência, de algum modo eu sabia que um chamado ao ministério era uma questão diferente e que eu não tinha esse chamado. Todavia, em meu subconsciente, provavelmente eu buscava algo — não jumentas extraviadas, mas uma ideia sobre o que fazer da minha vida. Um dia, fui surpreendido pela chuva e busquei abrigo à entrada de uma casa e, do nada (ou da chuva), repentinamente, me veio uma convicção: Deus me quer no ministério.

Saul estava à procura de jumentas, e esta era uma tarefa sobremodo importante, porque as jumentas cumpriam o papel dos atuais caminhões, numa sociedade tradicional (justo nesta semana, li um artigo sobre o modo pelo qual as mulas transportam cargas para as forças norte-americanas no Afeganistão, pois as montanhas impossibilitam o uso de caminhões). A fazenda não poderia funcionar sem os seus animais. O desenrolar da história em relação a Saul implica que ele possui um futuro estrelado como gerente do negócio familiar, como marido de uma linda esposa e um honrado membro da comunidade local. Ele não necessita ir atrás de uma vocação, mas apenas de jumentas. No entanto, percebemos no próprio chamado ou intimação de Samuel que, quando Deus emite uma convocação, não é para o bem da pessoa; é para o bem do propósito que Deus está perseguindo. Além do mais, há algo assustador no pano de fundo da vocação de Saul. Ele está prestes a ser intimado a realizar um trabalho que Deus não quer fazer. Esse fato irá pairar ao longo de toda a história de Saul.

Reconhecidamente, inserida no retrato de Saul como o filho bem-apessoado de um pai ilustre, há uma pista de que ele não é muito rápido de raciocínio, o que também sugere um motivo que se repetirá em sua história. Ao não conseguir encontrar as jumentas perdidas, Saul deseja desistir e voltar para casa; é o seu rapaz que indica haver um homem de Deus vivendo em uma cidade próxima (que era, talvez, a própria cidade natal de Samuel, Ramá). Quando Saul informa que não tem nada para dar ao homem de Deus, novamente é o seu rapaz que mostra o seu cartão de crédito. No Antigo Testamento, a expressão "homem de Deus" possui diferentes implicações das existentes no linguajar cristão, que sugere que um "homem de Deus" é caracterizado por uma espiritualidade profunda. No Antigo Testamento, um homem de Deus é alguém com poderes misteriosos e capacidades incomuns. No capítulo em questão, ele é um "vidente", alguém que pode ver coisas invisíveis às demais pessoas, e um "profeta", uma pessoa capaz de ouvir coisas inaudíveis às demais. Ele não se preocupa apenas com grandes questões e assuntos religiosos, mas com o cotidiano da vida das pessoas, como, por exemplo, a perda de animais. O rapaz sabe que um profeta ou um sacerdote pode ajudá-los naquela busca. Todavia, a exemplo de qualquer outro ministro servindo em tempo integral, o homem de Deus, profeta ou vidente precisa de suporte financeiro a fim de conseguir manter o foco nesse ministério. Samuel não está envolvido em cuidar dos negócios de sua família em Ramá. Desse modo, ao necessitar de seus serviços, a pessoa lhes deve dar algo de valor.

De antemão, a coincidência e a iniciativa humana já entraram na história, como é comum em inúmeras outras narrativas do Antigo Testamento. Apenas ocorreu de Saul e o rapaz estarem próximos a uma cidade na qual Samuel vive e pode ser encontrado com frequência; por acaso, naquele dia, Samuel se encontra na cidade; no caminho, do nada, eles encontram algumas garotas que sabem onde o "vidente" pode ser encontrado; afortunadamente, há um evento no santuário prestes a começar; quando eles entram na cidade, "trombam" com Samuel, e justamente é a ele que Saul e o rapaz perguntam pelo vidente. O Antigo Testamento não afirma que Deus orquestra os acontecimentos para fazer tais coisas acontecerem, mas retrata Deus como sendo capaz de fazer a coincidência e a iniciativa humana servirem ao propósito divino. A forma pela qual a história retrata isso está evidenciada em sua referência à iniciativa real adotada por Deus. O texto não afirma que Deus é o responsável por todas essas coincidências; o que ele revela é que Deus havia falado com Samuel no dia anterior, demonstrando como essas felizes contingências servem ao propósito divino.

O "lugar alto" refere-se ao santuário na cidade, localizado em seu ponto natural mais elevado e/ou feito mais alto por meio de uma plataforma. O Antigo Testamento, mais tarde, reprovará esses lugares altos, por eles serem associados ao culto a outros deuses, ou mesmo ao culto a ***Yahweh***, porém igualando-o aos deuses nativos do território. Todavia, é claro que a adoração adequada a *Yahweh* podia ser oferecida nesses lugares altos. No episódio em questão, parece que o evento no santuário é relativo a um sacrifício de comunhão para um dos grupos de parentesco na cidade (ao que tudo indica, as garotas não estão envolvidas, o que implica que elas pertencem a um grupo familiar distinto). Pode ser que um bebê tenha nascido e eles estejam se reunindo para celebrar e dar graças a Deus por esse nascimento. Seja como for, a família jamais descobre que há um evento paralelo ocorrendo que não tem relação com o motivo daquela cerimônia; o cenário é similar àquele do casamento em Caná, quando Jesus transforma a água em vinho. Samuel convida dois estranhos à celebração e os trata como convidados de honra. Pode-se imaginar as pessoas daquela família, mais tarde, comentando: "O homem que se tornou rei não lembra aquele rapaz que apareceu, do nada, em nossa festa?" Na verdade, a refeição se torna algo como um banquete secreto de coroação. Provavelmente, Saul e seu servo estão um pouco perplexos ao serem arrastados ao evento e, depois, ao passarem a noite na casa de Samuel. Eles foram tranquilizados com respeito às jumentas, mas também foram informados de que Samuel tinha algo mais a discutir com eles. O aposento de hóspedes estaria localizado no telhado plano.

As palavras, ditas por Deus a Samuel, indicam outro aspecto dos sentimentos divinos com relação ao desejo do povo por um rei. Elas refletem a ambiguidade implícita sobre ter reis. O povo clamou de modo similar ao que fez no Egito e no período dos "juízes", e o **clamor** deles subiu até Deus, como ocorrera antes. Todavia, Deus não pode se envolver em uma conversa sobre indicar um "rei" para que ele "reine". Em lugar disso, Deus fala sobre um "governante" que irá "controlar" o povo. Trata-se da única passagem a descrever o rei como alguém designado a "controlar" ou "restringir" o povo israelita, embora seja possível constatar que eles, de fato, necessitem de controle ou limites.

1SAMUEL **10:1-16**
SAUL TAMBÉM ESTÁ ENTRE OS PROFETAS?

[1]Saul pegou um frasco de óleo e o derramou sobre a cabeça [de Saul], o abraçou e disse: "*Yahweh*, realmente, ungiu você como governante sobre o seu próprio povo. [2]Quando você me deixar hoje, encontrará dois homens junto ao túmulo de Raquel, no território de Benjamim, em Zelza. Eles lhe dirão: 'As jumentas que você foi procurar apareceram. Agora, o seu pai desistiu de falar sobre as jumentas e está ansioso por você, dizendo: "O que devo fazer quanto ao meu filho?"' [3]Você passará adiante de lá e irá ao carvalho em Tabor. Três homens o encontrarão lá, subindo a Deus em Betel, um deles carregando três cabritos, o outro carregando três pães e o terceiro carregando um odre de vinho. [4]Eles lhe perguntarão se você está bem e lhe darão dois pães. Você deve aceitá-los da mão deles. [5]Depois disso, você irá à Colina de Deus, na qual está o posto avançado filisteu. Quando chegar à cidade, você encontrará um grupo de profetas descendo do lugar alto, com banjos, tamborins, flautas e instrumentos de corda à frente deles. Eles estarão profetizando. [6]O espírito de *Yahweh* virá sobre você, e você profetizará com eles; você se tornará outro homem. [7]Quando esses sinais surgirem para você, faça o que suas mãos encontrarem para fazer, porque Deus estará com você. [8]Deve descer adiante de mim para Gilgal. Ali, estarei descendo até você para oferecer ofertas queimadas e sacrificar ofertas de comunhão. Você deve esperar sete dias até que eu vá ao seu encontro e o faça conhecer o que deve fazer." [9]Enquanto ele se virava para deixar Samuel, Deus mudou o espírito [de Saul]. Todos esses sinais aconteceram naquele dia [...]

[11b]As pessoas disseram umas às outras: "O que é isso que aconteceu ao filho de Quis? Saul também está entre os profetas?" [12]Uma pessoa de lá respondeu: "E quem é o pai deles?" Portanto, isso se tornou um ditado: "Saul também está

entre os profetas?" [13]Quando ele acabou de profetizar, ele foi ao lugar alto.

[14]O tio de Saul disse a ele e ao rapaz: "Aonde vocês foram?" Ele respondeu: "Procurar as jumentas. Quando vimos que elas não estavam lá, fomos a Samuel." [15]O tio de Saul disse: "Diga-me o que lhe disse." [16]Saul disse ao seu tio: "Ele simplesmente nos disse que as jumentas tinham aparecido." Quanto à questão do reinado, ele não lhe disse o que Samuel falou.

Em grande parte da história da igreja, as visões, profecias e curas milagrosas têm sido eventos incomuns nas principais igrejas, mas, durante o tempo em que eu ensinava na Inglaterra, elas se tornaram mais frequentes novamente, de forma que costumávamos ter orações pela cura, na capela do seminário. Certa ocasião, eu estava orando por um dos estudantes, que fazia parte de meu grupo de cuidado pastoral, e a imagem de um garoto andando no *shopping* ao lado de seu pai, repentinamente, surgiu em minha mente. Pensei comigo mesmo: "Se eu fosse alguém capaz de ter visões ou de ver imagens, aquela seria uma das manifestações. Todavia, como eu não sou esse tipo de pessoa, obviamente essa imagem não tem esse significado." Apesar disso, incorporei a imagem à minha oração e, após a reunião, aquele estudante veio falar comigo, muito entusiasmado, porque aquela imagem tinha sido de grande auxílio para ele; aquilo havia lhe trazido alguma cura emocional. Ali, percebi que me tornara alguém que passou pela experiência de ter visões ou imagens. De certa maneira, tornei-me uma pessoa diferente.

Para mim e para Saul, uma experiência desse naipe vem, não para nos propiciar uma vivência espiritual, mas por causa de algo que Deus quer fazer por outra pessoa. No dia anterior ao encontro com Saul, Deus havia instruído Samuel a ungi-lo como governante sobre Israel. No Antigo Testamento, a unção é um rito que envolve derramar azeite sobre a cabeça de alguém ou sobre um objeto, quando a pessoa ou o objeto é dedicado a Deus ou comissionado a uma nova função. Na maioria das vezes, no Antigo Testamento, a unção é feita aos sacerdotes, mas, aqui, ela é feita sobre a pessoa designada como rei, e o termo "o ungido" passa a ser uma referência frequente ao rei. Ainda, pelo fato de a unção poder ser aplicada a outras pessoas, o significado daquele rito não seria imediatamente compreendido; eis por que Samuel deixa claro que Saul é ungido como "governante". A exemplo de outras observâncias, como o batismo e o casamento, tanto ações simbólicas quanto palavras desempenham um papel. A ação física é necessária porque somos pessoas físicas, enquanto as palavras são indispensáveis porque, sem elas, a ação seria opaca em significado.

Deus, graciosamente, concede a Saul não apenas o ato cerimonial, mas também alguns outros "sinais". Ele encontrará algumas pessoas que irão lhe informar que as jumentas extraviadas foram encontradas, bem como outras pessoas que lhe darão pão (Saul e o rapaz precisarão de algum alimento para a jornada de volta ao lar). O cumprimento dessas profecias seria impressionante por si só. O terceiro sinal é ainda mais revelador. Ele ocorrerá perto do local no qual há um posto avançado **filisteu**. (A propósito, essa nota revela um dos motivos do desejo do povo de encontrar **libertação** dos filisteus; aqui, no coração da região montanhosa, há um destacamento militar do inimigo.) Ali, Saul encontrará um grupo de profetas retornando de um santuário local, um pouco como Samuel no capítulo anterior. Talvez eles tenham ido até lá para alguma celebração da comunidade, a exemplo daquela que Saul foi obrigado a participar. Se for verdade, provavelmente eles tocaram instrumentos e profetizaram na celebração e prosseguiram enquanto voltavam para suas casas. A celebração deles não ficou restrita à ocasião da adoração.

O retrato que temos de profetas é constituído pelos relatos sobre indivíduos como Isaías e Jeremias, mas o Antigo Testamento faz referência a diversos outros tipos de profetas. Se esses profetas eram da categoria de pessoas capazes de transmitir a palavra de Deus ao povo, como Samuel, não era o que estavam fazendo na ocasião. Profetizar, nesse caso, é mais como falar em línguas (eu também achei que era incapaz de falar em línguas, mas, no devido tempo, descobri que, algumas vezes, consegui). É possível que a menção aos instrumentos musicais seja algo similar a "cantar no Espírito", como, às vezes, ocorre em igrejas atuais, quando as pessoas cantam juntas de uma forma improvisada e espontânea. Ou, talvez, a referência à música reflita a maneira pela qual o uso dessa arte pode tornar as pessoas acessíveis à influência sobrenatural.

As traduções modernas, às vezes, usam expressões como "falando em êxtase" em vez de "profetizando", o que deixa claro que eles não estão profetizando no sentido clássico que conhecemos, embora a desvantagem seja a de insinuar que eles estão fora de controle, o que não é o caso, pelo menos, quando alguém fala em línguas. Isso, de fato, envolve o **espírito** de Deus "vindo" sobre eles. Ocorre algo extraordinário que demanda uma explicação sobrenatural. Não se trata de simples expressão fonética humana. Pode haver algo contagiante a esse respeito. Saul, na realidade, captura o espírito deles e é transformado em outro homem, uma pessoa diferente do que era e que nunca imaginou vir a ser. Deus muda o seu espírito — mais literalmente, o seu coração, sua pessoa interior. Todos podem ver que Saul está se comportando de uma forma que contradiz o que pensavam dele antes. A pergunta "Saul também está entre os profetas?", evidentemente, tornou-se um ditado familiar, e essa história é um cenário no qual uma questão é apropriada: isso se repetirá em algum outro cenário, em 1Samuel 19. Quanto à outra questão: "E quem é o pai deles?", ela é mais obscura. Talvez tenha ligação com o modo pelo qual um grupo de profetas pode ser chamado, "os filhos dos profetas", o que pode sugerir que o líder deles pode ser visto como o "pai". Por seu turno, esse questionamento pode insinuar que Saul está sendo visto como um profeta por excelência e que o ditado expresse ainda mais espanto, pois, dentre todas as pessoas, aconteceu com Saul.

O objetivo da experiência é dar a Saul evidências de que Deus está com ele, não apenas para que ele possa ser grato por ela. Ainda, a experiência será útil porque há coisas que Saul se descobrirá fazendo ou sendo desafiado a realizar que poderão levá-lo a pensar: "Eu não sou capaz de fazer isso." Na verdade, ele já havia dito a Samuel: "Sou apenas um membro do menor dentre os doze clãs" (isso era a mais pura verdade) "e sou membro do menor grupo de parentesco dentro de Benjamim" (não nos é possível verificar se Saul falou isso por falsa modéstia). A concessão dessa experiência é para evitar alegações desse tipo. "Deus estará (está) com você" é uma promessa clássica, presente no Antigo Testamento, que Deus dá às pessoas ao lhes revelar alguns prospectos ou tarefas impossíveis. O que você é não faz diferença. O fato de Deus estar com você (evidenciado pela experiência de Saul) é o que importa.

Enquanto isso, Saul deve aguardar por Samuel em Gilgal, lá embaixo no vale do Jordão, portanto no extremo leste, o mais longe possível do centro de poder filisteu, localizado no Mediterrâneo, a oeste. Lá, Samuel cumprirá o seu papel sacerdotal de orar pelo exército, de fazer as ofertas que acompanham essas orações e mediar as instruções de Deus sobre a batalha, antes de Saul cumprir o seu papel real de liderar o exército em combate. Essa divisão de responsabilidades é importante, mas a sua manutenção por parte de Saul e dos futuros reis será complicada.

1SAMUEL **10:17—11:13**
COMO NÃO FUGIR DA ESCOLHA

[17]Samuel chamou o povo diante de *Yahweh*, em Mispá. [18]Ele disse aos israelitas: "*Yahweh*, o Deus de Israel, assim disse: 'Eu tirei Israel do Egito e resgatei vocês das mãos dos egípcios e de todos os reinos que os oprimiram, [19]mas, hoje, vocês rejeitaram o seu Deus, que era um libertador para vocês de todos os seus problemas e pressões. Vocês disseram: 'Não. Deves estabelecer um rei sobre nós.' Então, agora, tomem a sua posição diante de *Yahweh* por seus clãs e grupos." [20]Samuel apresentou todos os clãs israelitas, e o clã de Benjamim emergiu [na tirada de sortes]. [21]Ele apresentou o clã de Benjamim, por seus grupos de parentesco, e o grupo de Matri emergiu. Então, Saul, filho de Quis, emergiu, e eles procuraram por ele, mas não o encontraram. [22]Eles perguntaram novamente a *Yahweh*: "Alguém mais veio aqui?" *Yahweh* disse: "Ali, ele está se escondendo entre as coisas." [23]Eles correram e o tiraram dali, e ele tomou a sua posição no meio do povo. Ele era mais alto do que todas as pessoas, de seu ombro para cima. [24]Samuel disse a todo o povo: "Vocês veem aquele que *Yahweh* escolheu, que não há ninguém como ele entre todo o povo?" Todas as pessoas gritaram e disseram: "Vida longa ao rei." [25]Samuel descreveu ao povo a autoridade da monarquia, escreveu-a em um rolo e a depositou diante de *Yahweh*, e Samuel enviou todo o povo, cada um à sua casa. [26]Saul também foi para sua casa, em Gibeá, e a força de combate, cujo espírito Deus tinha tocado, foi com ele. [27]Quando alguns homens inúteis disseram: "Como este homem pode nos libertar?", o desprezaram e não lhe trouxeram um presente, ele ficou em silêncio.

CAPÍTULO 11

[1]Naás, o amonita, subiu e acampou contra Jabes-Gileade. Todos os homens de Jabes disseram a Naás: "Sele uma aliança conosco, e nós o serviremos." [2]Naás, o amonita, lhes disse: "Nessa base eu farei uma aliança com vocês, na condição de arrancar o olho direito de cada um de vocês; farei disso uma desgraça para todo o Israel." [3]Os anciãos de Jabes lhe disseram: "Deixe-nos em paz por sete dias e enviaremos mensageiros a todo o território de Israel. Se não houver ninguém para nos libertar, nós sairemos a você." [4]Os mensageiros chegaram a Gibeá de Saul e reportaram essas coisas aos ouvidos do povo, e todo o povo elevou a sua voz e chorou. [5]Então, Saul estava chegando do campo aberto, atrás dos bois. Saul disse: "O que há de errado com o povo, para que eles chorem?" Eles lhe contaram as palavras dos homens de Jabes. [6]O espírito de Deus irrompeu sobre Saul quando ele ouviu essas palavras, e sua ira se acendeu. [7]Ele pegou uma parelha de bois, os cortou e os enviou a todo o território de Israel pela mão dos mensageiros, dizendo: "Se houver alguém de vocês que não seguir Saul e Samuel, assim será feito aos seus bois." O temor de *Yahweh* caiu sobre o povo, e eles vieram como uma pessoa.

[Nos versículos 8-11, Saul derrota os amonitas e, assim, resgata a população de Jabes.]

[12]O povo disse a Samuel: "Quem foi que disse: 'Saul deve reinar sobre nós?' Entregue-nos as pessoas, e nós as mataremos." [13]Mas Saul disse: "Ninguém deve ser morto neste dia, porque, hoje, *Yahweh* trouxe libertação em Israel."

Algumas vezes, questionam-me por que sou tão envolvido com o Antigo Testamento; para essa pergunta tenho inúmeras respostas. Posso citar dois grandes professores do Antigo Testamento que tive, na universidade e outro no seminário, ou referir-me ao fato de ter aprendido grego antes de começar a estudar teologia e, assim, poder focar mais o hebraico do que a maioria dos outros estudantes. Posso discorrer sobre a forma pela qual o Antigo Testamento continua falando do envolvimento de Deus na vida como ela é. Tudo isso é verdadeiro. Similarmente, às vezes perguntam-me o que me levou a vir lecionar nos Estados Unidos e, também nesse caso, tenho várias respostas. É possível que eu fale sobre uma reunião com um antigo presidente do Seminário Fuller, ou sobre o deão da escola de teologia que insistia em me enviar *e-mails*, e essa foi a única forma de me livrar dele. Posso responder que almejava sair da administração de seminário e voltar à sala de aulas como um professor comum. Tudo isso também é verdade. Por consequência, pode ser difícil para alguém reunir essas histórias e ter um quadro real de como essas coisas ocorreram.

Trata-se de uma tarefa complexa reunir a história exata sobre como Saul se tornou rei. Teria sido porque Samuel o ungiu? Foi porque o povo lançou sortes até chegar nele? Foi porque ele executou aquela heroica ação de resgatar os homens de Jabes-Gileade? Quando Deus inspirou a composição de 1Samuel, as pessoas que ele utilizou como compiladores, aparentemente, realizaram essa tarefa colocando inúmeras histórias de ponta a ponta; nem Deus nem eles estavam muito preocupados com a conexão das histórias em termos narrativos. Eles acreditavam que todas as histórias relatam algo significativo quanto ao processo pelo qual Saul se tornou rei e, portanto, não estavam preocupados pela falta de um continuísta que assegurasse o encaixe perfeito entre as histórias.

Já observei que o relato das jumentas e a unção deixam claro o entrelaçamento da ação divina, da iniciativa humana e a coincidência. A narrativa retrata Saul como possuindo características físicas apropriadas a um rei (como Davi) e a reticência adequada quando alguém é escolhido por Deus (como Moisés e Gideão), embora também um pouco de lentidão de raciocínio. Esse relato, igualmente, descreve a capacidade de Deus em torná-lo uma nova pessoa.

A narrativa sobre a reunião em Mispá reafirma que a própria ideia de possuir um rei é algo para o qual Deus olha com desfavor; isso prenuncia problemas para Saul no cumprimento de seu papel. Ele se revelará como um candidato inapto a um trabalho que Deus não deseja que seja feito. Todavia, uma vez mais, a história enfatiza o envolvimento de Deus na escolha de Saul, indicada pela prática de lançar sortes. Embora a ideia de ter um rei tenha sido demandada pelo povo, ele não deve ser eleito democraticamente porque ele mesmo é um instrumento do governo de Deus, não o meio pelo qual o povo pode cumprir os seus próprios anseios. O fato de Samuel estabelecer como a monarquia deve funcionar segue esse conceito. Por outro lado, Saul é reconhecido democraticamente. A aprovação de Deus é ainda mais evidenciada quando ele é apoiado por uma força de combate potencialmente impressionante, formada por homens tocados pelo espírito de Deus, ao passo que aqueles que questionam a sua indicação ao trono são citados como homens inúteis. A narrativa, uma vez mais, observa como Saul possui a hesitação adequada a alguém que Deus irá usar. Deus não acredita em pessoas que se voluntariam a fazer algo tanto quanto acredita em eleições democráticas. Saul não é uma pessoa ambiciosa. (Claro que essa expressão reticente parece estranha à luz do que aconteceu entre ele e Samuel, na primeira narrativa; mas esse é um exemplo de que não devemos buscar um encaixe perfeito entre as histórias.) Tampouco ele é uma pessoa que reage negativamente contra as pessoas que não estão impressionadas com ele.

A transição à terceira história é, novamente, irregular e também intrigante, caso tenhamos expectativas modernas quanto a uma narrativa lógica. Se Saul foi designado rei, o que ele está fazendo tocando o rebanho?! Como em outras passagens, o relato sobre Jabes-Gileade tanto é paralelo aos anteriores quanto está em uma sequência linear com eles. Trata-se de outra descrição de como ele demonstrou ser a pessoa certa para o trono. A princípio, ela incidentalmente revela como os israelitas estão sendo pressionados em mais de uma frente. No lado ocidental, eles estão sob a pressão dos **filisteus**, cujo centro de poder situa-se na planície costeira, mas que possui um destacamento militar nas montanhas, indicando que também estão logrando avanços naquela região. Pode-se concluir que, nessa batalha pelo controle de **Canaã**, os filisteus estão em franca vantagem. Além disso, no lado oriental, os cananeus estão exercendo a sua própria pressão. Gileade é a área imediatamente a leste do Jordão. Ela foi estabelecida por dois clãs israelitas e meio, que gostaram daquele território e pediram para se assentarem ali, após lutarem com os demais clãs durante a ocupação da maior parte da terra prometida. O problema a leste do Jordão era o mesmo a oeste. Os povos vizinhos aos israelitas a leste estavam interessados em expandir o próprio domínio pela ocupação do antigo território dos amorreus, agora ocupado por Israel. Eles tinham o hábito de buscar a confirmação do controle por meio de uma **aliança** que ninguém desejava assinar.

Novamente, Deus demonstra o seu soberano envolvimento no processo pelo qual Saul se torna rei. Como na primeira história, o **espírito** de Deus irrompe sobre ele, fazendo-o agir de um modo que ele naturalmente não agiria. Comum a essas narrativas é o retrato de Saul como alguém que, por natureza, não toma iniciativas. Ele aprecia sentar-se na última fileira e permanecer em silêncio. Então, Deus se apodera dele em vez de usar um homem que se lança impulsivamente à ação. Deus inspira uma ira monumental em seu íntimo; uma reação adequada em relação ao que os amonitas propuseram fazer aos homens de Jabes. A ira, nesse episódio, é fruto do Espírito, porque ela energiza um homem pacato, transformando-o em alguém que executa a ação necessária à situação. O desmembramento dos bois constitui um ato simbólico, sugerindo: "Isso é o que Deus fará a vocês caso não se apresentem e se unam para fazer o que precisa ser feito." O envolvimento de Deus aparece não apenas por inspirar a ira em Saul, mas por inspirar temor ou pânico nas pessoas que recebem essas partes intimidadoras e, então, na concretização da "**libertação** em Israel", por meio da ação de Saul.

A forma magnânima de Saul responder ao pedido do povo para linchar os homens que questionaram a sua adequação como rei, uma vez mais, o caracteriza como alguém cheio do espírito de Deus.

1SAMUEL **11:14–12:25**
LONGE DE MIM PECAR DEIXANDO DE ORAR POR VOCÊS

[14]Samuel disse ao povo: "Venham, vocês devem ir a Gilgal e renovar o reinado ali." [15]Assim, todo o povo foi a Gilgal e, ali, fez Saul rei diante de *Yahweh*, em Gilgal. Eles ofereceram sacrifícios de comunhão diante de *Yahweh*. Ali, Saul e todo o Israel tiveram uma grande celebração.

CAPÍTULO 12

[1]Samuel disse a todo o Israel: "Bem, eu ouvi a sua voz com respeito a tudo o que disseram a mim e fiz um rei reinar sobre vocês. [2]Então, agora, eis o seu rei andando diante de vocês. Eu mesmo estou velho e grisalho, embora meus filhos estejam com vocês. Eu mesmo tenho andado diante de vocês, desde a minha juventude até este dia. [3]Aqui estou. Testifiquem contra mim na presença de *Yahweh* e de seu ungido. De quem

tomei boi? De quem tomei jumenta? A quem defraudei? A quem oprimi? Das mãos de quem tomei resgate para fechar meus olhos a alguém? Eu retornarei a vocês." [4]Eles disseram: "Você não nos defraudou, não nos oprimiu, nem tomou nada de ninguém." [5]Ele lhes disse: "*Yahweh* é testemunha contra vocês, e seu ungido é testemunha contra vocês, neste dia, de que não encontraram nada em minha mão." Eles disseram: "Ele é testemunha."

[Nos versículos 6-15, Samuel recorda ao povo a história dos atos de Deus ao longo dos anos e, então, a insistência deles em ter um rei, bem como os desafia a reverenciarem Yahweh.*]*

[16]"Agora, então, tomem a sua posição e vejam esta grande coisa que *Yahweh* irá fazer diante de seus olhos. [17]Hoje é a colheita do trigo, não é? Eu chamarei *Yahweh*, e ele dará trovão e chuva. Vocês reconhecerão e verão que cometeram um grande erro aos olhos de *Yahweh* ao pedirem um rei para vocês mesmos." [18]Samuel chamou *Yahweh*, e *Yahweh* deu trovão e chuva naquele dia. Todo o povo ficou com muito medo de *Yahweh* e Samuel. [19]Todo o povo disse a Samuel: "Implore em nome de teus servos a *Yahweh*, o teu Deus, para que não morramos, porque acrescemos a todas as nossas ofensas o erro de pedirmos por um rei para nós mesmos." [20]Samuel disse ao povo: "Não tenham medo. Vocês mesmos cometeram todo esse erro. Não obstante, não se desviem de seguir *Yahweh*. Sirvam *Yahweh* com todo o seu coração. [21]Não se desviem, porque [isso seria] ir atrás de algo vazio, coisas que não têm uso e não podem resgatar, porque são vazias. [22]Porque *Yahweh* não abandonará o seu povo, por causa de seu grande nome, pois *Yahweh* se comprometeu a fazer de vocês o seu povo. [23]Quanto a mim, longe de pecar contra *Yahweh* por falhar em orar por vocês, os ensinarei no caminho que é bom e direito. [24]No entanto, reverenciem e sirvam a *Yahweh* sinceramente de todo o coração, porque podem ver as grandes coisas que ele tem feito por vocês. [25]Mas, se agirem erroneamente, ambos, vocês e o seu rei, serão eliminados."

O dia da cerimônia fúnebre de minha esposa também foi o dia em que recebi as provas de página para um projeto literário. Alguém que estava lendo aquelas páginas, ao saber que Ann havia falecido, após viver muitos anos com esclerose múltipla, pensou consigo mesmo se ela não tinha se comprometido a permanecer comigo até a conclusão daquele projeto e, agora, se sentia livre para proferir o seu *Nunc Dimittis*: "Agora, Senhor, podes despedir em paz a tua serva." Houve quatro ou cinco ocasiões nas quais Ann contraiu pneumonia, e eu temi por sua vida, mas ela se recusou a ir. Dessa vez, ela foi. Outro amigo comentou, em linhas gerais, a maneira pela qual pessoas gravemente enfermas e incapazes de falar (mesmo em face da morte), como era o caso de Ann, pareciam ter a capacidade (em cumplicidade com Deus) de determinar que "agora não é a hora", como se ainda houvesse um trabalho a ser concluído, que justificasse a sua permanência.

O Antigo Testamento conta a história de pessoas, como Moisés, Josué e, agora, Samuel, a fim de mostrar que isso, de fato, acontece. Reconhecidamente, o modo pelo qual a história de Samuel é contada, nessa conexão, é um tanto paradoxal. Lá atrás, no capítulo 8, ele já era velho; agora, ele está idoso e grisalho, mas seguirá, por mais algum tempo, exercendo um papel vital na história; a sua morte será reportada apenas no capítulo 25. Pode ser que isso sublinhe o ponto; ele está velho e, em certo sentido, o seu trabalho está concluído. Todavia, há muito mais a ser feito, e Samuel não poderá ir antes de concluí-lo (na verdade, mesmo indo, ele não conseguirá descansar, o que veremos a partir do capítulo 28).

Quando Paulo, similarmente, se aproxima do fim de sua vida, somos convidados a vê-lo olhando para trás, alegando ter combatido o bom combate e vivido uma vida caracterizada pela paciência, pelo amor e pela perseverança

(2Timóteo 4). Da mesma forma, Samuel olha para o espelho retrovisor e afirma ter se comportado com total integridade. Muitos sacerdotes, profetas e pastores não poderiam fazer tal alegação. Samuel é um indivíduo duro e incisivo, que se tornará mais irritadiço em vez de mais descontraído à medida que envelhece, mas ele pode olhar nos olhos da comunidade e submeter-se ao escrutínio. Sua dureza é expressa em mais uma condenação da rebeldia presente na insistência dos israelitas por um rei. A reprovação recorrente segue em paralelo aos seguidos relatos sobre a maneira pela qual Saul se tornou rei e, uma vez mais, reflete o modo pelo qual o livro foi reunido. Os versículos de abertura dessa seção, novamente, ilustram como o livro, de modo geral, não está muito preocupado com a continuidade; o relato quanto ao espírito de Deus inspirar Saul a libertar o povo de Jabes é encerrado com as pessoas proclamando Saul rei, o que considerávamos já ter ocorrido em uma ou duas ocasiões anteriores. Os compiladores do livro não queriam deixar de fora nenhuma boa história. O lado positivo dos solavancos do livro é que cada um dos relatos individuais sobre como Saul se tornou rei podem ser lidos por conta própria (é possível harmonizá-los ao enfatizar que esse é um momento em que o povo *reconfirmou* o reinado de Saul).

Teria sido uma vergonha abandonar esse relato específico da condenação de Samuel ao desejo dos israelitas por um rei, em razão do rumo que isso dá à história. A história retrata o povo reconhecendo ter agido erroneamente e pedindo a Samuel que ore em favor deles. A importância desse pedido é o reconhecimento de que a oração pelo povo é parte da função do profeta ou do sacerdote. Pode-se ver uma equivalência com a maneira pela qual Paulo enfatiza o seu compromisso de orar pelas congregações às quais ele tem alguma responsabilidade (não tenho certeza da medida que os pastores reconhecem a oração por seu povo como função integrante de seu ministério). Com frequência, imaginamos os profetas como agentes que transmitem a Palavra de Deus às pessoas, bem como vemos os sacerdotes como pessoas que apresentam as ofertas do povo diante de Deus. Todavia, os profetas estão envolvidos em uma mediação de mão dupla; ser um profeta significa participar das reuniões do gabinete celestial, e isso envolve a responsabilidade de representar o seu povo nessas reuniões, bem como a responsabilidade de transmitir às pessoas as decisões tomadas. Da mesma forma, os sacerdotes estão envolvidos em uma mediação de duas vias. Como a história de Ana e de Eli mostra, eles trazem a Palavra de Deus ao povo e igualmente apresentam as ofertas a Deus. Todavia, ao apresentarem as ofertas do povo, os sacerdotes também levam as orações e os louvores dos ofertantes, exteriormente expressos por meio de suas ofertas.

Claro que a narrativa sobre Ana e Eli também revela que as pessoas sabiam que não necessitavam da mediação do sacerdote para orar; qualquer um pode orar diretamente a Deus. Contudo, as cartas de Paulo, mais de uma vez, enfatizam a importância de orarmos uns pelos outros, o que aumenta o número de participantes nas discussões do gabinete celestial sobre o que deveria acontecer. Certas pessoas, em algumas situações, sentem-se hesitantes em falar por si mesmas e necessitam que outros orem em seu favor. Essa é uma dessas ocasiões. O povo reconhece o erro cometido e, justificadamente, hesita em olhar para Deus ou para os demais integrantes do gabinete. Os israelitas se sentirão melhor caso Samuel ore por eles.

Esse pode ser particularmente o caso, considerando o conteúdo do que eles querem que seja dito. Se os israelitas reconhecessem que agiram erroneamente, então, agora, deveriam estar dizendo: “Bem, então, o melhor a fazer é voltarmos atrás nessa ideia de ter um rei. Foi ótimo Saul ter expulsado os amonitas, mas, agora, vamos fazer que ele abdique de sua coroa." Tal atitude parece ser necessária caso eles, de fato, tenham se arrependido de sua rebeldia. A história, na verdade, está falando sobre arrependimento, embora não use essa palavra. Em outras passagens, há duas palavras hebraicas que são traduzidas por "arrepender-se", uma com o significado de "estar triste", e a outra com o sentido de "voltar" ou "dar meia-volta". A primeira é uma palavra que expressa sentimento; a outra expressa ação. De modo característico, os profetas estão interessados no segundo exemplo de arrependimento, mas, no episódio em questão, o povo está oferecendo apenas o primeiro tipo (como, em geral, fazemos). Eles querem apenas evitar a punição decorrente do pedido que, agora, reconhecem como errado. O mais extraordinário é que Samuel resigna-se a essa forma de arrependimento. Os profetas (e Deus), em geral, têm que se contentar com o que logram obter. Na verdade, em certas situações, é muito tarde para voltar atrás. Pode ser que sejamos incapazes de reverter o efeito das nossas ações, e nós e Deus temos que nos resignar com nossas desculpas e pedidos por misericórdia. Evidentemente, o povo supõe já ser demasiado tarde para desfazer a introdução de uma monarquia. O que eles podem fazer é comprometer-se a seguir o caminho de Deus em seu modo de viver, o que inerentemente constitui uma constante tensão. Samuel sabe que, na realidade, é possível assumir tal compromisso de modo sincero e real e que Deus, então, estará com eles, ainda que os israelitas andem de uma forma não desejada por Deus. Ele sabe quão extraordinariamente misericordiosa é a graça de Deus, por vir ao nosso encontro onde estamos, mesmo quando deveríamos estar em outro lugar, e quão afortunados somos pelo fato de a própria reputação de Deus estar vinculada a nós.

1SAMUEL 13:1-22
QUANDO O REI PRECISA ADOTAR UMA AÇÃO DECISIVA

[O primeiro versículo do capítulo parece designado a dar uma cronologia para o reinado de Saul, mas os dados estão incompletos.]

[2]Saul escolheu para si três mil homens de Israel; dois mil ficaram com ele em Micmás e nas montanhas de Betel, e mil ficaram com Jônatas, em Gibeá de Benjamim. O resto da companhia, ele enviou, cada um deles, às suas tendas. [3]Então, Jônatas derrubou o posto avançado dos filisteus em Geba, e os filisteus ouviram. Quando Saul soou a trombeta em todo o país, dizendo: "Os hebreus devem ouvir!", [4]e todo o Israel ouviu que "Saul tinha derrubado o destacamento filisteu e, agora, Israel se tornara intolerável aos filisteus", o povo se deixou convocar atrás de Saul, em Gilgal, [5]enquanto os filisteus se reuniram para batalhar contra Israel: trinta mil carruagens, seis mil cavaleiros e uma companhia como a areia da praia em número. Eles subiram e acamparam em Micmás, a leste de Bete-Áven. [6]Quando os homens de Israel viram que a situação era difícil para eles e a companhia estava muito pressionada, a companhia se escondeu em cavernas, matas, rochas, poços e cisternas; [7]enquanto os hebreus atravessavam o Jordão para a terra de Gade e Gileade, Saul ainda estava em Gilgal, e toda a companhia sob o seu comando ficou aterrorizada.

[8]Ele esperou sete dias pelo tempo indicado que Samuel [estabeleceu], mas Samuel não foi a Gilgal, e a companhia começou a se dispersar dele. [9]Então, Saul disse: "Tragam-me a oferta queimada e as ofertas de comunhão", e ele ofereceu a oferta queimada. [10]Quando ele terminou de oferecer a oferta queimada, Samuel chegou. Saul saiu para encontrá-lo, para cumprimentá-lo. [11]Samuel disse: "O que você fez?" Saul disse: "Eu vi que a companhia estava se dispersando de mim e tu não tinhas chegado no tempo indicado em dias, e os filisteus estavam se

reunindo em Micmás. [12]Eu disse: 'Os filisteus, agora, descerão a mim em Gilgal, e eu ainda não roguei o favor de *Yahweh*.' Assim, forcei-me a oferecer a oferta queimada." [13]Samuel disse a Saul: "Você foi estúpido. Não observou o mandamento de *Yahweh*, o seu Deus, que ele lhe ordenou. Porque *Yahweh* teria agora estabelecido o seu reino sobre Israel em perpetuidade, [14]mas, agora, o seu reinado não permanecerá. *Yahweh* buscou para si um homem pelo qual decidiu. *Yahweh* o declarou para ser governante sobre o seu povo, porque você não observou o que *Yahweh* lhe ordenou." [15]E Samuel saiu e subiu de Gilgal a Gibeá, em Benjamim.

Saul reuniu a companhia daqueles que estavam presentes com ele, cerca de seiscentos homens. [16]Saul, Jônatas, seu filho, e a companhia que estava presente com eles ficaram em Geba, em Benjamim, e os filisteus ficaram acampados em Micmás. [17]Um grupo de ataque saiu do acampamento filisteu em três colunas. Uma coluna rumou para a estrada de Ofra, na direção da região de Sual. [18]Outra coluna foi na direção da estrada de Bete-Horom. A outra coluna seguiu para a estrada fronteiriça, com vista para o vale das Hienas, em direção ao deserto.

[Os versículos 19-22 relatam que, na época, os israelitas não possuíam ferramentas de ferro (eles eram obrigados a descer ao território filisteu para obter implementos afiados), e apenas Saul e Jônatas tinham armas de ferro.]

No decorrer de meu casamento, apenas em duas ocasiões ousei levar a minha esposa para assistir a um filme de faroeste, apesar de saber que ela odiava esse gênero. O primeiro foi *Butch Cassidy e Sundance Kid*. Enquanto percorríamos o trajeto entre o estacionamento e o cinema, numa noite muito escura (ainda me lembro que o chão estava úmido, depois da chuva), ela me perguntou que tipo de filme era, e lhe contei que se tratava de um faroeste. Ann parou no meio do caminho e disse: "Eu não vou ver um filme de bangue-bangue." "Acho que é um tipo diferente de faroeste", respondi na defensiva. No fim, esse acabou sendo um de seus filmes prediletos. O segundo foi *Os imperdoáveis*, um filme que desconstruiu ainda mais o gênero. Uma das formas de ambos os filmes fazerem essa desconstrução era retratar as pessoas possuindo menos controle sobre as decisões tomadas do que gostaríamos de acreditar possuir. É bom pensar que estamos no controle de nossa vida e que somos livres para tomar decisões, embora realisticamente as nossas decisões sejam, com frequência, limitadas. Algumas vezes, elas são limitadas por decisões passadas; em outras, as limitações são causadas por outras pessoas.

Eis o que ocorreu com Saul. O movimento entre as histórias nesses capítulos é, uma vez mais, intrigante, até percebermos que a narrativa não está tentando dar um relato linear da vida de Saul. Aqui, passamos quase diretamente da confirmação de Saul como rei para a rejeição de seu reinado e, do mesmo modo que há mais de uma narrativa sobre a sua indicação ao trono, há mais de um relato de sua rejeição como rei. O que, de fato, importa sobre Saul é que ele era o predecessor de Davi, de modo que o foco da história de Saul é relatar como ele perdeu a sua posição de rei, e o primeiro anúncio de sua rejeição vem logo no início do relato sobre o seu reinado. Essa forma de contar a história, portanto, é comparável à maneira pela qual Lucas reporta a história de Jesus, ao revelar a sua rejeição, em Nazaré, logo no início do relato sobre o seu ministério, ao passo que os demais Evangelhos relatam esse episódio muito mais tarde. Lucas reconhece que nos ajudará a ler a história corretamente se, logo no início, ele nos contar para onde o relato está indo. A disposição da história de Saul possui o mesmo efeito.

É possível que você se solidarize com a posição na qual Saul é colocado. Jônatas executa uma ação que provoca os **filisteus** a uma confrontação mais séria com Israel e, no fim, conduz a uma grande vitória para Israel. O centro de poder dos filisteus situa-se na região ocidental, na planície costeira. Em resposta ao ataque de Jônatas, eles avançam o seu exército na direção do leste, rumo ao topo da cadeia montanhosa na qual o centro de poder dos israelitas está, e onde a história, inicialmente, posiciona as forças israelitas sob o comando de Saul e Jônatas. Saul reúne o seu exército no outro lado da cordilheira, em Gilgal, junto ao rio Jordão. Compreensivelmente, os israelitas, na maioria, estão em estado de pânico sob a ameaça da enorme força filisteia e, por conseguinte, começam a fugir em todas as direções. Saul, como o comandante, precisa realizar alguma ação de impacto. O que ele deve fazer? Esperar que os filisteus desçam das montanhas para atacá-los e não buscar o auxílio de Deus? Tomar a iniciativa e ir à batalha sem buscar o socorro divino? Buscar a ajuda de Deus como se ele fosse um sacerdote que pudesse liderar na apresentação das ofertas e do holocausto? Ou aguardar a chegada de Samuel e correr o risco de seu exército se evadir até não restar ninguém mais e ser morto? O que você ou eu faríamos caso estivéssemos na posição de Saul?

Não existe um curso de ação ideal. Saul toma a decisão que ele considera necessária, dadas as circunstâncias; afinal, Samuel falou sobre aguardar sete dias, prazo que Saul respeitou. Então, ele se vê em apuros por isso. Por fim, ele deveria ter esperado mais tempo, mas qual é, exatamente, a ordem divina a que ele desobedeceu? Samuel considera a sua demora como um teste de obediência, embora isso pareça severo demais; ele não disse o que Saul devia fazer após sete dias decorridos. Talvez esse também seja um teste de confiança;

inúmeras histórias em Juízes e nos livros de Samuel registram Deus resgatando pessoas, apesar das situações desesperadoras nas quais elas mesmas se meteram, bem como dando a vitória a Israel quando seus contingentes se tornaram muito reduzidos.

Assim, portanto, a monarquia de Saul é rejeitada. Essa rejeição não significa que, nesse estágio, ele será destronado como rei. O ponto de Samuel é que, embora numa monarquia a sucessão seja, usualmente, hereditária, com o filho do rei morto ascendendo ao trono vago, no caso de Saul, Deus não permitirá que isso ocorra. Aparentemente, é muito tarde para dar um passo atrás na ideia de ter uma monarquia em Israel, mas Saul não será sucedido por seu filho como de praxe. Outro israelita irá sucedê-lo. (Há uma ironia aqui, pois Jônatas, o filho de Saul, parece ser um candidato ideal, exceto, talvez, por ele ser muito bom e não estar interessado no poder.)

Deus escolherá para si um homem de seu agrado. As traduções, convencionalmente, trazem "um homem segundo o seu coração", o que é totalmente preciso, mas propenso a iludir os leitores. A expressão original soa de forma que sugere alguém que possui um caráter do agrado de Deus, até mesmo alguém cujo coração corresponde ao coração de Deus. Na realidade, é necessário apenas significar alguém que possui o coração de Deus, alguém da escolha de Deus. Saul, na verdade, tinha sido essa pessoa; Deus havia decidido por ele, mas, agora, a sua escolha recairá sobre outro homem. Esse israelita segundo o coração de Deus é, claro, Davi e, de fato, ele será alguém que manterá um compromisso inabalável com *Yahweh* em vez de com outros deuses, ao contrário de muitos de seus sucessores; mas, dificilmente, ele será "um homem segundo o coração de Deus" no sentido de alguém que, em outros aspectos, vive o tipo de vida que Deus busca ou que tenha um coração como o de Deus.

1SAMUEL 13:23—14:52
A NÉVOA DA GUERRA

[23]Então, o posto avançado filisteu foi para o desfiladeiro de Micmás.

CAPÍTULO 14

[1]Naquele dia, Jônatas, filho de Saul, tinha dito ao rapaz que era o seu escudeiro: "Venha, vamos atravessar para o posto avançado do outro lado [...] [6b]Talvez *Yahweh* aja em nosso favor, porque *Yahweh* não tem dificuldades em libertar com muitos ou com poucos" [...] [8]Jônatas disse: "Bem, nós iremos atravessar na direção dos homens e deixaremos que eles nos vejam. [9]Se nos disserem: 'Fiquem até chegarmos a vocês', ficaremos onde estamos e não subiremos a eles. [10]Mas se eles disserem: 'Subam até nós', subiremos, porque *Yahweh* os entregará em nossas mãos. Isso será um sinal para nós [...]" [12]Então, os homens do posto avançado afirmaram para Jônatas e seu escudeiro: "Venham até nós e lhes ensinaremos algo", e Jônatas disse ao seu escudeiro: "Venha atrás de mim, porque *Yahweh* os entregou nas mãos de Israel." [13]Jônatas subiu com suas mãos e pés, tendo o seu escudeiro atrás dele, e eles caíram diante de Jônatas [...] [18]Saul disse a Aías: "Traga o baú de Deus aqui" (porque, naquele tempo, o baú de Deus estava com os israelitas). [19]Mas, enquanto Saul falava ao sacerdote, o tumulto no acampamento filisteu prosseguia e aumentava, de modo que Saul disse ao sacerdote: "Retire a sua mão", [20]e Saul e toda a companhia com eles convocaram-se e foram à batalha [...] [23]Assim, *Yahweh* libertou Israel naquele dia.

Quando a luta passou para além de Bete-Áven, [24]os homens israelitas foram muito pressionados naquele dia. Saul tinha colocado um juramento sobre a companhia: "Maldito o homem que comer antes da noite, quando eu tiver obtido reparação de meus inimigos", e toda a companhia não provou comida [...] [27]Mas Jônatas não tinha ouvido o seu pai fazer a companhia jurar. Ele colocou a ponta de sua haste dentro de um favo de mel e a pôs de volta na boca, e seus olhos brilharam [...]

[31]Eles derrubaram os filisteus naquele dia, desde Micmás até Aijalom, e a companhia estava muito fraca. [32]Então, a companhia se lançou sobre os despojos e pegaram ovelhas, gado e bezerros e os mataram no chão. A companhia comeu com o sangue. [33]Saul foi informado: "Veja, a companhia está fazendo o que é errado em relação a *Yahweh* ao comer com o sangue." Ele disse: "Vocês agiram infielmente. Rolem uma grande pedra para mim agora." [34]Saul disse: "Espalhem-se entre a companhia e lhes digam: 'Tragam-me todo o seu boi ou sua ovelha e os matem aqui e, então, comam [...]'"

[37]Saul perguntou a Deus: "Devo descer atrás dos filisteus? Tu os entregarás nas mãos de Israel?" Mas ele não lhe respondeu.

[Nos versículos 38-43, uma investigação adicional revela que a razão do silêncio de Deus é a desobediência de Jônatas ao juramento de Saul.]

[44]Saul disse: "Que Deus faça isso e mais [a mim] se você, de fato, não morrer hoje, Jônatas." [45]Mas a companhia disse a Saul: "Deve Jônatas morrer quando ele trouxe esta grande libertação a Israel? Certamente, não. Tão certo quanto *Yahweh* vive, nenhum cabelo de sua cabeça deve cair ao chão, porque ele trouxe este dia com Deus." Assim, a companhia redimiu Jônatas. Ele não morreu.

[Os versículos 46-52 sumarizam o relato sobre as vitórias de Saul e sua família.]

Recentemente, assisti a um filme britânico chamado *Conversa truncada*, cujo título original é *In the Loop*, que é uma sátira política, ao estilo do grupo Monty Python, sobre como a invasão ao Iraque ocorreu. Era um relato cínico e ficcional de como as implicações da inteligência do Oriente Médio foram distorcidas para justificar uma invasão que algumas pessoas do governo estavam determinadas a fazer, de qualquer jeito. Isso me lembrou da expressão "a névoa da guerra", que resume uma questão abordada por Carl von Clausewitz, soldado e pensador militar prussiano. Ele observou os problemas causados pela grande incerteza de todos os dados em uma guerra. Cada ação a ser tomada deve ser planejada na penumbra. Além disso, essa penumbra, com frequência, possui o efeito de uma névoa ou luz do luar. Esse ambiente concede às coisas dimensões exageradas e aparências antinaturais. *A névoa da guerra* tornou-se o título de outro filme, sobre Robert McNamara, secretário de Defesa dos Estados Unidos durante a Guerra do Vietnã, que analisava onze erros cometidos pelos Estados Unidos nesse conflito.

Saul marcha em meio a uma névoa, enquanto luta com os **filisteus**. A história começa com base no mesmo ponto do capítulo anterior, com a vitória de Jônatas sobre o destacamento filisteu posicionado nas montanhas, cuja presença sugere as aspirações filisteias quanto ao controle sobre a região central de Israel, e relata o que acontece de um ângulo distinto. A narrativa fornece outra perspectiva sobre o motivo que tornava a queda da monarquia de Saul inevitável, suscitando a dúvida sobre Deus ter escolhido o homem errado para ocupar o trono, a não ser que ele desejasse que a monarquia não funcionasse. Paradoxalmente, ela começa a mostrar como, em sua natureza, Jônatas parece ser um candidato muito mais promissor à liderança. Saul era capaz de tomar uma iniciativa espetacularmente corajosa, quando o espírito de Deus irrompia nele, mas não era capaz de fazer isso naturalmente. Em contraste, essa capacidade estava nos genes de Jônatas.

O fato de Jônatas não passar pela experiência do espírito de Deus irromper nele não significa que Deus não estivesse com ele ou que Jônatas não estivesse acessível a Deus. Embora Jônatas não espere pela instrução divina antes de partir para a ação, ele sabe que pode haver uma diferença entre uma ideia meramente impulsiva e um estratagema que Deus abençoará. Eis o motivo de sua expressão "talvez". Não se pode considerar como garantido que Deus irá abençoar os seus esquemas impulsivos. Além disso, a névoa da guerra significa que, por si só, você é incapaz de discernir a diferença entre um grande estratagema e um esquema tresloucado. A realidade da névoa da guerra constitui apenas uma parte do pano de fundo para a sua magnificente consciência de que Deus não tem nenhuma dificuldade de conceder **libertação** a Israel por meio de um grande exército ou pela ação de apenas dois rapazes. O relato sobre Gideão em Juízes 6–7 mostra essa realidade. Coisas estranhas acontecem durante uma guerra e, às vezes, é possível ver Deus por trás delas.

Assim, Jônatas estabelece a possibilidade de Deus lhe dar um sinal, como o próprio Gideão fez. A abordagem de Jônatas pode ser semelhante a tirar a sorte no cara ou coroa e confiar em Deus pelo resultado, embora a maneira pela qual ele define a questão pode não ser aleatória. Uma unidade armada que está preparada para ir à batalha parece mais propensa à coragem do que uma que simplesmente vigia em seu posto, confiando na proteção de sua posição segura.

Com base no início do capítulo 13, sabemos que Saul e Jônatas estão em duas bases separadas com grupos de homens distintos e, portanto, Saul, certamente, não deve ser acusado por não ter ciência das ações de Jônatas. Quando ele ouve sobre a comoção no outro lado do vale, seu primeiro instinto foi o de consultar Deus sobre o que está ocorrendo e quanto ao que ele deve fazer. Ele tem ao seu lado um sacerdote chamado Aías, cujo avô, Fineias, tinha sido morto na catástrofe relatada no capítulo 4, e Aías veste o **éfode**. Essa é uma demonstração da consciência de Saul de que, quando se está lutando as batalhas de Deus, é preciso ter os servos de Deus ao seu lado para poder verificar se você está adotando a ação de acordo com a direção de Deus. Em certo sentido, Saul sabe, bem como Jônatas, que não se pode lutar como se a guerra fosse uma empreitada meramente secular. Desse modo, Saul pede para Aías consultar Deus, mas, antes de aguardar pelo término desse processo, ele conclui que não pode esperar mais. Novamente, Saul precisa executar uma ação decisiva. O capítulo relata a mesma história já ocorrida em Gilgal, no capítulo anterior. A implicação negativa sobre Saul é clara, apesar de sua ação não ter impedido Deus de conceder a vitória aos israelitas. Raramente podemos presumir Deus ou saber quando a misericórdia triunfará sobre o que merecemos.

Infelizmente, Saul dá outro passo em falso que compromete a extensão do triunfo. No Antigo Testamento, as promessas designadas a motivar Deus a nos dar vitórias são propensas ao ricochete; aqui, a ação de Saul nos faz lembrar da história de Jefté, em Juízes 11. Primeiro, o juramento de Saul tenta suas tropas a se empanturrarem quando os soldados, por fim, têm a chance de comer após ficarem extremamente famintos. Como um ato de respeito a Deus, não se deve comer a carne do animal com o sangue, mas drená-lo antes do consumo, porque o sangue representa vida; quando o sangue se esvai, a vida se esvai. Os homens estão famintos demais para se lembrarem de tais sutilezas. Saul, pelo menos, adota uma ação apropriada em relação a isso, improvisando um **altar** para que eles possam matar os animais de modo adequado como uma forma de sacrifício antes de satisfazerem a própria fome.

Então, Jônatas, inadvertidamente, infringe a promessa de Saul ao saciar a sua fome e encontrar algum refrigério ("seus olhos brilharam"). Por causa desse evento, as relações entre Saul e seus homens são revertidas. Enquanto Saul pensa como Jefté (promessa é promessa), até mesmo os soldados comuns de Saul sabem que Deus não é legalista e que é possível argumentar com Deus se as circunstâncias tornam possível renegociar a promessa. Alguma espécie de oferta pode ser feita a Deus a fim de substituir a vida que foi prometida. Assim, a vida de Jônatas é preservada, mas a vitória deixa de ser tão extensa quanto poderia ter sido.

1SAMUEL **15:1-33**

QUANDO O REI NÃO É FIRME O SUFICIENTE

[1]Samuel disse a Saul: "Eu fui aquele a quem *Yahweh* enviou para ungi-lo como rei sobre o seu povo, sobre Israel. Então, agora, escute as palavras que *Yahweh* tem a dizer. [2]Assim disse *Yahweh*: 'Estou atento ao que Amaleque fez a Israel quando [Amaleque] colocou [a si mesmo] contra eles no caminho, quando estavam saindo do Egito. [3]Agora, vá e derrote Amaleque e devote tudo o que ele tem. Você não o poupará. Mate homens e mulheres, jovens e bebês, bois e ovelhas, camelos e jumentos.'" [4]Saul convocou a companhia e os reuniu em Telaim, uma infantaria de duzentos mil, e dez mil homens de Judá. [5]Saul foi à cidade de Amaleque e ficou à espera no ribeiro. [6]Saul disse aos queneus: "Vão embora, saiam do meio dos amalequitas, para que eu não pegue vocês junto com eles, dado que vocês mostraram compromisso com todos os israelitas quando eles subiram do Egito." Então, os queneus saíram do meio de Amaleque. [7]Saul derrotou Amaleque, desde Havilá até chegar em Sur, que fica próximo ao Egito. [8]Ele capturou Agague, o rei de Amaleque, vivo, mas devotou toda a companhia ao fio da espada. [9]Saul e a companhia pouparam Agague e o melhor

das ovelhas, do gado e os filhotes e os cordeiros, tudo o que era bom. Eles não estavam dispostos a devotá-los. Mas tudo o que era desprezado e enfraquecido eles devotaram.

[10]A palavra de *Yahweh* veio a Samuel: [11]"Arrependo-me de ter feito Saul reinar como rei, porque ele deixou de me seguir e não cumpriu as minhas palavras." Samuel ficou envergonhado e clamou a *Yahweh* durante toda a noite. [12]Na manhã seguinte, Samuel levantou cedo para encontrar Saul. Samuel foi informado: "Saul foi ao Carmelo. Ali, ele edificou um monumento para si mesmo. Ele saiu, seguiu adiante e desceu a Gilgal." [13]Quando Samuel chegou a Saul, Saul lhe disse: "Abençoado seja você por *Yahweh*! Eu cumpri a ordem de *Yahweh*." [14]Então, Samuel disse: "Bem, o que é este som de ovelha em meus ouvidos, e o som de gado que eu ouço?" [15]Saul disse: "Eles foram trazidos dos amalequitas, porque a companhia poupou o melhor das ovelhas e do gado para sacrificar a *Yahweh*, o teu Deus. O resto, nós devotamos." [16]Samuel disse a Saul: "Pare. Eu lhe contarei o que *Yahweh* me disse na noite passada." [Saul] lhe disse: "Fala." [17]Samuel disse: "Embora fosse pequeno aos seus olhos, você realmente é o cabeça dos clãs israelitas. *Yahweh* o ungiu como rei sobre Israel [18]e *Yahweh* o enviou em uma jornada e lhe disse: 'Vá e devote os malfeitores, os amalequitas. Batalhe contra eles até que os tenha eliminado totalmente.' [19]Por que você não ouviu a voz de *Yahweh*, mas lançou-se sobre os despojos e fez o que era errado aos olhos de *Yahweh*? [...] [22]São as ofertas queimadas e sacrifícios tão agradáveis a *Yahweh* quanto ouvir a voz de *Yahweh*? Veja, a obediência é melhor que o sacrifício, prestar atenção [é melhor] do que a gordura de carneiros. [23]Porque a rebelião [é tão ruim quanto] a iniquidade da adivinhação; arrogância [é tão ruim quanto] a transgressão das efígies."

[Os versículos 24-33 recontam como Samuel prossegue advertindo Saul, levando-o a admitir o seu erro, e que, por fim, Samuel mata Agague.]

Segundo o noticiário, as bases norte-americanas na baía de Guantánamo, em Cuba, na primeira década do século XXI, estavam envolvidas na tortura de pessoas suspeitas de atos terroristas. As práticas envolviam manter as vítimas em posições inadequadas por longos períodos, espancamentos, sujeição à degradação e assédio sexual, queimaduras com pontas de cigarro ou cortes com arame farpado ou vidro, bem como a imposição de sons elevados e temperaturas altas por muitas horas. Uma técnica característica, usada em Guantánamo, era a do afogamento, na qual a pessoa era deitada de costas com a sua cabeça para trás, e água era derramada sobre o rosto dela de forma consistente e regular, para simular a sensação de afogamento, podendo levar a danos cerebrais ou ao óbito. Existe certa discussão sobre isso contar como tortura, que também é o caso com a privação de sono, impedindo que as pessoas consigam dormir por dias a fio. Esse procedimento foi descrito por alguém que o experimentou como cansar o espírito até a morte.

Os amalequitas seriam bons em tortura. Segundo Gênesis, Amaleque era descendente de Abraão e Sara, de Isaque e Rebeca, de maneira que os amalequitas eram parentes distantes dos israelitas, mas Êxodo 17 relata como eles atacaram o povo de Israel durante a sua jornada do Egito rumo ao Sinai. Deuteronômio 25 acrescenta que os israelitas se encontravam em condições precárias, completamente exaustos, e que os amalequitas atacaram a comitiva israelita vindo por trás, atingindo primeiramente as pessoas que tinham mais dificuldade de acompanhar o ritmo dos demais. Os amalequitas, portanto, tornaram-se um símbolo para pessoas desprovidas de instinto humano ou de reverência a Deus e constituem o único povo que os israelitas esperam eliminar, fora do contexto da conquista de **Canaã**. Talvez o significado simbólico deles esteja ligado ao modo pelo qual eles insistem em reaparecer no Antigo Testamento, após serem eliminados, como os monstros em filmes de ficção científica. O último descendente de Agague, no Antigo Testamento, é o persa Hamã, que almeja usar o poder do grande império da época para aniquilar o povo judeu. Os amalequitas representam a oposição ao propósito divino de trazer redenção ao mundo e se destacam por sua inescrupulosa violência contra pessoas indefesas. Ainda, a história desse povo demonstra o implacável compromisso de Deus em punir o tipo de perversidade que os amalequitas incorporam. Metaforicamente, Adolf Hitler tem sido descrito como um descendente de Agague, e o presidente de Israel já se referiu a 1Samuel 15, ao negar apoio aos pedidos de clemência em favor do criminoso nazista Adolf Eichmann.

O problema com Saul é não considerar com a devida seriedade o seu compromisso com Deus. Ele devia "**devotar**" os amalequitas e tudo o que pertencesse a eles. Em outras palavras, ele tinha que entregá-los totalmente a Deus pela destruição completa deles. Essa prática significa a ausência do motivo de fazer guerra apenas pelo possível ganho; ele é zero. Saul falha em devotar tudo e ainda racionaliza a sua ação, mas Samuel a vê como mera desculpa. Expressando de outra forma, Saul não assumiu com a responsabilidade necessária o fato de ser o "ungido" de ***Yahweh***. Ele tinha sido escolhido e designado por Deus para cumprir a vontade divina, para agir como representante de Deus. No mundo, há coisas que acendem tanto a ira de Deus que ele considera essencial agir contra elas; assim são as ações dos amalequitas. Elas são um símbolo da resistência humana contra Deus, contra os propósitos divinos e da desumanidade contra outros seres humanos. Como ungido de Deus, Saul é o instrumento da ação divina contra eles.

Agimos bem em nos preocuparmos com a ideia de que Deus teria ordenado a Saul matar todo o povo. Reconhecidamente, o fato de, com exceção da história em Josué, essa ser a única ocasião em que Deus requer tal ação significa que não podemos generalizá-la. Todavia, em outro sentido, é importante fazer generalizações com base nela. O relato afirma a implacável oposição de Deus aos maus-tratos a pessoas fracas e indefesas por parte dos poderosos, bem como a intenção de Deus em derrubar pessoas que agem dessa maneira. A história fornece um exemplo após outro sobre a queda de impérios considerados imbatíveis, e as Escrituras nos convidam a ver a atividade divina nos bastidores de suas derrocadas.

Portanto, estamos certos em ficar assustados com essa narrativa. Ela nos adverte quanto ao que Deus pode decidir fazer conosco, na medida em que agirmos como amalequitas. A questão a ser refletida por nós é se a nossa vida, como nação, é caracterizada por maus-tratos a pessoas impotentes em vez do compromisso com o bem-estar delas. É difícil aos norte-americanos aceitar a responsabilidade pelo que, como nação, eles fazem na baía de Guantánamo. Contudo, eles elegem os governantes que autorizam o uso desse tipo de força, de cuja proteção desfrutamos. Não podemos nos evadir da responsabilidade pelo que acontece, e a história reconhece esse dilema. Saul sabe que Deus deseja punir somente o povo verdadeiramente responsável por aquela atrocidade, perpetrada durante o êxodo. Os queneus constituíam outro grupo, dentre a família abrâmica mais abrangente, que viviam na região entre o Egito e Canaã, mas que agora estavam entre os amalequitas. Eles tinham demonstrado um **compromisso** com Israel que contrastara com a crueldade dos amalequitas. Assim, Saul lhes dá a oportunidade de escaparem. Se desejamos escapar do juízo divino sobre a nação na qual vivemos, deveríamos ser sábios o suficiente para descobrir uma maneira de nos dissociarmos do estilo de vida similar ao dos amalequitas.

A relutância de Saul em fazer o que Deus diz leva ao "arrependimento" de Deus por tê-lo feito rei, e, à luz do que tem emergido sobre o caráter de Saul, Deus tem uma mudança de planos. Com frequência, o Antigo Testamento menciona Deus mudando de planos ou de ideia. Isso, portanto, reflete a natureza real do relacionamento de Deus conosco. Ele não simplesmente decide as coisas à frente do tempo, mas as implementa, independentemente do que acontece. A forma de Deus se relacionar conosco interage com as nossas decisões e a nossa vida. A indisposição de Saul em obedecer ao que Deus disse sobre Amaleque é tão grave quanto ele estar envolvido em adivinhações por meio de **efígies**.

Em contraste, ao fim dessa história, Samuel adverte Saul de que Deus não mudará de ideia ou de planos quanto à sua decisão de não permitir que Saul, depois de tudo, continue como rei. Essa declaração nos mostra que Deus, de fato, interage conosco, mas também que ele não é inconstante ou arbitrário. Não precisamos ter medo de uma mudança de ideia ou de planos por parte de Deus, como se isso pairasse como uma ameaça, enquanto seguimos no caminho de Deus. Na realidade, a maioria das menções quanto a Deus mudar de ideia ou de planos refere-se a Deus desistir de causar mal a alguém. Se Saul, verdadeiramente, tivesse se voltado para Deus, mesmo ele poderia ter sido restaurado.

1SAMUEL **15:34—16:23**

O BOM ESPÍRITO E O MAU ESPÍRITO DE *YAHWEH*

[34]Samuel foi a Ramá, e Saul subiu à sua casa, em Gibeá de Saul. [35]Samuel não viu Saul novamente até o dia de sua morte,

porque Samuel lamentou por Saul, pois *Yahweh* tinha se arrependido de ter feito Saul rei sobre Israel.

CAPÍTULO 16

[1]Mas *Yahweh* disse a Samuel: "Por quanto tempo você irá lamentar por Saul, quando eu mesmo já o rejeitei como rei sobre Israel? Encha um chifre com óleo e vá: eu o enviarei a Jessé, em Belém, porque vi um rei para mim entre os filhos dele." [2]Samuel disse: "Como posso ir? Quando Saul ouvir, ele me matará." *Yahweh* disse: "Se você levar uma novilha, pode dizer: 'É para o sacrifício a *Yahweh* que eu vim', [3]e convide Jessé para o sacrifício. Eu mesmo farei você saber o que deve fazer. Você ungirá para mim aquele que eu lhe disser." [4]Samuel fez como *Yahweh* falou. Quando ele chegou a Belém, os anciãos da cidade ficaram alarmados por encontrá-lo e disseram: "A sua vinda significa que as coisas estão bem?" [5]Ele disse: "As coisas estão bem. Para sacrificar a *Yahweh* é que eu vim. Santifiquem-se e venham comigo ao sacrifício." Ele santificou Jessé e seus filhos e os convidou para o sacrifício. [6]Quando eles chegaram, ele viu Eliabe e disse: "Certamente, o ungido de *Yahweh* está diante dele!" [7]Mas *Yahweh* disse a Samuel: "Não dê atenção à sua aparência ou a quão alto ele é, pois eu o rejeitei, porque não é o que um ser humano vê, pois um ser humano vê o que é visível, mas *Yahweh* vê a pessoa interior."

[Nos versículos 8-10, Yahweh *prossegue rejeitando mais seis filhos de Jessé.]*

[11]Samuel disse a Jessé: "Esses são todos os seus rapazes?" Ele disse: "Ainda falta o mais novo. Agora, ele está cuidando do rebanho." Samuel disse a Jessé: "Mande buscá-lo, porque não nos sentaremos até que ele venha." [12]Então, ele enviou, e o trouxeram. Ele estava bronzeado, era formoso em aparência e bem-apessoado. *Yahweh* disse: "Prossiga, unja-o, porque é este." [13]Samuel pegou o chifre de óleo e o ungiu em meio aos seus irmãos. O espírito de *Yahweh* irrompeu sobre Davi daquele dia em diante. Samuel partiu e foi para Ramá.

[14]Ora, o espírito de *Yahweh* tinha deixado Saul, e um espírito mau de *Yahweh* o tinha assaltado. [15]Os servos de Saul lhe disseram: "Bem, agora, um espírito mau de Deus está te assaltando. [16]Nosso Senhor pode querer dizer que os teus servos, que estão diante de ti, deveriam procurar alguém que saiba tocar um instrumento de corda. Quando o espírito mau de Deus estivesse sobre você, ele tocaria, e isso seria bom para ti." [17]Saul disse aos seus servos: "Procurem alguém que toque bem para mim e tragam-no para mim." [18]Um dos servos declarou: "Certo. Eu tenho visto um filho de Jessé, o belemita, que sabe tocar. Ele é um rapaz forte e um lutador, mas habilidoso em palavras e de boa aparência, e *Yahweh* está com ele." [...] [21]Então, Davi foi a Saul e apresentou-se a ele, e [Saul] gostou muito dele, e ele se tornou um escudeiro para ele [...] [23]Quando o espírito de Deus vinha a Saul, Davi pegava o seu instrumento e tocava, e havia alívio para Saul. Isso lhe era bom. O espírito mau o deixava.

Recentemente, li um perfil de Clint Eastwood; foi esse perfil que me fez pensar em seu filme *Os imperdoáveis* em meu comentário sobre 1Samuel 13. Nesse, bem como em outros filmes, ele trabalha tanto como ator quanto como diretor, mas começou a carreira apenas atuando, e, até ler esse perfil, eu ainda não havia percebido que ele era um verdadeiro galã. Qualquer um, ao conhecê-lo na juventude, o consideraria apenas como um rapaz de boa aparência, um californiano bronzeado que apreciava mulheres, carros e música. No entanto, como ator, ele se tornou uma espécie de herói mítico, uma figura redentora como John Wayne, e, então, como diretor, passou a explorar a ambiguidade da violência que ele mesmo, outrora, incorporara, a retratar as perdas, a vulnerabilidade, a culpa e a autodestruição, além de encarar como as nossas decisões, atitudes e experiências passadas nos modelam de uma forma que não conseguimos escapar. Ter boa aparência e, ao mesmo tempo, ser ponderado não são características incompatíveis.

Essa presunção encontra-se subjacente à ambiguidade com a qual 1Samuel fala sobre boas aparências. Saul era o mais belo e o mais alto rapaz de sua cidade, o que o torna querido pela comunidade. Embora Deus, dificilmente, o tenha escolhido por sua aparência, parece que Deus ficou satisfeito por ser capaz de escolher um homem que tivesse o porte para o papel. Deus aprecia as coisas belas. Não obstante, em que pese uma boa aparência poder, obviamente, tornar-se muito importante, tanto para quem a possui quanto para as demais pessoas, a história de Saul, na verdade, implica que ele tem as qualificações exteriores para o trono, mas não as qualidades interiores.

Pode-se esperar, então, que Deus decida ignorar a aparência em sua próxima escolha, e a narrativa de como Samuel identifica Davi como o substituto de Deus para o trono de Saul, a princípio, dá a impressão de que é exatamente isso o que acontecerá. Existem certas notas de humor na história, tais como a disposição de Deus em ser cúmplice de Samuel em sua economia quanto ao verdadeiro motivo de sua visita a Belém, bem como o pânico entre os anciãos da cidade que sabem que a visita de um profeta, em geral, significa más notícias. Eles literalmente perguntam: "Tu vens em **paz**?" Quando Samuel é apresentado ao filho mais velho de Jessé, ele é instruído a não dar atenção à sua beleza ou à sua elevada altura, porque Deus olha para o interior da pessoa. Nós, então, conhecemos o filho mais novo de Jessé e esperamos que ele seja feio e franzino, mas ele também tem a pele bronzeada por passar muito tempo no campo, além de ser bem-apessoado. A narrativa de sua apresentação a Saul acrescenta detalhes à sua descrição. Ele é forte e belo, um lutador e também hábil com as palavras e a música.

Nada é informado sobre a sua pessoa interior, que apenas Deus consegue ver. Davi manifestará falhas de caráter, no mínimo, tão graves quanto às de Saul, mas ele possui uma grande força que se manifestará quando a história subsequente olhar para ele e o comparar com os seus sucessores. Tais sucessores, frequentemente, falharam em dar a ***Yahweh*** o compromisso exclusivo que *Yahweh* buscava. Em que pese todas as suas falhas, pelo menos, Davi jamais olhou para outras divindades. Havia algo que Deus podia ver nele.

A narrativa não é explícita sobre como devemos relacionar o que Deus podia ver à forma de ele lidar com Davi. A história de sua designação chega ao fim com o **espírito** de Deus irrompendo sobre ele. Parece uma declaração normatizada, pois é a expressão já usada em relação a Sansão e Saul, e, após o espírito de Deus irromper sobre eles, ambos realizaram atos incomuns, como despedaçar um leão com as próprias mãos, matar trinta homens, falar em línguas e resgatar uma cidade sitiada por um exército estrangeiro. Após o espírito de Deus vir sobre Davi ele faz..., rigorosamente nada. Na verdade, 1 e 2Samuel jamais falarão sobre as atividades do espírito de Deus sobre Davi. Sem dúvida, o espírito de Deus estava envolvido com ele, e esse comentário em sua unção diz muito, mas Deus trabalhará muito mais por meio do que ele, naturalmente, podia fazer. Talvez a conversa do espírito de Deus vindo sobre ele, em sua vida, é outra maneira de expressar o que um dos servos de Saul comentou, ao dizer: "*Yahweh* está com ele." É a mesma sentença usada por Gênesis em relação a José, quando seguiu o comentário afirmando que, como resultado, "ele era um rapaz de sorte" (na tradução de William Tyndale, do séc. XVI). José era um rapaz belo que descobriu que a sua aparência podia trazer-lhe problemas, mas que

Deus estava com ele e, assim, contra as probabilidades, ele foi bem-sucedido, não porque Deus seguiu fazendo milagres em sua vida, mas porque as circunstâncias funcionaram dessa maneira. Eis como as coisas são quando Deus está com você; pode acontecer de você tropeçar nos próprios pés. Com Davi isso ocorrerá algumas vezes.

Davi será, portanto, a antítese do pobre Saul. O primeiro rei cometeu os seus erros, deu o passo com o pé errado, agiu de modo estúpido, falhou em ouvir com a devida atenção ao que Deus lhe disse e, até o fim de 1Samuel, Saul seguirá agindo assim, tropeçando em cada pequeno pedregulho em vez de firmar os pés no chão. Assim, a história se justapõe ao espírito de Deus irrompendo nele, informando que o espírito divino o abandonou, e, para piorar, um espírito maligno, da parte de Deus, passou a atacá-lo. Precisamos ser cuidadosos quanto ao que lemos nessa declaração. Os Evangelhos falam sobre espíritos malignos atormentando pessoas, e as traduções de 1Samuel utilizam expressões similares com respeito a Saul. Todavia, o Antigo Testamento não fala sobre espíritos malignos da mesma forma que os Evangelhos fazem, o que levanta questões quanto a qual ideia sobre espíritos malignos é intencionada aqui. Além disso, a palavra hebraica, nesse relato, está mais para o termo "mau" do que para "maligno" ou "perverso". Embora o termo possa sugerir algo moralmente mau, pode igualmente insinuar que a experiência da pessoa é ruim, algo que lhe traga problemas ou sofrimento.

Se pensarmos em Deus enviando a Saul um espírito mau, mesmo um temperamento mau, provavelmente chegaremos à ideia correta. É exatamente um espírito ou temperamento ruim que o aflige ao longo dos capítulos seguintes. Em complemento à musicoterapia ministrada por Davi, seria aconselhável que outro terapeuta pudesse ajudá-lo a compreender como esse espírito mau é uma reação natural ao modo de vida adotado por ele. Contudo, Saul não parece ser o tipo de pessoa capaz de desenvolver esse discernimento interior para encarar a sua infeliz realidade. Ler que Deus está envolvido no envio desse espírito mau sobre Saul sugere uma consciência de que esse processo natural é a maneira divina de adverti-lo e discipliná-lo. Isso não exclui a possibilidade de haver mudanças em Saul. A questão é como ele lida com a sua experiência. A história que se desenrola, a seguir, sugerirá que lhe falta a capacidade ou a disposição para mudanças. Nem Saul nem Davi são pessoas que crescem em sua consciência humana à medida que ficam mais velhos, ao contrário do perfil que li sobre Clint Eastwood. Pode ser que a tentação exercida pelo poder é o que faz a diferença. O problema de Saul e Davi era o fato de ambos serem reis. “Todo o poder corrompe; o poder absoluto corrompe absolutamente.”

1SAMUEL **17:1-54**

COMO RECICLAR O SEU INSTINTO ASSASSINO

[1]Os filisteus reuniram as suas forças para a batalha. Eles se reuniram em Socó, pertencente a Judá, e acamparam entre Socó e Azeca, em Efes-Damim. [2]Saul e os israelitas se reuniram e acamparam no vale de Elá e traçaram a sua linha de batalha para encontrar os filisteus. [3]Os filisteus estavam posicionados em uma montanha, e Israel estava posicionado em outra montanha, com a ravina entre eles. [4]Um representante saiu das forças filisteias; seu nome era Golias, de Gate. Sua altura era de quase três metros [...] [8]Ele se levantou e chamou as fileiras de Israel, dizendo-lhes: “Por que vocês deveriam sair e se alinhar para a batalha? Eu sou, realmente, o filisteu, e vocês são servos de Saul. Escolham vocês mesmos alguém para descer contra mim. [9]Se ele puder batalhar comigo e me derrotar, nos tornaremos os seus servos. Se eu conseguir superá-lo e derrotá-lo, vocês se tornarão os nossos servos e nos servirão.”

[Nos versículos 10-25, Golias proclama o seu desafio durante quarenta dias, mas nenhum israelita se voluntaria para enfrentá-lo. Certa ocasião, Davi chega com provisões para os seus irmãos mais velhos.]

[26]Davi disse aos homens posicionados ao seu lado: "O que será feito ao homem que derrotar aquele filisteu e remover a reprovação sobre Israel? Pois quem é esse filisteu incircunciso para repreender as fileiras do Deus vivo?" [...] [31]As coisas ditas por Davi foram ouvidas e informadas a Saul, e ele o mandou chamar. [32]Davi disse a Saul: "O coração de uma pessoa não deveria falhar por ele. O teu servo irá e lutará com esse filisteu." [33]Saul disse a Davi: "Você não pode ir a esse filisteu e lutar com ele, porque você é um rapaz e ele, um guerreiro desde a sua meninice." [34]Davi disse a Saul: "Teu servo tem pastoreado as ovelhas de seu pai. Quando um leão ou um urso vem e leva uma ovelha do rebanho, [35]eu saio atrás dele, o golpeio e resgato [a ovelha] de sua boca. Se ele se levanta contra mim, eu o agarro pela barba, o derrubo e o mato.

[36]A ambos, leão e urso, o teu servo derrubou. Esse filisteu incircunciso será como um deles, porque ele repreendeu as fileiras do Deus vivo." [37]Davi disse: "*Yahweh*, que me resgatou da mão do leão e do urso, me resgatará das mãos desse filisteu."

[Nos versículos 38-44, Saul leva Davi a colocar a sua armadura, mas ela é muito grande. Davi avança sobre Golias com o seu cajado, cinco pedras, que escolheu no riacho, e sua funda.]

[45]Davi disse ao filisteu: "Você vem a mim com espada, lança e dardo, mas eu vou contra você em nome de *Yahweh* dos Exércitos, Deus das fileiras de Israel, a quem você repreendeu. [46]Neste dia, *Yahweh* entregará você nas minhas mãos, e eu o derrubarei e cortarei a sua cabeça."

[Os versículos 47-54 relatam como Davi derruba Golias com uma pedra de sua atiradeira e corta a cabeça do gigante. Os filisteus correm, e os israelitas saem em perseguição.]

Era um fim de semana da cerimônia de entrega do Oscar (eu fui a um grande concerto de *jazz*, a dois quarteirões de distância, embora estivesse um pouco atrasado por causa do fechamento das ruas em Hollywood), e, contra todas as apostas, *Guerra ao terror* bateu *Avatar* (que arrecadou cerca de cinquenta vezes mais). A imprensa especializada questionou: Como Davi derrotou Golias? Na noite passada, a Faculdade Merrimack disputou uma partida de hóquei contra a Universidade de Boston (dessa vez, fui a um concerto de *jazz* a quase cinco mil quilômetros de distância), e o técnico da Merrimack disse que era como Davi jogando contra Golias (Davi conseguiu anotar um gol precocemente, mas, no final, acabou perdendo). Outro repórter comentou que quase todos os filmes sobre esportes adotam a trajetória de Davi-contra-Golias, mas, então, ela é aplicada ao campo político, como o das próximas eleições britânicas. Ontem, na Flórida, um candidato ao Senado concordou que a sua campanha poderia fazer as pessoas pensarem em Davi contra Golias e lembrou que Davi saiu vencedor. No Reino Unido, a história tecnológica mais popular da semana foi a "batalha de Davi contra Golias entre Microsoft e i4i" (não estou bem certo sobre o que isso significa, mas suspeito que deveria ser Golias contra Davi, para a metáfora funcionar). Ao viajar pelo vale do Silício, na semana passada, outro repórter nos revela que ouviu a história de Davi contra Golias repetidas vezes.

Claramente, temos uma poderosa linha narrativa aqui, de modo que vale a pena observar o que a versão original tem a nos dizer. Primeiro, os **filisteus** possuem uma ideia realmente sensata sobre como fazer uma guerra. Em sociedades tradicionais, a guerra é, em geral, empreendida por toda a comunidade (homens adultos), como é o caso nos conflitos envolvendo as sociedades modernas, ou seja, na guerra de

1939-1945, para citar um exemplo. Contrastando com isso, a teoria do "apenas-guerra" mantém uma distinção entre combatentes e civis, enquanto um conflito como o do Iraque tenha envolvido um exército profissional. Os filisteus trabalhavam com a ideia de que o conflito deveria ser decidido pelo embate direto entre um representante de cada lado. O lado cujo combatente vencesse seria, então, o macho alfa e, por conseguinte, estaria no controle; o lado cujo combatente fosse o perdedor obedeceria às ordens do lado vencedor. Seria ainda mais sensato caso a decisão fosse tomada com base, digamos, em uma partida de xadrez ou de futebol, ou mesmo uma competição de tricô. Claro que os filisteus estão convencidos de que não há como eles perderem (Golias tem quase três metros de altura), e, talvez, não seja uma surpresa o fato de, ao verem o seu campeão perder, eles se esqueçam da regra sensata que propuseram.

O que aborrece Davi é a reprovação que Golias traz sobre Israel. Em certo sentido, esse não é um argumento válido. Não obstante, quando uma equipe perde uma partida ou um exército perde uma batalha, isso é vergonhoso. O time derrotado volta rastejando para casa, e tudo o que os jogadores desejam é se esconderem de vergonha. Isso é ilógico, porém real. Davi está preocupado com a honra de Israel. Por outro lado, há mais elementos em sua preocupação do que apenas isso. Ele se preocupa pelo fato de Golias estar trazendo desonra e vergonha sobre o exército do Deus vivo. Quando uma igreja faz algo vergonhoso (apenas como suposição!), isso resulta em descrédito sobre Deus. Quando Israel treme de medo diante dos filisteus e de seu campeão, isso traz descrédito sobre Deus. Esse é um preço que Deus paga por associar-se com um povo. Davi tem consciência disso e está passionalmente preocupado em fazer algo a respeito.

Davi mantém a confiança em si mesmo e em Deus, vendo as duas como entretecidas uma à outra. Ele não é apenas um jovem pastor sem experiência em combates. Ele enfrentou leões e ursos e sobreviveu para contar a história. Essas batalhas já demonstraram a ele que o resultado de uma luta pode ser definido não pelo tamanho e pela força, mas pela coragem e inteligência. Em contrapartida, Davi também sabe que poderia não ter escapado com vida caso Deus não estivesse com ele. Embora Davi desconheça como esses dois elementos interagem, ele sabe que isso, de fato, ocorre. Sem coragem e astúcia, ele morre. Sem o envolvimento de Deus, ele morre. Davi contou com ambos e necessitará deles novamente. Talvez seja igualmente significativo que em sua argumentação com Saul a sua experiência de sucesso em batalhas tenha sido a primeira palavra, mas a sua convicção de que Deus irá resgatá-lo foi a última.

A base para essa confiança é que Deus é ***Yahweh* dos Exércitos**. Davi sabe que Deus, verdadeiramente, possui todo o poder nos céus e na terra, bem como sabe que Deus está sempre preparado para usá-lo. Deus não é apenas soberano na vida pessoal e religiosa das pessoas, mas também na vida militar e política do mundo. Deus detém o poder e está preparado para usá-lo, mas, de modo característico, Deus usa esse poder em benefício de pessoas como Davi, não como Golias, que dificilmente precisam dele (em teoria). O que Deus se compraz em fazer é contrariar todas as probabilidades. Quando Deus age (como Ana expressou, no início de 1Samuel), os arcos dos guerreiros se quebram, e as pessoas que estavam caindo são restauradas, porque não é pela força que uma pessoa prevalece. A história de Davi representa boas notícias para pessoas humildes e fracas.

De certa maneira, todo o caráter de Davi emerge nessa história. Sugeri, anteriormente, que ser “um homem segundo o coração de Deus" não precisava significar o que pensamos que significa: a expressão simplesmente indica que Davi era alguém escolhido por Deus. Todavia, podemos ver por que Davi se tornaria "um homem segundo o coração de Deus", nesse outro sentido. Davi manifesta um compromisso e uma confiança em *Yahweh* raramente vistos antes no Antigo Testamento. Trata-se de uma vergonha que (como no caso de Saul) os primeiros momentos de Davi também sejam os seus melhores.

1SAMUEL **17:55—18:16**

COMO SER UMA FAMÍLIA REAL DISFUNCIONAL

[55]Quando Saul viu Davi sair ao encontro do filisteu, ele disse a Abner, o comandante do exército: "De quem esse rapaz é filho, Abner?" Abner disse: "Por tua vida, majestade, eu não sei." [56]O rei Saul disse: "Pergunte de quem esse jovem rapaz é filho." [57]Quando Davi retornou de derrubar o filisteu, Abner o pegou e o levou diante de Saul, com a cabeça do filisteu em sua mão. [58]Saul lhe disse: "De quem você é filho, meu rapaz?" Davi disse: "Filho de teu servo Jessé, o belemita."

CAPÍTULO 18

[1]Quando ele tinha terminado de falar a Saul, o próprio Jônatas se tornou muito ligado a Davi. Jônatas se tornou tão leal a ele quanto a si mesmo. [2]Saul tomou [Davi] naquele dia e não o deixou voltar à casa de seu pai. [3]Jônatas e Davi selaram uma aliança porque [Jônatas] era tão leal a ele quanto a si mesmo. [4]Jônatas tirou o casaco que vestia e o deu a Davi, e a sua túnica, com sua espada, seu arco e seu cinturão.

[5]Em todas [as missões] às quais Saul o mandou, [Davi] foi bem-sucedido, e Saul o estabeleceu sobre os homens de guerra. Isso foi bom aos olhos de toda a companhia e também aos olhos dos servos de Saul. [6]Quando os homens vieram [para casa] e

Davi voltou de derrotar o filisteu, as mulheres vieram de todas as cidades em Israel para cantar e dançar quando eles se encontraram com o rei Saul, com tamborins, com festividades e com instrumentos de corda. [7]As mulheres proclamavam, enquanto tocavam, e diziam: "Saul derrubou os seus milhares; Davi seus dez milhares." [8]Mas isso muito irritou Saul; essa coisa foi ruim aos seus olhos. Ele disse: "Eles deram a Davi dez milhares e a mim deram milhares. Agora, a realeza será apenas dele." [9]Saul ficou observando Davi daquele dia em diante. [10]No dia seguinte, um espírito mau da parte de Deus irrompeu sobre Saul, e ele profetizou dentro da casa enquanto Davi estava tocando, como fazia a cada dia. Havia uma lança na mão de Saul. [11]Saul jogou a lança. Ele disse: "Prenderei Davi à parede." Mas Davi escapou dele duas vezes. [12]Saul estava com medo de Davi porque *Yahweh* estava com ele e tinha se afastado de Saul. [13]Saul retirou-o de sua presença e o fez cabeça de mil, de modo que ele saiu e se apresentou diante da companhia. [14]Davi teve sucesso em todas as suas empreitadas; *Yahweh* estava com ele. [15]Saul viu que ele era muito bem-sucedido e ficou aterrorizado por causa dele, [16]mas todo o Israel e Judá eram leais a Davi, porque ele saía e se apresentava diante deles.

A rainha Elizabeth II declarou o ano de 1992 o seu *annus horribilis*, ou seja, o "ano terrível" dela. Trata-se de uma adaptação da expressão *annus mirabilis*, o "ano miraculoso", expressão engendrada pelo poeta John Dryden, para descrever 1666, o ano em que a marinha inglesa derrotou a marinha holandesa (minhas desculpas aos leitores holandeses) e quando a cidade de Londres escapou de uma devastação muito maior por ocasião do grande incêndio que atingiu essa capital (Dryden ignorou a Peste Negra de 1665-1666, mas talvez ele considerasse as pragas como eventos naturais e inevitáveis, do mesmo modo que consideramos as perdas de vidas em acidentes de trânsito todos os anos). Para a rainha, 1992 foi o ano no qual o Castelo de Windsor pegou fogo e os casamentos de dois de seus filhos terminaram.

Saul havia experimentado o seu *annus mirabilis*; na verdade, ele havia tido dois deles. O primeiro foi quando resgatou os homens de Jabes-Gileade; o segundo, o ano em que Davi matou Golias e, assim, colocou os filisteus para correr. Ele, agora, estava em seu *annus horribilis*; na realidade, até o fim de seus dias Saul viverá anos dessa categoria.

Seus problemas, como rei e como pai, estão entrelaçados. Pode ser que sempre estiveram; isso, certamente, também será tema na vida de Davi. Primeiro, há o seu filho, que se tornou o melhor amigo de Davi, ao mesmo tempo que Saul passa a ver Davi como seu principal inimigo, e por motivos sobrepostos. Saul não está totalmente errado em sua visão de Davi. Na realidade, Davi é a pessoa que o substituirá como rei. Deveria ser Jônatas, como seu filho presumivelmente sabe, mas este não se importa com o trono. Saul não precisou ser um líder e tentou evitar isso, mas, uma vez que ele foi alçado a essa posição de poder, tornou-se apegado a ela. Isso define quem ele é. Talvez Jônatas tenha testemunhado isso e não queira seguir pelo mesmo caminho. Já observamos que seu ataque sobre o destacamento filisteu, no capítulo 14, sugere que ele possui um instinto de liderança mais natural que o seu próprio pai; Jônatas não precisa que o **espírito** de Deus venha sobre ele para fazê-lo tomar uma iniciativa ousada. Ele é, na verdade, como Davi, o matador de leões e ursos; ao que tudo indica, foi isso que levou à grande amizade entre Jônatas a Davi. Ambos eram modelos de heróis masculinos. Jônatas conseguia se ver em Davi. Não se pode simplesmente afirmar que eles eram homens de personalidade do tipo A (um dos motivos é que toda essa teoria é, provavelmente, um mito).

De todo modo, é Saul quem parece ter personalidade do tipo A. Falta a Jônatas a necessidade interior de ser um líder. Ele teria sido um rei muito melhor que Saul ou Davi, mas não se importa com o reinado, e o sistema de Israel (como o nosso) significa ter como líderes pessoas que desejam liderar, o que é uma ideia realmente má.

Jônatas e Davi possuem características sobrepostas, embora não idênticas. Além de não sentir a necessidade de estar em posição de liderança, Jônatas sabia como ser amigo de alguém. Ele conhece a respeito de relacionamentos pessoais. Ao contrário, Davi não tem noção sobre esse tema. Essa é a chave para a compreensão de sua história. Há um sentido no qual essa amizade é um tanto unilateral, na qual apenas Jônatas está comprometido com Davi. Ao discorrer sobre a lealdade de Jônatas, a narrativa utiliza a palavra hebraica que sugere amor, mas essa tradução pode ser enganosa, e eu, portanto, evitei isso. Um motivo é que as palavras hebraicas para amor e ódio sugerem, pelo menos, uma lealdade política e moral tanto quanto emocional (como quando Jesus diz aos seus discípulos que eles devem odiar os seus pais). Os documentos políticos do Oriente Médio falam sobre subordinados amando os poderes superiores. Assim, Jônatas está expressando um **compromisso** político, bem como pessoal a Davi. Com efeito, ele está rendendo a Davi a posição de sucessor potencial de Saul. O mesmo ponto emerge da maneira pela qual os dois jovens rapazes selam uma **aliança**, porque o termo hebreu para aliança é também uma palavra para tratado, um compromisso político. O relacionamento entre eles apresenta um pouco de cada área.

Jônatas não é o único que se sente cativado por Davi. Para início de conversa, todas as mulheres de Israel têm esse sentimento. Você teria que ser um grande homem para lidar com o entusiasmo delas por um de seus oficiais, e Saul não é esse homem. Com certa ironia, dessa vez a história fala sobre um espírito ruim da parte de Deus "irrompendo" em Saul; é a mesma palavra usada no relato do espírito de Deus vir sobre ele, quando Samuel o ungiu, bem como quando ele foi inspirado a resgatar os homens de Jabes-Gileade, e quando Samuel ungiu Davi. Isso até mesmo o levou a "profetizar", como ocorreu no episódio inicial. O comportamento de Saul deixa claro que algo sobrenatural está acontecendo. Nada mudou desde quando ele foi ungido, mas, ao mesmo tempo, tudo mudou. Havia uma percepção de que tinha sido um espírito ruim que veio sobre ele, inspirando-o a lutar contra os amonitas. Era um mau espírito no que tangia a eles, um espírito que suscitava energia e significou problemas para eles. Agora, é um espírito ruim no sentido de que ele desperta energia e traz ameaças contra Davi, mas este tem uma vida encantada. Poder-se-ia afirmar que Deus protegia Davi, mas a história apenas diz que Davi escapou de Saul. Ele sabe cuidar de si mesmo. Por outro lado, quando Saul envia Davi em missões arriscadas na esperança de que ele seja morto, ele é bem-sucedido (Davi "sai" e também "retorna" à frente da unidade militar), e isso ocorre porque "*Yahweh* está com ele". De fato, é possível dizer que ele sabia cuidar de si mesmo, mas, em relação a isso, a narrativa nos lembra de que há duas maneiras de olhar para o que acontece. A coragem e a astúcia humanas estão envolvidas, e as coisas não teriam o resultado que tiveram sem elas. Da mesma forma, a proteção divina está envolvida, e o resultado não seria o mesmo sem ela.

Pode ser que você tenha ficado confuso sobre o motivo de Saul precisar perguntar ao seu comandante quem é Davi, quando já fomos informados de que Davi tinha sido aceito como cantor, compositor e músico residente na corte algum tempo atrás. Essa é outra indicação da maneira pela qual a narrativa sobre Saul e Davi foram compiladas de uma série de histórias independentes e sobrepostas, que foram reunidas para nos dar um retrato composto de Saul e Davi, sem que as histórias tivessem por objetivo fornecer um relato linear e organizado. O fato de 2Samuel 21:19 atribuir a morte de Golias a um homem chamado Elanã corrobora essa compilação sobreposta. Existem inúmeras explicações para essa aparente contradição, mas a que me parece mais plausível é que o processo é similar àquele pelo qual as histórias são vinculadas a figuras conhecidas como Robin Hood, à maneira de os vitrais glorificarem os heróis bíblicos. Uma figura heroica como Robin Hood era uma pessoa de carne e osso que realizou atos espetaculares, de modo que contar histórias sobre ele que historicamente diziam respeito a outra pessoa não é exatamente errado. As histórias nos capacitam a compreender a real importância da pessoa. Igualmente, caso Davi não tivesse, de fato, matado Golias, vincular essa história a Davi preenche a sua imagem a fim de nos transmitir a verdadeira impressão de sua significância. Se for isso mesmo o que aconteceu, eis por que as histórias não formam um quebra-cabeça de encaixe perfeito. Caso você considere inconcebível que Deus tenha agido dessa maneira para trazer as Escrituras à existência, sinta-se livre para adotar uma das outras explicações (que Elanã é outro nome para Davi; inúmeros personagens da Bíblia têm mais de um nome). Seja como for, precisamos ler cada história por si só, sem nos preocupar em demasia com as questões de continuidade que elas suscitam.

1SAMUEL **18:17—19:24**
TODOS ESTÃO CONTRA MIM

[17]Saul disse a Davi: “Aqui está Merabe, a minha filha mais velha. Eu a darei por esposa a você [...]” [19]Então, na hora de dar Merabe, a filha de Saul, a Davi, ela foi dada a Adriel, o

meolatita. [20]Mas Mical, a filha de Saul, amava Davi. Saul foi informado, e isso foi agradável aos seus olhos. [21]Saul disse: "Darei Mical a ele, e ela lhe será uma armadilha, de modo que a mão dos filisteus possa ser contra ele [...]" [25]Saul disse: "Diga isto a Davi: 'O rei não deseja um presente de casamento, exceto o prepúcio de cem filisteus, para obter reparação dos inimigos do rei [...]'" [27]Davi partiu, e ele e seus homens foram e derrubaram duzentos filisteus. Davi trouxe os prepúcios deles, e eles contaram o seu número completo ao rei para que ele pudesse se tornar o genro do rei, e Saul lhe deu Mical, sua filha, como esposa. [28]Saul viu e reconheceu que *Yahweh* estava com Davi e que Mical, a filha de Saul, era leal a ele, [29]e Saul teve mais medo de Davi [...]

CAPÍTULO 19

[1]Saul falou a Jônatas, seu filho, e a todos os seus servos para matar Davi, mas Jônatas, filho de Saul, favorecia a Davi; [2]assim, Jônatas contou a Davi [...] [4]Jônatas falou bem de Davi a Saul, seu pai [...], [6]e Saul ouviu a voz de Jônatas. Saul jurou: "Como *Yahweh* vive, ele não será morto [...]" [9]Então, um espírito mau de *Yahweh* veio sobre Saul [...] [11]Saul enviou ajudantes à casa de Davi para manter vigilância sobre ele de manhã, mas Mical, sua esposa, falou a Davi: "Se você não correr por sua vida esta noite, será morto amanhã." [12]Mical deixou Davi descer pela janela. Ele foi, desceu e fugiu. [13]Mical pegou as efígies e as colocou na cama e pôs uma colcha de pelo de cabra em sua cabeça e cobriu com roupas. [14]Quando Saul enviou os ajudantes para levar Davi, ela disse: "Ele está doente", [15]mas Saul enviou os ajudantes para ver Davi: "Tragam-no para mim sobre a cama, para matá-lo." [16]Então, os ajudantes foram, e ali estavam as efígies na cama e a colcha de pelo de cabra em sua cabeça. [17]Saul disse a Mical: "Por que você me enganou assim e ajudou meu inimigo de modo que ele escapasse?" Mical disse a Saul: "Ele mesmo me disse: 'Ajude-me a fugir. Por que deveria eu matá-la?'"

[18]Quando Davi fugiu e escapou, ele foi a Samuel, em Ramá [...] [20]Saul enviou ajudantes para prender Davi. Eles viram um grupo de profetas profetizando, com Samuel de pé, presidindo sobre eles. O espírito de Deus veio sobre os ajudantes de Saul, e eles também profetizaram. [21]Saul foi informado, de maneira que enviou mais ajudantes, mas também eles profetizaram. Saul, novamente, enviou o terceiro grupo de ajudantes, e eles também profetizaram. [22]Assim, ele também foi a Ramá [...] [23]e sobre ele também o espírito de Deus veio, de maneira que ele caminhou e profetizou até que chegou a Naiote, em Ramá. [24]Então, ele também rasgou as suas roupas e profetizou na frente de Samuel. Ele caiu nu todo aquele dia e toda aquela noite. Eis por que eles disseram: "Está Saul também entre os profetas?"

Ontem à noite, assisti a um filme jordaniano, indicado ao Oscar, intitulado *Capitão Abu Raed*, cuja figura central é um faxineiro do Aeroporto de Amã (na mesma rua de Jabes-Gileade, na verdade). Em determinado momento da trama, ele conhece uma mulher chamada Nour, que é piloto de avião. Nour é uma mulher bem-sucedida, na casa dos trinta anos, mas ela tem que enfrentar as periódicas tentativas de seu próspero pai em casá-la com pretendentes implausíveis. Agora, muitas pessoas que tiveram seus casamentos arranjados comentam sobre como esse sistema funciona bem. O autor indiano Farahad Zama descreve como ele conheceu a sua esposa por somente 45 minutos durante um chá; eles se apaixonaram depois do casamento. Entretanto, ele teve a oportunidade de dizer não, com base naquele encontro de 45 minutos, que é o que Nour, no filme jordaniano, faz em menos tempo. O problema é que, quanto mais importante o seu pai se torna, tanto mais provável é que os encontros que ele planeja visem a benefícios políticos e, assim, encontram mais resistência por parte dela. Embora isso não explique totalmente os problemas da família real britânica, que observamos no capítulo anterior, decerto contribui para eles.

Evidentemente, esse também é um problema para as filhas de Saul. Primeiro, há Merabe; ficamos com a impressão de que ela não tinha nenhum direito a opinar sobre (a) Davi ou (b) Adriel. Embora a mudança de ideia de Saul possa simplesmente ser atribuída à sua inconstância, o desenrolar da história talvez implique que Davi não tinha condições de oferecer um dote de casamento apropriado que o habilitasse a se casar com Merabe. Algumas traduções referem-se a isso como o preço pela noiva, mas a expressão é enganosa, pois passa a noção de que o noivo pode comprar a sua noiva do pai dela e, portanto, que a esposa passa a ser propriedade do marido — exceto no sentido de que ela é "sua esposa" e que ele é "seu marido". Em vez disso, a troca de presentes em um casamento (o presente de casamento e o dote da mulher) constitui parte da convenção social pela qual um casamento é selado pela entrega de bens, como ocorre na cultura ocidental. Também é um reconhecimento de que, para o homem, o casamento significa a obtenção de algo dotado de grande valor econômico.

Quando Saul ouve que Mical é apaixonada por Davi (como a maioria das mulheres em Israel), ele tem um interesse pessoal em ajudar Davi a solucionar o seu embaraço financeiro, porque vislumbra nisso um meio de tirar Davi de seu caminho. A narrativa incorpora inúmeras notas de humor, a maioria às custas de Saul, e a primeira é uma nota de humor grosseiro, muito comum no texto bíblico. Os israelitas caçoavam dos **filisteus**, considerando-os europeus incultos, por não praticarem a circuncisão como povos civilizados (a circuncisão masculina era uma prática regular entre os povos do Oriente Médio, embora esse rito, na maioria deles, fosse praticado apenas na puberdade, além de receber um significado distinto em Israel por sua ligação com a **aliança**). Assim, que Davi circuncide alguns desses homens selvagens. Claro que eles não se submeterão a isso de modo voluntário: "Com licença, você se importaria se eu apenas circuncidasse uma centena de vocês? Preciso dos prepúcios." "Você terá que nos matar antes." A lógica por trás do pedido de Saul é que isso servirá de lição aos filisteus e constituirá um meio de perseguir a sua missão de afirmar a soberania israelita sobre a terra que eles consideram como sua, embora ele também tenha uma outra motivação. Saul só tem a ganhar: ele espera que Davi falhe, mas, se por acaso ele vencer, isso também será muito útil ao seu reinado. Davi, claro, logra êxito total nessa missão e dobra o número por precaução, e a narrativa nos convida a imaginar Davi contando os prepúcios um por um. Tudo isso para ganhar uma esposa. Quem é esse homem? Um homem que deseja ser rei!

Saul não é capaz de enxergar um palmo além de seu nariz. Isso também é verdadeiro em relação ao campo religioso. Ele pode ver que Deus está com Davi, e a sua reação é temer ainda mais Davi. Saul está certo em considerar Davi uma séria ameaça a ele. Pode-se pensar que qualquer um que tenha um pingo de bom senso veria que é inútil tentar lutar contra Deus, mas essa consciência apenas faz Saul intensificar os seus esforços. Então, ele falha em ver as implicações adicionais do fato de Mical, sua filha, amar Davi. Já comentamos uma ambiguidade quanto à palavra "amor". Ela sugere compromisso e lealdade, bem como sentimentos. Os sentimentos de Mical por Davi podem ser usados por Saul em seu objetivo de ver Davi morto: ela quer se casar com ele, mas, com um pouco de sorte, Davi será morto em sua tentativa de cumprir a condição imposta por Saul. Isso não ocorre. Mas o amor de Mical também significa que ela está comprometida com Davi (*amor* é o mesmo termo hebraico que eu traduzi por *leal* em 18:28). A exemplo do amor/lealdade de Jônatas a Davi, o amor/lealdade de Mical ao seu esposo tem implicações práticas e políticas. O casamento significa deixar pai e mãe e se unir ao seu cônjuge. Apaixonar-se por Davi significa passar para o lado dele contra Saul e, portanto, ela enganará e mentirá a fim de salvar Davi da morte certa. Permitir que Mical se casasse com Davi foi a ação que Saul adotou por imaginar que isso lhe daria uma oportunidade de se livrar de Davi. Contudo, isso contribuiu para mantê-lo vivo. Pobre Saul! A ironia reside na história sobre as **efígies**. Isso levanta a questão sobre como a esposa de Davi está de posse dessas efígies, e a menção incidental a elas chama a atenção para algo que as descobertas arqueológicas já deixam claro; que a vida religiosa cotidiana, em Israel, era muito diferente daquela prescrita pela **Torá**.

Claro que Jônatas não tem utilidade para seu pai em relação ao seu plano de se livrar de Davi. Jônatas "favorece a Davi" em vez de a Saul; essa é outra forma de descrever a sua lealdade. A expressão é a mesma que Saul instruiu seus cortesãos a usarem ao falar a Davi de sua própria atitude para com ele, o que o levou a lhe oferecer Merabe. A ironia é que ele não queria, de fato, afirmar isso, embora, na verdade, seja a atitude de seu próprio filho em relação a Davi, levando-o a revelar os planos do pai a Davi, bem como a dissuadir Saul de suas intenções. Isso funciona apenas por um curto período de tempo, porque Saul tem um problema maior do que ter o seu filho e a sua filha, além de sua própria estupidez, contra ele: Deus está contra ele. A nota final de humor e de ironia da parte de Deus reside no relato de como, uma vez mais, Saul acaba profetizando. Outrora, lá no começo, isso havia sido um sinal de que Deus estava realmente com Saul. Agora, é um sinal de que Deus, realmente, o abandonou. (Talvez o fato de esse encontro ser uma expressão de julgamento seja a razão de Samuel estar preparado para agir distintamente do que havia dito em 15:35.) Mesmo assim, Saul ainda não verá sentido e retornará.

1SAMUEL **20:1—21:15**
AMIZADE

[A passagem de 1Samuel 20:1-13a relata como Davi pede a Jônatas para investigar se Saul, o pai dele, prosseguirá em sua tentativa de matá-lo, e Jônatas concorda em fazer isso.]

13b"Se parecer bom ao meu pai [fazer] o mal a você, eu lhe revelarei e o enviarei, e você irá em segurança, e que *Yahweh* esteja com você, assim como estava com meu pai. **14**Enquanto eu viver, não deixe de manter o compromisso de *Yahweh* comigo. Nem quando eu morrer **15**você deve cortar o seu compromisso com a minha família, jamais, mesmo quando *Yahweh* cortar os inimigos de Davi, cada um, da face da terra. **16**Jônatas fez aliança com a família de Davi. *Yahweh* irá exigir isso das mãos dos inimigos de Davi." **17**Então, Jônatas, novamente, jurou a Davi por sua lealdade a ele, porque ele era tão leal a ele quanto consigo mesmo [...]: **23**"A palavra que falamos, você e eu: eis que *Yahweh* está entre você e mim para sempre."

24Davi se escondeu no campo. Era lua nova, e o rei sentou-se para o jantar, para comer. **25**O rei sentou-se em seu lugar de costume, junto à parede. Jônatas sentou-se em frente, e Abner sentou-se ao lado de Saul, mas o lugar de Davi ficou vazio. **26**Saul não fez nenhum comentário naquele dia porque disse [consigo mesmo]: "Algo aconteceu para ele não estar puro [...]" **27**Então, no dia depois da lua nova, o segundo dia, o lugar de Davi ficou vazio, de modo que Saul disse a Jônatas, seu filho:

"Por que o filho de Jessé não veio jantar ontem ou hoje?" [28]Jônatas respondeu a Saul: "Davi perguntou-me urgentemente [se ele poderia ir] a Belém. [29]Ele disse: 'Permita-me ir, porque nós temos um sacrifício da família na cidade, e meu irmão ordenou-me a isso. Então, agora, se encontrei favor aos seus olhos, posso ir e ver os meus irmãos?' Eis por que ele não veio à mesa do rei." [30]A ira de Saul se acendeu contra Jônatas, e ele lhe disse: "Filho de uma mulher rebelde e perversa! Eu sei muito bem que você está escolhendo o filho de Jessé, para a sua vergonha e a vergonha da nudez da sua mãe! [31]Porque todos os dias que o filho de Jessé viver na terra, você e o seu reinado não estarão seguros. Então, agora, envie e pegue-o para mim, porque ele está destinado a morrer." *[Jônatas protesta, Saul joga a sua lança contra Jônatas, que sai furioso e vai contar a Davi.]* [41b][Davi] prostrou-se com o rosto em terra e curvou-se três vezes, e eles se abraçaram e choraram um com o outro, até Davi [chorou] muito. [42]Jônatas disse a Davi: "Vá em segurança, porque nós dois juramos no nome de *Yahweh*: '*Yahweh* esteja entre você e mim, e entre a sua descendência e a minha, para sempre.'" [43]Então, Davi partiu e foi. Enquanto Jônatas foi para a cidade.

CAPÍTULO 21

[1]Davi foi a Nobe, ao sacerdote Aimeleque [...] [7]Mas um dos servos de Saul estava lá naquele dia, retido diante de *Yahweh*. Seu nome era Doegue, o edomita, chefe dos pastores de Saul.

[Os versículos 8-15 relatam como, mesmo não levando armas, Davi conseguiu a espada de Golias com Aimeleque, bem como provisões, e segue até Gate, cidade na qual ele consegue refúgio com o rei Aquis.]

Conheço uma mulher, hoje com mais de oitenta anos, que viveu durante quarenta ou cinquenta anos com uma amiga.

Elas tinham empregos separados, mas no restante do tempo eram inseparáveis, sempre unidas, seja na igreja, seja na vida social, além de passarem as férias juntas. Alguns anos atrás, a amiga sofreu um derrame, e a minha conhecida decidiu aposentar-se precocemente para poder cuidar dela e fazer de tudo para continuarem vivendo juntas pelo tempo que fosse possível, o que incluía viagens nas quais não faltava aventura. Após a morte da amiga, ela experimentou um luto sombrio, o mesmo tipo de luto vivido por alguém que perde o seu cônjuge. Havia entre elas uma relação caracterizada pelo compromisso mútuo que poderia muito bem ser chamado de pactual. Eu costumava ponderar que seria muito mais difícil, hoje em dia, para duas mulheres ou dois homens firmarem esse tipo de compromisso mútuo, considerando os círculos cristãos conservadores a que pertençam, por causa da grande suspeita que isso geraria de tratar-se, na verdade, de um relacionamento ou casamento entre pessoas do mesmo sexo e, decerto, ficariam horrorizados com a ideia. No Ocidente moderno, há uma grande confusão quanto aos relacionamentos entre pessoas do mesmo sexo que a própria ideia de amizade entre homens ou entre mulheres está ameaçada.

Isso afeta a maneira pela qual as pessoas enxergam a relação entre Davi e Jônatas. Tanto pessoas heterossexuais quanto homossexuais já se perguntaram se a relação entre eles seria fisicamente homossexual. Claro que a história jamais declara: "A propósito, eles não eram *gays*." O ambiente para descrever o relacionamento entre eles é de amizade e **compromisso** mútuo, embora essa mutualidade não significasse que a relação tivesse o mesmo peso para os dois. A energia do relacionamento vem de Jônatas. Ele "ama" Davi, é leal a ele, mais do que a seu pai, e se preocupa com Davi tanto quanto se preocupa consigo mesmo. Jônatas se apega a Davi, e o seu cuidado e lealdade é que levam ao estabelecimento de uma **aliança** entre eles.

No Ocidente, em anos recentes, passamos a presumir que o cônjuge de uma pessoa é também o(a) seu(sua) melhor amigo(a). Isso foi realidade entre minha esposa e mim, mas é uma presunção idiossincrática. Não há indicação na Bíblia de que o matrimônio deva funcionar assim, e isso também exerce uma pressão extra sobre um relacionamento que já precisa suprir todas as outras demandas. Uma relação de amizade e compromisso mútuo com outra pessoa do mesmo sexo evita parte dessa complicação. Talvez isso seja possível na relação de amizade e compromisso mútuo com uma pessoa do sexo oposto, embora, nesse caso, exista o risco de ficar sexualmente enredado. Então, claro, se uma das pessoas envolvidas, ou ambas, for alguém cuja atração é por pessoas do mesmo sexo, esse fato remodela todas essas considerações.

As pressuposições da história sobre o jantar de Saul são de que o início do mês é uma ocasião especial a ser celebrada diante de Deus, com um jantar especial na presença de Deus. Mas, então, inúmeras coisas, como ter relações sexuais ou contato com um cadáver, podem tornar a pessoa impura para estar na presença de Deus, porque o sexo e a morte são estranhos ao próprio caráter divino. Tais considerações podiam ser razão suficiente para faltar ao primeiro dia da celebração, mas tais tabus não perduram por muito tempo, e, assim, seria razoável que Saul esperasse pela presença de Davi no segundo dia. Sua ausência desperta a suspeita no rei de que algo estranho está ocorrendo. Considerações relacionadas emergem da história sobre a visita emergencial de Davi a Aimeleque, na qual ele precisa assegurar ao sacerdote que seus homens não tiveram relações sexuais recentes, antes de o sacerdote se dispor a permitir que eles comessem das provisões do santuário. Ainda assim, a sua disposição de ajudar foi irregular. Em Marcos 2, Jesus recorda essa história como um exemplo de como o Antigo Testamento não é legalista em sua maneira de tratar a Torá, de modo que, similarmente, não há necessidade de ser legalista com respeito ao sábado. O ponto sobre a nota com respeito a Doegue emergirá no próximo capítulo.

Como de costume, ao ler essa história, vale a pena questionar por que alguém a teria escrito e qual função ela desempenha. A narrativa em questão, como um todo, pertence pelo menos ao tempo em que Davi já tinha se tornado rei, e sua função é a de assegurar aos seus leitores que o processo por meio do qual Davi ascendeu ao trono foi totalmente honroso. Afinal, Jônatas é a pessoa que deveria suceder o seu pai como rei. Por que isso não ocorreu? Em certo nível, a resposta é que Deus determinou que não, mas as pessoas sabiam que Davi era capaz de agir como um agente político muito sagaz, pelo menos até ele perder a sua verve no meio de seu reinado. Teria ele manobrado Jônatas a abrir mão de seu "direito" como sucessor de Saul? Não, a história afirma, pois Jônatas estimava tanto Davi (como os demais, exceto Saul) que ele desistiu de sua legítima posição. Quer ele tivesse ciência disso quer não, teologicamente falando, o fato é que Jônatas estava feliz em seguir a intenção de Deus de colocar Davi no trono. "Que *Yahweh* esteja com você, assim como estava com meu pai", ele afirma. Vale a pena ponderar sobre as duas metades dessa sentença. A primeira é um desejo de que Deus faça Davi prosperar e avançar, independentemente se Jônatas perder. Na segunda metade, a característica dolorosa é o tempo verbal no passado. Deus costumava estar com Saul, e as coisas corriam bem para ele. Agora, Deus não mais está com ele, e as coisas não correm bem.

A narrativa também reconhece expectativas que se aplicariam a Davi como rei. Ele deve manter o compromisso com Jônatas não apenas durante a sua vida, mas após a sua morte. Os dois possuem idades similares, e não é de esperar que Jônatas vá morrer antes de Davi, mas, na realidade, isso ocorrerá. Então, o que acontecerá à família de Jônatas? Apesar de toda a popularidade de Davi em seus próprios círculos, haverá muitas pessoas ainda leais a Saul que presumirão que alguém da sua família deve sucedê-lo. Tais considerações significam que, após um golpe, um novo governante é tentado a eliminar todos os potenciais rivais ao trono, e isso inclui os filhos de Jônatas. Os capítulos de 2Samuel 9 e 21 contarão como Davi honra as suas promessas a Jônatas, providenciando o devido cuidado a Mefibosete, filho de Jônatas, que tinha uma deficiência física nos pés, e organizando o sepultamento de Jônatas.

1SAMUEL 22:1—23:29
DAVI EM FUGA

[1]Davi saiu dali e fugiu para uma caverna em Adulão. Seus irmãos e todos da casa de seu pai ouviram e desceram, ali, até ele. [2]Todos os que estavam em apuros ou que tinham um credor ou que estavam descontentes em espírito reuniram-se a ele, e ele se tornou o líder deles. Havia cerca de quatrocentos homens com ele. [3]Davi foi de lá até Mispá, em Moabe, e disse ao rei de Moabe: "Que meu pai e a minha mãe possam sair para estar contigo até que eu saiba o que Deus fará para mim." [4]Assim, ele os conduziu até a presença do rei de Moabe, e eles permaneceram todo o tempo em que Davi ficou na fortaleza. [5]Mas Gade, o profeta, disse a Davi: "Você não deve permanecer na fortaleza. Vá para Judá." Então, Davi foi, e chegou à floresta de Herete.

[6]Saul ouviu que Davi e os homens com ele tinham sido descobertos. Saul estava sentado debaixo da tamargueira, em Gibeá, na altura, com a sua lança na mão e todos os seus servos junto a ele. [7]Saul disse aos seus servos que estavam com ele: "Ouçam, benjamitas. A todos vocês o filho de Jessé dará campos e vinhas? Ele fará todos vocês comandantes de milhares ou comandantes de centenas? [8]Porque todos vocês têm conspirado contra mim. Não há ninguém que me informa quando o meu filho faz aliança com o filho de Jessé. Não há nenhum de vocês que se preocupa comigo ou que me informa quando meu filho transformou meu servo em alguém que está à minha espreita, neste mesmo dia." [9]Doegue, o edomita, que estava com os servos de Saul, declarou: "Eu vi o filho de Jessé ir a Nobe, a Aimeleque, filho de Aitube. [10][Aimeleque] inquiriu *Yahweh* por ele, e lhe deu provisões, e lhe deu a espada de Golias, o filisteu." [11]Então, o rei mandou convocar Aimeleque, filho de Aitube, o sacerdote, e toda a família de seu pai, os sacerdotes em Nobe. Todos eles foram ao rei. [12]Saul disse: "Ouça, filho de Aitube." Ele disse: "Aqui estou, meu senhor." [13]Saul lhe disse: "Por que você e o filho de Jessé conspiraram contra mim, ao lhe dar comida e uma espada, e inquirir Deus por ele, para que ele possa se levantar e ficar à espreita por mim, neste mesmo dia?" [14]Aimeleque respondeu ao rei: "Mas quem dentre todos os teus servos é tão confiável quanto Davi, o genro do rei, comandante de teus guarda-costas, e honrado em tua casa?" [...] [17]Mas o rei disse aos corredores que estavam com ele: "Virem-se e matem os sacerdotes de *Yahweh*, porque a mão deles também está com Davi. Eles sabiam que ele estava fugindo e não me informaram." Mas os servos do rei não estavam dispostos a levantar as mãos para atingir os sacerdotes de *Yahweh*, [18]de modo que o rei disse a Doegue: "Vire-se você e atinja os sacerdotes." Doegue, o edomita, virou-se e foi o único que atingiu os sacerdotes e os matou naquele dia, oitenta e cinco homens que vestiam o éfode de

linho. [19]Ele atingiu Nobe, os sacerdotes da cidade, ao fio da espada — homens e mulheres, crianças e bebês, bois, jumentos e ovelhas, ao fio da espada.

[Os textos de 22:20—23:29 relatam como Abiatar, o filho de Aimeleque, escapa e vai a Davi, que entende que o massacre aconteceu por sua causa. Davi ataca os filisteus que estão invadindo a cidade judaíta de Queila e escapa de uma tentativa de Saul de capturá-lo ali, bem como escapa de tentativas subsequentes, no deserto de Zife.]

Num dia desses, um estudante estava discutindo os seus planos futuros comigo. Ele acreditava que Deus estava lhe dizendo para permanecer no seminário por mais um ano e fazer cursos adicionais a fim de melhorar as suas chances de conseguir um programa de doutorado. Ainda, que ele deveria se candidatar ao nosso estudo para doutorado, abandonar o seu emprego atual e conseguir outro de meio período para poder focar mais o seu estudo. Balancei a cabeça positivamente, mas por dentro eu revirei os olhos. O que dá às pessoas a impressão de que Deus as orienta nessas questões? A Bíblia não afirma isso. Se eu lhes fizer essa pergunta, como às vezes faço, elas respondem que, certamente, Deus é um Pai amoroso que está interessado nos detalhes da nossa vida. De minha parte, respondo afirmando que o nosso Pai é, de fato, passionalmente interessado nos detalhes de nossa vida, como eu mesmo sou passionalmente interessado nos detalhes da vida de meus filhos. Mas o meu interesse não significa que quero dar aos meus filhos a última palavra nas decisões deles. Eu desejo que eles vivam como adultos, com as consequências de suas decisões; eles é que precisam tomar decisões. Justamente por Deus ser um pai amoroso, ele deseja que vivamos como adultos e, geralmente, nos permite tomar as nossas próprias decisões. Há exceções: ocasionalmente, acreditei que Deus estava me dando orientações desse tipo, e por tudo o que eu conheço, aquele estudante está certo em pensar que Deus estava lhe dando uma orientação sobre os detalhes da sua vida (que é outro motivo para eu revirar os olhos em minha cabeça).

A história sobre a fuga de Davi, que resumi ao fim da tradução da Escritura acima, mostra como pode haver exceções a essa regra. Davi ouve que os irritantes **filisteus** estão invadindo Queila e pilhando a sua colheita. Queila ficava na região fronteiriça, entre o território israelita e o filisteu, nos limites entre as montanhas e a planície que se estende na direção do interior, desde o Mediterrâneo; hoje em dia, Queila está, portanto, situada na fronteira da Cisjordânia com Israel. Assim, a cidade **judaíta** está numa posição vulnerável. Agora, o único sacerdote que escapou do massacre em Nobe tinha levado o **éfode** com ele. Aimeleque e Abiatar eram descendentes de Eli, o sacerdote em Siló (veja caps. 1–4); se eles estavam baseados em Nobe (não distante de Siló) e o éfode estava lá, evidentemente Nobe havia substituído Siló como o santuário principal da região. Outras passagens do Antigo Testamento referem-se à destruição do santuário em Siló, de modo que isso pode ter ocorrido durante o conflito entre israelitas e filisteus, embora 1Samuel não nos diga como isso aconteceu.

O fato de Abiatar levar o éfode com ele significa que Davi pode consultar Deus sobre se deve atacar os filisteus que estão saqueando Queila, e a resposta divina é positiva. Os seus homens ponderam que essa é uma proposta perigosa, e Davi consulta Deus novamente. Deus confirma que tudo irá bem. Eles vencem; presumivelmente, o povo de Queila está grato, e, assim, Davi e seus homens permanecem ali por um tempo, satisfeitos por estarem num ambiente amigável no qual podem desfrutar de comida e banho. Saul é informado sobre isso e comenta: "Deus o entregou nas minhas mãos", porque uma cidade com portões e outros tipos de trancas é fácil de sitiar, mas seus pronunciamentos sobre o que Deus pretende fazer surgem simplesmente de seus próprios cálculos. Davi ouve que Saul planeja ir até lá e, uma vez mais, consulta Deus sobre se Saul irá de fato ("sim") e se isso levará pânico ao povo de Queila a ponto de eles o entregarem ("sim"), de modo que ele foge dali.

Desse modo, algumas vezes, Deus guia as pessoas quanto aos detalhes do que elas devem fazer. Como Deus decide quando agir assim? A história sugere duas reflexões. Uma é que há algo especial em relação a Davi. Ele é um homem segundo o coração de Deus — isto é, o homem escolhido por Deus. Ele possui um lugar distinto no propósito divino como a pessoa que Deus intenciona usar como rei, o que é deveras importante para você e para mim, pois o que Deus está fazendo em Israel está vinculado ao cumprimento do plano de Deus para você e para mim. É nessa conexão que Deus lida com Davi de maneiras que podem não ser aplicáveis a mim ou a você. Podemos ser tentados ao ciúme ou ao ressentimento; por que Deus não me usa e, assim, se relaciona comigo como se relacionava com Davi? Pode ser um ato de sabedoria nos contentarmos com as coisas do jeito que elas são, porque (a exemplo de Saul) ter um lugar no propósito de Deus é uma bênção mista. Davi não é um homem feliz e se tornará ainda mais infeliz. Estou contente por não ser Davi. O encorajamento nessa história é que, se Deus precisar mesmo guiá-lo(a) para assegurar que você cumpra o seu papel no propósito divino, ele o fará.

A outra reflexão é que mesmo Davi não questionava Deus sobre o que fazer a cada cinco minutos. Usualmente, ele toma as próprias decisões, admite a responsabilidade por seu próprio destino (e o destino de seus homens). Após escapar de Queila, ele corre para as colinas, uma vez mais sem a garantia de banhos ou comida ou segurança. Davi está sob a proteção de Deus, mas não há qualquer referência a uma orientação sobrenatural nesse trecho da narrativa. Davi apenas utiliza o seu discernimento humano. No entanto, isso acarreta outros problemas, como o massacre em Nobe comprova. Davi sabe que essa tragédia ocorreu em consequência de sua ação. Tomamos as decisões, mas, às vezes, não conseguimos enxergar as consequências.

Dois outros fatos ocorrem em favor de Davi. Um deles é a visita de Jônatas, que foi uma atitude arriscada por parte de alguém cujo pai tentou acertá-lo com uma lança por tomar o partido de Davi. Jônatas "fortalece a sua mão por *Yahweh*", reafirmando que tudo correrá bem para Davi, que Deus irá protegê-lo e que ele acabará no trono. O outro é que, quando Saul continuou procurando Davi, "Deus não entregou Davi em suas mãos" — ao contrário do que o rei imaginou. A certa altura, Davi e seus homens seguem ao longo de um lado da montanha, enquanto Saul e seus homens seguem no lado oposto, na iminência de fechar o cerco sobre Davi, mas mensageiros chegam a Saul para informar-lhe sobre outro ataque dos filisteus, e ele é obrigado a suspender a busca. Davi pode não ter manipulado a amizade e a lealdade de Jônatas ou uma invasão dos filisteus no momento certo, mas esses eventos "fortuitos" nos quais Deus não estava diretamente envolvido operam em favor de Davi, e podemos imaginar que Deus está feliz por eles.

1SAMUEL **24:1—25:44**

TOLO POR NOME E POR NATUREZA

[1Samuel 24:1—25:1 descreve como Davi recusa uma oportunidade de matar Saul e, então, anuncia a morte de Samuel.]

[2]Havia um homem em Maom cujo negócio ficava em Carmelo. O homem era muito abastado; ele tinha rebanhos de três mil ovelhas e de mil cabras. Ele estava tosquiando os seus rebanhos em Carmelo. [3]O nome do homem era Nabal; o nome de sua esposa era Abigail. A mulher era inteligente e bonita. O homem era duro e um malfeitor. Ele era um calebita.

[Nos versículos 4-9, Davi envia alguns de seus homens a Nabal, presumindo que ele poderia oferecer algum dinheiro em troca de proteção.]

[10]Mas Nabal respondeu aos servos de Davi: "Quem é Davi, quem é esse filho de Jessé? Hoje, há muitos servos fugindo de seus senhores. [11]Devo pegar o meu pão, a minha água e a carne que eu abati para os meus tosquiadores e dá-los a homens que não sei de onde são?"

[Nos versículos 12-17, em resposta a Nabal, Davi reúne um pelotão, e alguém conta a Abigail o que está acontecendo.]

[18]Abigail apressou-se a pegar duzentos pães, dois odres de vinho, cinco ovelhas preparadas, cinco medidas de grãos torrados, cem bolos de uvas-passas e duzentos bolos de figos prensados, colocou-os sobre jumentos [19]e disse aos seus rapazes: "Vão à minha frente. Eu irei atrás de vocês." Ela não contou a Nabal, o seu marido [...] [23]Quando Abigail viu Davi, ela apressou-se em descer do jumento e prostrou-se com o rosto em terra diante de Davi, curvando-se ao chão. [24]Quando ela caiu aos seus pés, ela disse: "A transgressão é toda minha, meu senhor. Que a tua serva lhe possa falar. Ouça as palavras de tua serva. [25]Meu senhor, por favor, não deves dar atenção a esse homem inútil, a Nabal, porque ele é o mesmo que o seu nome. 'Estúpido' é seu nome, e a estupidez o segue

[...] [28]Tolere a presunção de tua serva, porque definitivamente *Yahweh* fará para o meu senhor uma casa duradoura, pois o meu senhor está lutando as batalhas de *Yahweh*, e o erro não será encontrado em ti, enquanto viveres. [29]Quando alguém se levantar para te persegui-lo e tirar a tua vida, a vida de meu senhor estará atada ao feixe dos vivos com *Yahweh*, o teu Deus, mas a vida dos teus inimigos ele irá arremessar [como se estivesse] no meio do buraco de uma funda [...]" [32]Davi disse a Abigail: "*Yahweh*, o Deus de Israel, seja louvado, que a enviou neste dia para me encontrar. [33]Bendito seja o seu bom julgamento e bendita seja você, que me impediu neste dia de derramar sangue e de alcançar libertação para mim mesmo por minhas próprias mãos [...]" [36]Quando Abigail foi a Nabal, ele estava dando um banquete em sua casa, um banquete como aquele de um rei. Assim, Nabal estava de bom humor e muito embriagado, e ela não lhe disse nada pequeno ou grande até o amanhecer. [37]De manhã, quando o [efeito do] vinho tinha deixado Nabal, sua esposa lhe contou essas coisas, e seu coração desfaleceu dentro dele. Ele se tornou como uma pedra. [38]Cerca de dez dias mais tarde, *Yahweh* feriu Nabal, e ele morreu.

[Os versículos 39-44 relatam como Davi se casa com Abigail; ele também havia desposado Ainoã, mas Saul havia entregue Mical a outro homem.]

Creio que, algumas vezes, você já se perguntou por que determinada mulher acabou se casando com certo homem, mas, no fim das contas, chegou à conclusão de que o casal formava um bom par. Meu escritório situa-se entre o de um colega e o de uma colega casados entre si. Costumo brincar que a minha função é mantê-los separados durante o expediente. Eles se conheceram quando ainda estudantes do seminário, saíram juntos para fazer pós-graduação em outro lugar e, então, retornaram ao seminário para lecionar. Eles são pessoas incríveis, individualmente e como casal. No entanto, não sei o que os pais deles pensaram sobre o seu casamento. Quando os pais de minha esposa descobriram quem eu era, eles não pensaram que formávamos um par perfeito; ela iria se formar em medicina, e eu seria um mero pastor. Quando meus pais descobriram com quem a minha irmã desejava se casar, eles também não viram neles um casal de futuro. Depois de dois ou três anos de casamento, o meu cunhado abandonou a minha irmã (grávida).

Parece que Nabal era um bom partido em termos financeiros, mas isso era tudo. Seu nome já diz tudo. *Nabal* é uma das palavras hebraicas com o significado de *tolo*. Quando o Antigo Testamento fala sobre tolos e tolice, ele não se refere meramente a baixo aproveitamento em testes de aptidão escolar. A tolice reside em se recusar a viver no mundo real, falhar em enxergar a realidade, realidade essa que inclui Deus e as expectativas divinas sobre a humanidade. Nabal era um tolo no nome e um tolo por natureza. Reconhecidamente, existem inúmeras palavras hebraicas que poderiam estar por trás do nome Nabal: uma delas é o termo para um instrumento de cordas. Imagino que não era Nabal = tolo o que seus pais tinham em mente quando deram um nome ao filho; talvez o seu pai fosse um bom musicista, e o casal esperasse que ele também fosse. Todavia, o nome provou ser curiosamente adequado, por causa desse seu outro significado. Em certo sentido, Nabal devia ser um homem sagaz, caso contrário ele não teria logrado tanto êxito como criador de ovelhas, mas talvez também fosse inescrupuloso. A vida israelita não era designada a funcionar de modo que algumas pessoas se tornassem grandes latifundiários ou grandes fazendeiros e controlassem o destino de famílias mais simples, mas, de um jeito ou de outro, Nabal tinha logrado romper as restrições da **Torá**. Talvez esse fato esteja conectado com o comentário sobre ele ser um calebita. Calebe é um herói no contexto da história do Antigo Testamento, mas ele não era um israelita de nascença. Desse modo, não é adequado presumir que ele seguia a Torá. Considerando a descrição de Nabal como duro, malfeitor e moralmente estúpido, pode haver alguma outra implicação na sua descrição como um calebita, porque o nome Calebe é também similar a um termo hebraico para um cão.

Abigail tinha outro tipo de inteligência. Ela sabia lidar com um fora da lei como Davi e compreendia que não se deve criar confusão com alguém como Davi, que está preparado para adotar medidas desesperadas e cruéis a fim de que ele e a sua gangue possam sobreviver à margem da lei. Além disso, ela possui o discernimento religioso que falta ao seu marido. Se eles pertencem às margens de Israel, então ela se une a pessoas como Raabe e Calebe, que não eram israelitas, mas que reconheceram à ação de *Yahweh* e se submeteram a ele mais claramente que alguns israelitas passíveis de menção (como Saul).

Assim, Davi e Abigail formam um par maravilhoso, para não dizer potencialmente inflamado, pois ambos são bonitos, perspicazes, atentos ao que Deus está fazendo e capacitados a ver o que é do interesse deles e ir atrás disso. Não há qualquer sugestão de uma união de amor; Davi jamais disse amar uma mulher, e o capítulo é encerrado com a menção a outros casamentos de Davi. Para ele, não havia ligação entre amor e casamento, e, muito menos, há qualquer sugestão de que Abigail acreditasse nisso. Embora sejamos informados de que Mical era apaixonada por Davi (mas, então, ela o perdeu), não há nenhuma informação de que Abigail amou Davi mais do que amava Nabal (mas, então, ela conseguiu agarrá-lo ou, pelo menos, parte dele). Ela pode ver agora como os eventos em Israel estão se desenvolvendo; pode ver que Deus está envolvido e, assim, mantém o olhar naquilo que é de seu interesse.

Ao longo de toda essa narrativa sobre a perspicácia, a análise e a estupidez humana, Deus está, novamente, em ação, operando para cumprir a intenção de manter Davi em segurança, a fim de que, no devido tempo, ele suba ao trono. Podemos ver esse processo no que ocorre a Nabal. A história declara que Deus feriu Nabal, levando-o à morte; isso leva à reflexão do motivo pelo qual Deus não fez o mesmo a Saul, o que possibilitaria que a história fosse diretamente ao ponto. No entanto, a história também implica que uma eventual autópsia não revelaria nada estranho em relação à morte de Nabal. Ele trabalhava duro, comia e bebia muito (outra daquelas palavras que o seu nome poderia lembrar refere-se a um odre ou vasilha de couro de vinho, que também aparece no relato). Por fim, ele passou por um grande susto, e todos esses fatores combinados minaram o seu coração. Deus usou aquela sucessão de fatos e eventos tanto quanto usou a astúcia de Abigail. Somando-se a isso, Davi é capaz de indicar com certa insensibilidade que Deus, portanto, se livrou de alguém que o insultou (!), bem como o impediu de sujar as próprias mãos de sangue por um ato de vingança. A Escritura transmite a impressão de que Deus, às vezes, intervém e faz coisas que fariam o legista se questionar quanto ao motivo daquela morte; contudo, uma vez mais, vemos como Deus, igualmente, opera por meio de processos, decisões e oportunidades comuns aos seres humanos.

1SAMUEL **26:1—28:2**
QUEM É CAPAZ DE COLOCAR AS MÃOS NO UNGIDO DE *YAHWEH* E ESCAPAR ILESO?

[A passagem de 1Samuel 26:1-5 relata como os zifeus revelam a Saul o esconderijo de Davi, de modo que Saul prossegue em sua perseguição a Davi.]

[6]Davi falou e disse a Aimeleque, o hitita, e a Abisai, filho de Zeruia, irmão de Joabe: “Quem descerá comigo a Saul, no acampamento?” Abisai disse: “Eu irei com você.” [7]Assim, Davi e Abisai chegaram à companhia de noite. Saul estava dormindo, dentro do acampamento, com sua lança fincada na terra, junto à sua cabeça, e Abner e a companhia deitados ao redor dele. [8]Abisai disse a Davi: “Hoje, Deus entregou o seu inimigo em suas mãos. Agora, deixe-me atingi-lo com a lança, de um só golpe, até o chão. Eu não [precisarei] fazer isso duas vezes.” [9]Davi disse a Abisai: “Não o destrua, porque quem pode estender a mão contra o ungido de *Yahweh* e permanecer inocente?” [10]Davi disse: “Assim como *Yahweh* vive, não, *Yahweh* o atingirá, ou o seu dia chegará e ele morrerá, ou ele descerá à batalha e perecerá. [11]*Yahweh* me proíba de estender a mão contra o ungido de *Yahweh*. Mas, agora, pegue a lança junto à sua cabeça e o jarro de água, e vamos embora daqui.” [12]Assim, Davi apanhou a lança e o jarro de água, que estavam junto à cabeça de Saul, e eles se retiraram, sem que ninguém os visse, soubesse ou despertasse, pois todos eles estavam adormecidos, porque um coma da parte de *Yahweh* tinha caído sobre eles. [13]Davi atravessou para o outro lado e ficou no topo da montanha, a distância; o espaço entre eles era grande. [14]Davi chamou pela companhia e por Abner, filho de Ner: “Você não irá responder, Abner?” Abner respondeu: “Quem é você que está chamando o rei?” [15]Davi disse a Abner: “Você não é um homem? Quem é como você em Israel? Porque você não manteve vigilância

sobre o seu senhor, o rei? Porque um da companhia veio para destruir o seu senhor, o rei. [16]Isso que você fez não é bom. Como *Yahweh* vive, vocês [todos] merecem morrer porque não mantiveram vigilância sobre o seu senhor, o ungido de *Yahweh*. Vejam agora. Onde está a lança do rei e o jarro de água que estavam junto à sua cabeça?" [17]Saul reconheceu a voz de Davi e disse: "Esta é a sua voz, meu filho Davi?" Davi disse: "[É] a minha voz, meu senhor rei." [18][Davi] disse: "Por que o meu senhor está perseguindo o seu servo? [...]" [21]Saul disse: "Eu tenho agido errado. Volte, meu filho Davi, porque eu não lhe farei mal de novo, por conta do fato de que a minha vida foi valiosa aos seus olhos neste dia. Sim, tenho sido estúpido e cometido muitos erros grandes [...]" [25b]Mas Davi continuou o seu caminho, e Saul retornou para casa. [27:1]Davi disse a si mesmo: "Agora, eu serei algum dia varrido pela mão de Saul. Não há nenhum bom [curso] para mim, exceto fazer uma fuga final para a terra dos filisteus."

[O texto de 1Samuel 27:1b–28:2 descreve como Davi leva a sua companhia e as suas esposas para Gate e se torna um vassalo do rei Aquis, reivindicando, então, viver ali em troca de atacar os seus compatriotas israelitas, embora, na realidade, ele atacasse outros povos, como os amalequitas, mas não deixando sobreviventes para não ser denunciado.]

No fim de semana passada, o Congresso dos Estados Unidos aprovou um projeto de lei designado a reformar o sistema de saúde do país. Na época em que você estiver lendo estas linhas, decerto saberá mais sobre como tudo isso transcorreu. Pode ser que você não aprove a decisão do Congresso, mas isso não afetará nenhum aspecto do processo. Tanto democratas quanto republicanos reconheceram que os primeiros estavam arriscando o seu futuro político ao submeterem esse plano ao

Congresso, por causa da enorme resistência da população em todo o país. Ambos os partidos sabem que o eleitorado pode fazer os democratas pagarem um elevado preço nas eleições de meio de mandato, a serem realizadas daqui a alguns meses. O presidente sabe que isso pode lhe custar o segundo mandato. Assim sendo, por que eles assumiram esse risco? Porque estavam convencidos de que esse é o melhor caminho para a nação. Eles colocaram os seus destinos e interesses pessoais, bem como os seus empregos, em segundo plano, atrás da ação correta a realizar.

Aqui, Davi age assim pela segunda vez. O primeiro relato desse tipo apareceu no capítulo 24 e se trata de uma leitura cativante; determinado a capturar Davi, Saul vai ao interior de uma caverna para fazer suas necessidades. Ocorre que essa caverna é a mesma na qual Davi e seus homens estão escondidos. Eles, portanto, têm uma grande oportunidade de matar Saul, mas Davi decide apenas cortar um pedaço do manto de Saul enquanto ele, claro, está ocupado. O que Davi e Saul, então, dizem um ao outro é muito similar ao diálogo entre eles nesse segundo episódio. É tentador inferir que esse seja outro exemplo em 1Samuel que inclui duas versões da mesma história. Seja como for, a inclusão das duas histórias mostra a importância das questões que elas levantam.

Paradoxalmente, apesar da certeza de que Deus abandonou Saul, ele ainda está no trono. Ele ainda é o ungido de Deus e, portanto, ainda é caracterizado como servo de Deus. Ainda persiste um sentido no qual Deus está identificado com ele. O ponto é enfatizado nessa versão da história pela crítica que Davi faz aos homens de Saul que falharam em garantir a proteção ao rei. Ele não os acusou por falharem em verificar a caverna antes de Saul ir ao interior dela (embora os agentes do presidente dos Estados Unidos, certamente, passassem um pente fino nela). Ele os acusa de estarem dormindo quando alguns deles deveriam estar mantendo vigilância sobre o rei. Não importa que eles estejam sob o efeito de um coma, induzido por Deus (é o mesmo termo usado em Gênesis 2, quando Deus faz Adão cair em um sono profundo antes de tirar uma de suas costelas).

A história, portanto, chama a atenção para a ambiguidade em nossa atitude quanto aos governantes que parecem ter perdido a aprovação de Deus e a nossa lealdade. Outros relatos do Antigo Testamento pressupõem que há situações nas quais a rebelião está certa, e Deus comissiona um golpe de Estado. Tais narrativas sublinham quanto um evento desses é horrível. Pode-se inferir outro motivo pelo qual Davi deveria estar contente por ser a história contada duas vezes. Não será de seu interesse encorajar a ideia de que as pessoas são livres para assassinar o rei sempre que se convencerem de que Deus o abandonou. Mais tarde, quando ele está prestes a ascender ao trono, como sucessor de Saul, e também quando ele já é, de fato, rei, haverá apoiadores de Saul obviamente contrários a Davi. Já observamos que esse é um tema subjacente ao relato do **compromisso** mútuo entre Jônatas e Davi e o apoio contínuo de Davi à família de Jônatas (veja 1Samuel 21). Os apoiadores de Saul poderiam facilmente acusar Davi de sempre ter sido desleal a Saul e tramar a sua ascensão ao trono. O fato de Davi poupar a vida de Saul em, pelo menos, duas oportunidades seria outro fundamento sobre o qual Davi e seus apoiadores poderiam confrontar a sugestão de que ele estivesse, de alguma forma, envolvido na morte do primeiro rei.

Isso também chama a atenção para a tensão existente entre a nossa liberdade ou responsabilidade de agir e a nossa liberdade ou responsabilidade de permitir a ação de Deus. Davi sabe que a intenção de Deus é remover Saul, mas ele não conclui que pode ser o meio pelo qual a vontade divina será implementada, mesmo quando Abisai expressa a tentadora sugestão de que Deus entregou Saul nas mãos de Davi (o equivalente ao comentário de Saul de que Deus entregou Davi nas suas mãos). Teria sido tão mais simples para Davi solucionar todos os seus problemas e ainda manter as suas mãos limpas (porque a ação seria de Abisai). Não, exclama Davi, Nabal fornece o exemplo a ser lembrado por nós. Talvez Deus o atinja, ou pode ser que ele morra de causas naturais ou, ainda, Saul pode ser morto em batalha (como, de fato, acontece). Deixemos que a vontade de Deus seja cumprida por meio de uma dessas formas. Esse não é o papel de Davi.

Muito menos o papel de Davi é ser ingênuo. Como Jesus expressará no futuro, ele precisa ser prudente como as serpentes e simples como as pombas. Quando Saul afirma que vê a verdade nas palavras de Davi e fala com remorso sobre a sua perseguição a ele, Davi não se permite enganar, pois já ouviu tudo isso antes. Após esse diálogo, quando Saul retorna à sua casa, Davi não segue com ele, mas adentra ainda mais no território **filisteu** e se torna um vassalo do rei de uma das cidades filisteias. Para Davi e seus homens, isso significa comportar-se cada vez mais como uma gangue de proscritos, jogando um lado contra o outro e não mais se preocupando com a distinção entre verdade e mentira. A narrativa não tece comentários sobre os acertos e erros de tudo isso. O texto não dá nenhuma pista sobre se devemos desaprovar a ação de Davi ou não. Pode ser que simplesmente devamos aceitar que, algumas vezes, isso é compreensível. Ou, talvez, a história presuma que a obrigação quanto à verdade dentro do povo de Deus (mesmo entre os inimigos dentro do povo de Deus) é diferente da obrigação em relação a pessoas cujo objetivo é destruir o povo de Deus.

1SAMUEL 28:3—29:11

O QUE VOCÊ FAZ QUANDO ESTÁ DESESPERADO?

[3]Ora, Samuel tinha morrido, e todo o Israel lamentou por ele e o enterrou em Ramá, a sua cidade; e Saul removera os espíritos e fantasmas do país. [4]Os filisteus se reuniram e foram a Suném e acamparam; Saul reuniu todo o Israel e acampou em Gilboa. [5]Saul viu as forças filisteias e teve medo; seu coração estremeceu violentamente. [6]Saul inquiriu *Yahweh*, mas *Yahweh* não respondeu, seja por sonhos, seja pelo Urim, seja pelos profetas. [7]Então, Saul disse aos seus servos: "Procurem para mim uma mulher que saiba sobre espíritos para que eu possa ir e consultar por meio dela." Os seus servos lhe disseram: "Ora, há uma mulher que sabe sobre espíritos em En-Dor." [8]Assim, Saul disfarçou-se, vestiu roupas diferentes e foi, ele e dois homens com ele, e chegaram à mulher à noite. Ele disse: "Você adivinhará por meio de um espírito para mim e trará para mim aquele que eu lhe falar." [9]A mulher lhe disse: "Ora, você sabe o que Saul fez, que ele cortou espíritos e fantasmas do país. Por que você está colocando uma armadilha para a minha vida, para me matar?" [10]Saul jurou a ela por *Yahweh*: "Tão certo quanto *Yahweh* vive, [a punição pela] transgressão não virá sobre você por causa desse assunto." [11]Então, a mulher disse: "Quem eu devo fazer subir para você?" Ele disse: "Samuel. Traga-o a mim." [12]Quando a mulher viu Samuel, ela gritou em alta voz. A mulher disse a Saul: "Por que me enganaste? Tu és Saul." [13]O rei lhe disse: "Não tenha medo. Mas o que você vê?" A mulher disse a Saul: "É um ser divino que vejo subindo da terra." [14]Ele lhe disse: "Como ele é?" Ela disse: "Um homem velho está subindo. Ele está vestindo um manto." Saul reconheceu que era Samuel. Ele curvou-se com o rosto em terra, prostrando-se. [15]Samuel disse a Saul: "Por que você me perturbou e me trouxe para cima?" Saul disse: "As coisas estão difíceis para mim. Os filisteus estão lutando comigo. Deus se afastou de mim. Ele não me responde mais, seja por meio dos

profetas, seja por sonhos. Eu o chamei para me capacitar a saber o que devo fazer." [16]Samuel disse: "Então, por que você me pergunta quando *Yahweh* se afastou de você e se tornou seu inimigo? [17]*Yahweh* lhe fez o que declarou por mim. *Yahweh* rasgou o reinado de suas mãos e o deu ao seu rapaz, a Davi, [18]quando você não ouviu a voz de *Yahweh* e não executou a sua ira sobre Amaleque. Eis por que *Yahweh* lhe fez isso neste dia. [19]*Yahweh* também dará Israel com você nas mãos dos filisteus. Amanhã você e seus filhos estarão comigo. *Yahweh* também dará as forças israelitas nas mãos dos filisteus."

[A passagem de 1Samuel 28:20—29:11 relata como Saul é tomado pelo medo e como a mulher e os seus servos insistem para ele comer antes de retornar. Nesse meio-tempo, os filisteus insistem que Davi não receba permissão para se unir a eles na batalha contra Israel, pois não confiam em sua lealdade.]

No próximo domingo, completará nove meses desde o falecimento de minha esposa. Penso constantemente nela e sonho com ela, algumas vezes em sua cadeira de rodas, na qual permaneceu por anos, mas, em outras, a vejo plena e apta a viver uma vida normal, como outrora. Eu a retrato agora adormecida numa espécie de cubículo no interior de um dormitório. Suponho que essa imagem venha da promessa de que haverá muitos aposentos para as pessoas na casa do Pai de Jesus (João 14:2). Eu não gostaria de pensar nessas coisas como quartos separados; aprecio mais imaginar anjos caminhando ao redor de um dormitório amplo, com olhos atentos sobre cada um. Eu sei que ela está "com Jesus", cuja presença preenche o dormitório. Seria também bíblico descrevê-la no seio de Abraão, embora esse local estivesse um pouco lotado, para não dizer que seria um pouco bizarro. Eu oro por ela, para que Deus continue mantendo o seu olhar sobre ela, enquanto

Ann aguarda pelo dia da ressurreição. Jamais tive a impressão de que ela tenha aparecido para mim, como afirmam algumas pessoas enlutadas, e não passa pela minha cabeça tentar entrar em contato com ela, o que me torna, como a maioria dos ocidentais, um pouco estranho. As culturas, na maioria, creem ser possível fazer contato com familiares já falecidos, e um dos motivos a incentivar essa prática é a possibilidade de os mortos terem acesso a alguma informação à qual o acesso dos vivos é vedado.

A última suposição encontra-se subjacente a essa narrativa. Os espíritos ou fantasmas aos quais o texto se refere são os espíritos de pessoas já falecidas. Em quase todas as culturas têm existido especialistas em fazer contato com os espíritos. Sem dúvida alguma, alguns deles eram charlatães, mas o Antigo Testamento não afirma que fazer contato dessa maneira seja impossível; simplesmente diz que essa prática é proibida aos israelitas, porque eles possuem outros meios de descobrir a vontade e os planos de Deus, mas os instintos comuns do povo de Deus, usualmente, triunfam sobre o que a Bíblia diz. As **efígies** que Mical, a filha de Saul e esposa de Davi, possuía (veja 1Samuel 19) seriam usadas para fazer contato com familiares mortos. A declaração mais marcante na presente história é que Saul baniu todos os espíritos e fantasmas — isto é, baniu os espíritas e médiuns considerados capazes de fazer contato com eles. Trata-se de uma expressão notável de compromisso com *Yahweh*, embora, obviamente, não suficiente para compensar as demais falhas em cumprir exatamente o que *Yahweh* diz. A **Torá**, de fato, declara que os espíritas e médiuns devem ser mortos, e a mulher teme que a prática de seu ofício possa custar a sua vida, em que pese haver na Torá muitas ofensas a serem punidas com a morte que, na prática, parecem não significar isso literalmente.

É a véspera do último grande confronto entre Saul e os **filisteus**, e o rei precisa da orientação divina, mas ele não a consegue por meio de sonhos, pelo **Urim e Tumim** ou pelos profetas, que são os meios que Israel deve usar no lugar dos fantasmas e dos espíritos. Por conseguinte, Saul é forçado a buscar orientação pelos meios que ele mesmo havia proibido. Ele promete que, se alguém deve ser punido por quebrar o édito do rei (!), se "a transgressão vier" sobre alguém, a punição não virá sobre ela, por ser a pessoa que fez o contato, mas sobre ele, que a persuadiu a fazê-lo. Quando Samuel aparece, algo faz a médium perceber quem Saul realmente é. Ela chama Samuel de "um ser divino"; essa é a mesma palavra, normalmente traduzida por *Deus*, *deus* ou *deuses*, mas pode tratar-se de uma referência a qualquer ser não terreno. Essa ambiguidade, em geral, não é complexa, já que, com base no contexto, é fácil ver a que tipo de ser o texto se refere. Talvez o uso dessa palavra sugira que a aparência de Samuel fosse mais impressionante do que a de um espírito comum. Pode ser que haja algo sobre a sua aparência que o caracterize como um profeta. Ainda, é possível que a mulher não imaginasse que alguém tão importante quanto Samuel pudesse aparecer a uma pessoa tão insignificante como ela; isso lhe permitiu compreender quem Saul era. A principal função de um profeta era guiar o rei. Se Samuel estava preparado para ter o seu sono interrompido, isso sugeria que o visitante era alguém importante, embora Samuel tenha evidenciado o seu desagrado pela interrupção de seu sono. Ele também é tão duro morto quanto o era em vida, especialmente com Saul.

Toda vez que um profeta revela ao povo que um destino terrível os aguarda, eles têm uma oportunidade de voltar atrás, e, quando eles assim agem, a ira de Deus é abrandada (Jeremias 18 constitui a grande expressão desse princípio, e

Jonas 3 é a grande ilustração), mas, na maioria dos casos, eles já foram longe demais, e a palavra profética apenas antecipa o que realmente irá acontecer. Saul foi muito longe e ali permaneceu por um longo tempo. Enquanto lemos a sua história, frequentemente sentimos vontade de gritar: "Não faça isso"; "Volte"; "Deixe Davi ficar com esse trono estúpido". Mas ele não consegue ouvir; nós não o alcançamos; Deus não o alcança. Não sei se devo dizer, de modo mais trágico, que Deus não queria alcançá-lo. Certamente, Deus o queria fora do caminho. Além disso, os filisteus estão prestes a tirá-lo do caminho e (ironicamente) abrir o caminho para outro líder que os derrotará.

Saul desaba aterrorizado. Ele não se alimentou durante todo o dia e toda a noite, e, numa comovente cena de encerramento da história, a mulher e os seus servos o convencem a permitir que ela lhe prepare a derradeira refeição de sua vida, após a qual ele retorna com suas tropas ao encontro de seu destino.

Saul tinha ido ver a mulher quando os dois exércitos estavam reunidos na grande planície central de Israel. Essa é outra daquelas áreas fronteiriças entre as regiões sob o controle dos israelitas e dos filisteus. Uma vez mais, Israel controla a região montanhosa, o que, no caso, é a parte norte da moderna Cisjordânia; os filisteus controlam a própria planície, com suas grandes cidades. No capítulo 29, a narrativa remonta ao momento no qual os filisteus tinham reunido as suas forças antes de marcharem rumo à planície central. Os filisteus se reuniram em Afeque, a sudoeste, em outro ponto fronteiriço entre a Cisjordânia e a planície, não muito distante do local no qual filisteus e israelitas já tinham lutado antes. Davi conseguiu ludibriar Aquis, rei de uma das cidades filisteias, fazendo-o acreditar que ele tinha passado para o lado filisteu, mas os reis de outras cidades filisteias não eram tão crédulos assim. Como qualquer outro agente duplo competente, Davi mantém uma face ousada e olha Aquis nos olhos, protestando sua lealdade, embora talvez Aquis não seja perspicaz o suficiente para perceber a ambiguidade em seu protesto. Davi diz: "Quero ir e lutar contra os inimigos de meu senhor e rei." A sua intenção é convencer Aquis de que ele está falando dele. Mas será que Davi, na verdade, não estava falando de Saul? A sua intenção é mudar de lado no meio da batalha? Na verdade, essa questão nem será levantada.

1SAMUEL **30:1—31:13**

ÚLTIMO ATO DE LEALDADE A SAUL

[O capítulo 30 relata como Davi, após ser dispensado pelos filisteus, descobre que os amalequitas tinham atacado a sua base, em Ziclague, e capturado as mulheres e as crianças. Então, ele sai para resgatá-los.]

CAPÍTULO 31

[1]Quando os filisteus lutaram com Israel, os israelitas fugiram dos filisteus e caíram mortos no monte Gilboa, [2]e os filisteus alcançaram Saul e seus filhos. Os filisteus atingiram os filhos de Saul, Jônatas, Abinadabe e Malquisua. [3]A batalha foi dura contra Saul, e os arqueiros o localizaram. Ele foi gravemente ferido pelos arqueiros. [4]Saul disse ao seu escudeiro: "Desembainhe sua espada e me atravesse com ela, para que esses homens incircuncisos não venham, me atravessem e me atormentem." Mas o seu escudeiro não estava disposto por estar com muito medo, de maneira que Saul tomou a sua espada e caiu sobre ela. [5]Quando o escudeiro viu que Saul estava morto, ele também caiu sobre a sua espada e morreu com ele. [6]Assim, Saul morreu, e seus três filhos, e seu escudeiro, bem como todos os seus homens, todos eles naquele dia. [7]Quando os israelitas do outro lado da planície e do outro lado do Jordão viram

que os israelitas tinham fugido e que Saul e seus três filhos estavam mortos, eles abandonaram as suas cidades e fugiram, e os filisteus vieram e se assentaram nelas. [8]No dia seguinte, os filisteus foram para saquear os mortos e encontraram Saul e seus três filhos caídos no monte Gilboa. [9]Eles cortaram a sua cabeça e despojaram as suas armas, enviando-as por toda a terra dos filisteus para levar as novas à casa de seus ídolos e ao povo. [10]Eles colocaram as suas armas na casa das Astarotes. Eles amarraram o seu corpo no muro de Bete-Seã, [11]mas, quando os habitantes de Jabes-Gileade ouviram sobre isso (o que os filisteus tinham feito a Saul), [12]partiram, todo homem apto, viajaram durante toda a noite e tiraram o corpo de Saul e os corpos de seus filhos dos muros de Bete-Seã. Eles chegaram a Jabes-Gileade e os queimaram ali, [13]pegaram os seus ossos e os enterraram debaixo da tamargueira em Jabes, e jejuaram sete dias.

Na primeira vez que fui à Califórnia, ocasionalmente os estudantes me questionavam sobre quanto tempo iria ficar lá, imaginando que fosse apenas um período sabático. A princípio, eu respondia: “Quero morrer aqui”, querendo apenas expressar “Estou aqui de modo permanente”, mas essa resposta os chocava, fazendo-os até mesmo dar um passo para trás. Eu tinha mencionado a morte. Não se conversa sobre a morte na Califórnia, onde as pessoas gostam de pensar que seja algo voluntário. Ao contrário, a Bíblia gosta de abordar esse tema. Os derradeiros momentos de Jacó, José, Moisés, Josué, Eli ou Davi (sem nos esquecermos de Jesus ou Estêvão) são importantes para qualquer um. Eles podem ser relevantes ocasiões de ensino para toda a comunidade.

Antes de abordar a morte de Saul, a narrativa nos conta o que Davi estava fazendo quando foi impedido de participar da batalha entre os israelitas e os **filisteus**. Ziclague situava-se no Neguebe, na região de Berseba e de Gate, outra área fronteiriça entre os territórios controlados por filisteus e israelitas. Ela ficava distante o suficiente de Gate para Davi fugir de lá e executar ataques sobre povos como os amalequitas, sem que seu chefe, Aquis, o rei da cidade de Gate, lograsse descobrir o que realmente ocorria quando Davi dizia que estava atacando cidades israelitas vizinhas. Infelizmente, a cidade ficava muito próxima dos amalequitas, permitindo que eles retribuíssem o ataque. Quando retorna de sua entrevista de emprego com Aquis, Davi descobre que os amalequitas tinham incendiado a cidade de Ziclague, embora não tivessem matado todos os seus habitantes, como Davi certamente teria feito, mas os capturou. Os homens de Davi não ficaram satisfeitos com ele por permitir que isso ocorresse. Davi ainda conta com o apoio de Abiatar e, portanto, pede que o sacerdote lhe traga o **éfode** para consultar Deus sobre se ele deve perseguir os amalequitas com a certeza do êxito. É difícil imaginá-lo não tentando o resgate, mas, de qualquer modo, Deus dá o sinal verde. Essa é outra demonstração de que Deus está com ele, não com Saul. No trajeto, eles encontram um escravo doente a quem os amalequitas abandonaram, mas que é capaz de conduzi-los na direção certa. Assim, uma vez mais, as circunstâncias operam por meio de combinação de comprometimento, "sorte" e orientação divina. Alguns homens de Davi, aparentemente, estão desgastados demais para prosseguir, mas, mesmo assim, Davi insiste em compartilhar os despojos com eles, após ganharem a batalha. Uma vez mais, isso mostra que Davi é um homem que procura fazer a coisa certa. Igualmente, ele distribui o saque entre outras cidades judaítas, o que, de novo, mostra a sua perspicácia, porque essa atitude renderá dividendos quando o dia da eleição chegar.

Não estou bem certo de que a morte de Saul é um desses momentos de ensino, como alguns outros, exceto quando considerada num sentido mais amplo. É o último ato de uma tragédia. A história não lida com a questão sobre se o suicídio de Saul, em si, constitui um pecado. A Bíblia não lida com esse tema em nenhum dos suicídios que relata. O seu foco permanece no caminho que levou a trágica história de Saul a um epílogo igualmente trágico. Isso não significa que o suicídio seja correto, mas nos aponta uma direção diferente de reflexão.

Agora, usamos a palavra "tragédia", num sentido bem mais amplo, como referência a qualquer evento terrível que cause grande perda ou sofrimento, porém tecnicamente a palavra se refere à história de alguém importante, que vai do prestígio e das conquistas para a perda de tudo, em geral como resultado de uma falha de caráter. Há, portanto, certa lógica ou inevitabilidade acerca de uma tragédia, mas pode existir também uma percepção de que a pessoa é vítima de considerações ou fatores externos a ele ou ela. Desse modo, as tragédias são narrativas assustadoras. Elas nos lembram de maneiras pelas quais podemos ser nossos piores inimigos e de outras por meio das quais somos responsáveis por nosso destino, embora não tenhamos pleno controle sobre ele.

A história de Saul é desse tipo. Ele foi escolhido para realizar um trabalho que, na realidade, Deus não queria. Saul sabia que não possuía as competências necessárias e nem mesmo queria aquele trabalho, mas ele não conseguiu fugir dele. Deus lhe mostrou que podia capacitá-lo, mas Saul não retribuiu a Deus com o nível de obediência que Deus buscava, e Deus não abriu exceções para ele nesse sentido. Saul não era um homem segundo o coração de Deus, a exemplo do que Davi seria — não no sentido de que Davi é notadamente mais santo do que Saul, mas no sentido de que Davi é o homem no lugar certo e na hora certa, ao passo que Saul não é esse homem. Deus precisava enfatizar um ponto por meio de Saul; ao fazer isso, Deus fará concessões a Davi jamais permitidas ao primeiro rei. Todavia, Saul não tem do que reclamar; as suas falhas de caráter foram claras o suficiente e, assim, a sua tragédia decorre delas.

Pode-se imaginar que tudo isso significa que Deus não é justo, e essa é uma conclusão razoável a ser extraída desse relato. Deus não está muito preocupado com justiça. Muito mais tarde, haverá outro Saul [Saulo] a quem Deus aparece, miraculosamente, para abalar a sua oposição a Jesus e transformá-lo num de seus mais poderosos pregadores. Isso não foi justo. Saulo não merecia isso. Houve outros opositores de Jesus que não tiveram esse encontro milagroso que Saulo teve para convertê-los. Nas histórias sobre Saul e Saulo, Deus está trabalhando num quadro muito maior e ambos são tratados da forma que foram por causa desse grande quadro. Isso nada tem a ver com a salvação eterna deles: a probabilidade de você encontrar Saul no dia da ressurreição é a mesma de encontrar Davi ali. Isso está conectado ao papel que eles desempenham no propósito de Deus e nada tem a ver com a felicidade pessoal ou o senso de realização deles. Quando chegamos ao fim da história de Davi, não iremos concluir exatamente: "Davi foi muito afortunado por viver a vida que viveu." A vida dele também terminará em confusão. A resposta mais apropriada de nossa parte é a gratidão pelo fato de escaparmos, quase todos nós, de ser lançados a papéis importantes no grande quadro de Deus.

Todavia, outra forma apropriada de resposta é uma forma estranha de gratidão. Em nossa vida, é provável que experimentemos as nossas próprias injustiças. O fato de Ann, a minha esposa, viver com esclerose múltipla por 43 anos e passar os últimos doze anos de sua vida presa a uma cadeira de rodas não resultou de uma falha de caráter, e isso não foi justo para ela; e também não foi divertido para mim. Todavia, Deus teceu essa experiência naquele grande quadro divino ao dar a Ann um ministério junto a outras pessoas que só foi possível por causa de sua enfermidade. Usualmente, não conseguimos enxergar o que faz as coisas acontecerem em nossa vida, da mesma forma que podemos ver na vida de Saul. Podemos saber que Deus é capaz de tecê-las em seu grande quadro.

Apreciamos quando os filmes a que assistimos terminam com, pelo menos, uma tênue nota de esperança em vez de uma persistente desolação, e é isso o que a história de Saul, tanto quanto a de Sansão, fazem. No cume da enorme colina em Bete-Seã, na qual sucessivas cidades foram construídas umas sobre as outras, muito tempo atrás, havia uma velha árvore nua e retorcida. Eu costumava imaginá-la como a árvore na qual o corpo de Saul foi pendurado. Ali, o seu corpo inerte acabaria como alimento para os abutres e como algo que traria impureza sobre a terra, de acordo com a **Torá**. Contudo, os homens de Jabes-Gileade não deixaram isso acontecer. Portanto, ao fim da história de Saul, eles nos lembram de seu momento mais sublime, a narrativa presente no capítulo 11, ressaltando quanto muitos israelitas amavam e apreciavam Saul. O ato de queimar os corpos de Saul e de seus três filhos significa que os filisteus não poderiam mais vir e abusar deles novamente. Num estranho sentido, Saul e seus filhos estão livres para descansar sob uma tamargueira. Há somente três tamargueiras na Bíblia; aquela plantada por Abraão em Berseba (Gênesis 21); aquela sob a qual o próprio Saul se assenta, em Gibeá (1Samuel 22); e, por fim, a tamargueira debaixo da qual ele é sepultado. Todas são árvores frondosas com lindas flores.

2SAMUEL

2SAMUEL 1:1—2:31
COMO OS PODEROSOS CAEM

[1]Após a morte de Saul, e quando Davi tinha voltado de derrotar os amalequitas e permanecido em Ziclague por dois dias, [2]no terceiro dia um homem veio do acampamento de Saul. Suas roupas estavam rasgadas, e havia terra sobre a sua cabeça. Quando ele veio a Davi, caiu ao chão e curvou-se. [3]Davi lhe disse: "De onde você estava vindo?" Ele lhe disse: "Eu escapei do acampamento israelita." Davi lhe disse: "O que aconteceu? Vamos, me conte."

[Nos versículos 4-16, o homem descreve o que aconteceu, mas diz que ele matou Saul a pedido do rei e entrega a Davi a coroa e a braçadeira de Saul. Davi ordena que ele seja morto por ferir o ungido de Yahweh.*]*

[17]Davi cantou esta elegia sobre Saul e Jônatas, seu filho,
[18]e disse que os judaítas deveriam ser ensinados:

"O Arco" (escrito no Livro de Jasar)

[19]A gazela, Israel, está morta em suas alturas.
Como caíram os guerreiros; [20]não conte isso em Gate,
Não anuncie as novidades nas ruas de Ascalom,
Para que as filhas dos filisteus não comemorem,
Para que as filhas dos incircuncisos não exultem.

[21]Montes de Gilboa, que não haja orvalho,
Nem chuva sobre vocês, nem campos de ofertas,
Porque ali o escudo dos guerreiros foi manchado,
O escudo de Saul, não mais esfregado com óleo.

[22]Do sangue dos mortos, da gordura dos guerreiros,
O arco de Jônatas não recuou,
A espada de Saul não retornou vazia.

[23]Saul e Jônatas, amados e aprazíveis,
Em sua vida e em sua morte eles não foram separados.

Eles eram mais ágeis do que águias, mais fortes do que leões.

[24]Filhas de Israel, pranteiem por Saul,
Que as vestia de escarlate e adornos,
Que colocou ornamentos de ouro em suas vestes.

[25]Como caíram os guerreiros no meio da batalha –
Jônatas, morto em suas alturas, [26]é difícil para mim por sua causa.

Meu irmão Jônatas, você era muito agradável para mim.
O seu amor era maravilhoso para mim, mais do que o amor de mulheres.

[27]Como caíram os guerreiros e as armas de batalha pereceram!

[O capítulo 2 relata como Davi estabeleceu residência em Hebrom e ali foi ungido como rei pelos judaítas. Ele agradece aos homens de Jabes-Gileade por sepultarem Saul. Abner, comandante do exército de Saul, levou Is-Bosete, filho de Saul, para ser coroado como rei sobre Efraim. Durante um confronto entre as forças de Abner e as forças de Davi, Abner mata Asael, um dos principais homens de Davi.]

Anteontem foi o Dia da Educação e da Participação, nos Estados Unidos, um dia estabelecido em honra ao rabino Menachem Mendel Schneerson, falecido em 1994. Durante a sua vida, alguns de seus seguidores acreditavam que ele era o messias, crença que alguns ainda sustentam após a sua morte. Neste ano, como nos anteriores, no dia em que seu nome é celebrado, um anúncio estampado em um jornal conclama as pessoas a aceitarem a sua realeza como messias. Isso inclui a explicação de que "um rei judeu não pode autodeclarar-se rei; ele pode apenas se tornar rei mediante a aceitação do povo". Seria essa aceitação que levaria à sua ressurreição e retorno como messias. Na mídia social, alguém comentou: "Reis judeus não precisam do apoio do povo para serem declarados reis: basta um pouco de azeite, um riacho e um profeta."

A história de Davi, como um todo, oferece algum suporte a ambas as compreensões de como alguém se torna rei de Israel. Ela envolve tanto a unção de Deus quanto a aceitação do povo. Muito tempo antes, Deus já havia enviado Samuel para ungir Davi como aquele que devia substituir Saul no trono. Na prática, todavia, Davi torna-se rei na vida de Israel somente quando o povo o aceita. Isso se revelará um processo humano e político confuso, conflituoso e gradual. Politicamente, a posição de Davi sobrepõe-se à de um líder oposicionista que busca derrubar o governo vigente. Segundo a perspectiva governamental e, agora, dos apoiadores de Saul, Davi é um terrorista. Por sua base ser em **Judá**, de onde ele vem, é para lá que ele vai a fim de obter a sua primeira unção humana. Trata-se de um movimento astuto, humanamente falando, mas pelo qual Davi também consultou Deus. Ele não se apressou em mostrar a sua mão ou o seu rosto na região de domínio de Saul, mais ao norte, e a narrativa do capítulo 2 quanto ao embate entre as forças leais a Saul e as forças leais a Davi demonstra a sabedoria em sua cautela.

Um tema subjacente à parte final de 1Samuel é o respeito e a lealdade de Davi pelo rei. Ele submeteu-se a Saul de todas as maneiras, exceto em relação ao seu assassinato. Davi cometeu atos que podiam ser enquadrados como terrorismo, mas ele jamais os cometeu contra o seu próprio povo. Nesse quesito, a história retrata Davi como o "mocinho", embora possamos apenas adivinhar a quem ela busca convencer. Pode ser aos apoiadores de Saul quando a sucessão ainda é uma questão aberta, ou após ela ser formalmente definida. Pode ser a descontentes tardios, propensos a assassinar Davi ou mesmo um rei posterior, a quem Davi é apresentado como um exemplo.

Esse tema prossegue no início de 2Samuel. A repetição da narrativa sobre a morte de Saul reflete a maneira pela qual 1Samuel segue em 2Samuel. Como frequentemente ocorre de Gênesis a Reis, é como se o primeiro livro representasse a temporada inicial de uma série de TV, com a segunda temporada sendo retomada a partir do segundo livro, porém com uma mudança de foco. A história da morte de Saul, ao fim de 1Samuel, encerra o relato sobre o reinado de Saul. Todavia, esse mesmo relato da morte de Saul, em 2Samuel, abre a narrativa sobre o reinado de Davi. Ainda, essa sequência é feita de modo que mantenha o retrato de Davi como o "mocinho" da história.

A sua abertura contém mais do que uma ironia. Enquanto Saul estava sendo derrotado pelos **filisteus**, após falhar em obter orientação da parte de Deus, exceto pelo uso de meios não ortodoxos que em nada o beneficiaram, Davi, com a orientação de Deus, estava derrotando os amalequitas. Então, ocorre de o mensageiro que traz as novidades a Davi ser — um amalequita! Esse fato provoca algumas questões. Considerando a hostilidade de Deus em relação a Amaleque, como Saul veio a ter amalequitas em seu exército? Ainda, dado que o próprio Saul aniquilou os amalequitas (veja 1Samuel 15), como há amalequitas em seu exército e como restaram amalequitas suficientes para capturar Ziclague (1Samuel 30)? Trata-se de outra indicação de que não devemos ser excessivamente literais na compreensão das afirmações do Antigo Testamento sobre a destruição dos povos. A história em 2Samuel 1 oferece uma informação que pode, parcialmente, responder a algumas dessas questões, porque o mensageiro amalequita explica a Davi que ele é filho de um residente estrangeiro. Ora, ele já mentira a Davi sobre ter matado Saul na suposição de que Davi ficaria contente ao ouvir esse relato e, portanto, quem sabe dizer se ele também não estaria mentindo sobre a sua posição. Mas, não obstante, a mentira é deveras interessante. Ela pressupõe que a política imigratória de Israel era a de portas abertas. Qualquer um podia se unir a Israel, mesmo um amalequita. Tudo o que ele precisa fazer é se tornar um "verdadeiro" israelita, isto é, ele deve viver pela **Torá**. Ainda (como Davi assume), ele deve honrar o rei e, com sua falsa confissão, o amalequita provou ter falhado nisso.

Sua história relata como Davi veio a possuir a coroa e a braçadeira de Saul, algo que os simpatizantes de Saul poderiam achar suspeito, A integridade da relação de Davi com Saul e Jônatas, o filho a quem Saul tinha designado como seu sucessor, encontra uma mostra adicional no cântico de lamento de Davi por eles. A gazela, em sua agilidade, velocidade e graça, representa Saul ou Jônatas, ou mesmo ambos. O termo hebraico para *gazela* é o mesmo para significar beleza, graciosidade ou honra, de modo que os israelitas poderiam compreender de qualquer forma, mas eles apreciavam usar imagens de animais para retratar pessoas; eis o motivo de o poema, mais adiante, citar a águia e o leão. No passado, Saul e Jônatas haviam sido guerreiros eficientes, mas, agora, a morte deles é sumarizada no retrato do escudo de Saul manchado de sangue em vez de polido e pronto para o uso. A elegia incita o lamento da própria natureza. Davi reconhece que o compromisso de Jônatas com ele envolvia uma questão de vida e de morte.

2SAMUEL **3:1—4:12**
A LUTA PELO PODER

[1]A guerra entre a casa de Saul e a casa de Davi prolongou-se por muito tempo, mas Davi estava ficando cada vez mais forte, e a casa de Saul, cada vez mais fraca. [2]Filhos nasceram

a Davi em Hebrom. Seu primogênito foi Amnom, de Ainoã, a jezreelita. [3]Seu segundo filho foi Quileabe, de Abigail, a esposa de Nabal, o carmelita. O terceiro foi Absalão, o filho de Maaca, filha de Talmai, rei de Gesur. [4]O quarto foi Adonias, o filho de Hagite. O quinto foi Sefatias, o filho de Abital. [5]O sexto foi Itreão, de Eglá, esposa de Davi. Estes nasceram a Davi em Hebrom.

[6]À medida que a guerra continuava entre a casa de Davi e a casa de Saul, Abner estava ganhando força na casa de Saul. [7]Saul tinha uma esposa secundária cujo nome era Rispa, filha de Aiá. [Is-Bosete] disse a Abner: "Por que você dormiu com a esposa de meu pai?" [8]Abner ficou muito irritado com as palavras de Is-Bosete [...] [12]Então, Abner enviou ajudantes a Davi em seu próprio nome, dizendo: "A quem a terra pertencerá?" [e] dizendo: "Você deveria selar a sua aliança comigo. Assim, a minha mão estará contigo para tornar todo o Israel para ti." [13][Davi] disse: "Bom. Eu mesmo selarei uma aliança com você. Apenas lhe peço uma coisa. Você não verá o meu rosto, a menos que traga de antemão a Mical, filha de Saul, quando vier ver o meu rosto." [14]E Davi enviou ajudantes a Is-Bosete, filho de Saul, dizendo: "Dê-me Mical, a minha esposa, a quem eu desposei por cem prepúcios de filisteus." [15]Assim, Is-Bosete mandou e a tomou de seu marido, Paltiel, filho de Laís. [16]O seu marido foi com ela, chorando enquanto a seguia até Baurim, mas Abner lhe disse: "Vá, volte", e ele voltou [...]

[23b]Eles disseram a Joabe: "Abner, filho de Ner, veio ao rei, e ele o mandou embora; ele foi em paz". [24]Joabe foi ao rei e disse: "O que fizeste? Ora, Abner veio a ti. Por que o mandaste embora? Ele foi imediatamente. [25]Conheces Abner, filho de Ner, que ele veio para enganar-te, e que ele está vindo e indo e sabe tudo o que estás fazendo." [26]Joabe saiu de estar com Davi e enviou ajudantes atrás de Abner, e eles o trouxeram de volta, desde a cisterna de Sirá. Davi não sabia. [27]Quando Abner voltou a Hebrom, Joabe o chamou à parte, dentro do

portão, para falar com ele em particular, mas ali o esfaqueou no estômago. Ele morreu pelo sangue do irmão [de Joabe].

[Os demais versículos dos capítulos 3 e 4 relatam como Davi repreendeu Joabe e fez que Abner fosse lamentado e enterrado. Dois dos comandantes do exército de Saul, então, matam Is-Bosete e levam a sua cabeça até Davi; Davi ordena que eles sejam também mortos e enterra a cabeça de Is-Bosete na sepultura de Abner.]

Um de meus colegas mantém um grupo de estudo bíblico em sua residência para homens que ele conheceu por meio de uma organização que busca fornecer acomodação a pessoas desabrigadas em nossa cidade; tipicamente, são indivíduos com passagens pela prisão e/ou que lutam contra o alcoolismo ou outros vícios. A adesão ao estudo bíblico cresce com a divulgação boca a boca. Os homens estavam lendo o evangelho de João e, por algum motivo, começaram a ler 2Samuel. Então, alguns se interessaram quando leram as histórias sobre a gangue de Abner lutando contra a gangue de Joabe, bem como com Joabe matando Abner por este ter matado Asael, o irmão de Joabe. Enquanto liam essas histórias, os seus olhos expressavam espanto. Se Deus poderia estar envolvido com a espécie de pessoas retratadas em 2Samuel, talvez ele pudesse se envolver com esses homens também, que agiram de modo comparável aos israelitas.

As narrativas são, de fato, de tirar o fôlego e mostram como a política funciona. Na semana passada mesmo, a Grã-Bretanha expulsou um diplomata israelense por seu país utilizar passaportes britânicos falsos em conjunto com o assassinato de um líder palestino; é mera coincidência que essa notícia envolva o moderno Estado de Israel e as manchetes da próxima semana possam envolver alguma ação por parte da Grã-Bretanha, Palestina ou dos Estados Unidos. Ambos, o Antigo e Novo Testamento, retratam, de modo consistente, Deus operando por meio de atos políticos imorais. Eles não implicam que Deus está envolvido em cada assassinato ou ato de traição, bem como não nos fornecem nenhuma base para identificar, em cada circunstância, se Deus está envolvido nos bastidores do ato, embora, às vezes, uma palavra profética ou de reflexão, após o evento, possa sugerir uma resposta. Eis o que ocorre nessa passagem da Bíblia. Era da vontade de Deus que Davi ascendesse ao trono? Deus concebeu alguma forma limpa para que isso ocorresse? Não, Deus não concebeu.

Como, em geral, acontece, há aqui dois conjuntos de convicções sobre como abordar uma questão política e, portanto, dois lados envolvidos em um conflito de ordem política. Decerto, ambos os lados acreditam estar certos e podem estar focados apenas em perseguir os seus próprios interesses. Igualmente, os dois lados estão preparados para lançar mão de meios violentos a fim de alcançar o que acreditam ser o correto a fazer ou para perseguir os seus interesses pessoais. Abner colocou o filho de Saul no trono de **Efraim** e quer que ele também seja o rei de **Judá**, mas suspeita-se que ele pretenda colocar um rei marionete, de modo que se manipulem os fios. A narrativa nos revela que Is-Bosete tinha medo de Abner. (Primeiro Crônicas 8 e 9 apresentam o nome de Is-Bosete como Esbaal, que será a versão "genuína". Esse nome significa algo como "O Mestre está lá" ou "O Mestre dá". Pelo fato de *baal* ser um termo hebraico comum com o significado de "mestre", poderia ser o caso de *baal* ser uma palavra referente a ***Yahweh*** como "o Mestre", à semelhança de "o Senhor". Todavia, convencionou-se usar o termo *baal* somente em referência ao deus a quem os **cananeus** chamavam de "o Mestre". Com o estabelecimento dessa convenção, o nome Esbaal poderia parecer escandaloso: um rei israelita com um nome supostamente em homenagem a um deus cananeu. Desse modo, o nome foi alterado para Is-Bosete, que significa "homem de vergonha".)

Os indivíduos podem pagar com a própria vida pela violência na qual eles mesmos se envolvem. Eles, igualmente, podem sofrer por isso de outras maneiras. O capítulo 2 relata como Joabe, que, na realidade, tinha uma posição equivalente à de Abner, em Judá, testemunhou Abner matando Asael, o seu irmãozinho, por este supor que poderia capturar Abner. As mulheres na história também sofrem. Talvez Abner e Rispa, a **esposa secundária** de Saul, se amassem, contudo o mais provável é que fosse uma relação apenas sexual, desprovida de amor, imposta a uma mulher por alguém com poder. Com certa plausibilidade, Is-Bosete, provavelmente, presume que o sexo com uma das esposas do rei anterior tem o objetivo de afirmar que, de fato, há sentido na percepção de que Abner está tomando o lugar de Saul. O que Rispa pensa de tudo isso não é do interesse de nenhum dos lados. A reação de Is-Bosete, aparentemente, força Abner em outra direção. Ele pode ser uma pessoa obstinada quanto aos seus próprios interesses. Nós, claro, sabemos no que esse conflito resultará; sabemos que Davi vencerá, mas, quando se está no meio do embate, não há como saber. Uma pessoa calculista e sagaz como Abner não iria apoiar o filho de Saul, a não ser que tivesse motivos para estimar que as chances de vencer eram boas. Todavia, o capítulo 3 começa observando que no duradouro conflito sobre quem será o próximo rei de Israel os apoiadores de Davi é que estão vencendo. Abner sabe para qual lado o vento está soprando e, assim, ele muda de partido. A princípio, parece uma boa ideia, mas ela o leva a perder a vida, ainda que tenha feito todo o possível para evitar matar o irmão de Joabe ("Pare de me perseguir! Não quero matá-lo [...]").

Mical segue em sua vida de joguete político, passando de um homem ao outro. Sua irmã esteve prestes a se casar com Davi, mas, então, Saul mudou de ideia. Mical havia se apaixonado por Davi e parecia ter vencido a disputa com a irmã, mas isso ocorreu apenas porque Saul, seu pai, pensou que aquela seria uma boa oportunidade de obter a morte de Davi. Quando esse plano falhou, seu pai, uma vez mais, rompeu o acordo e a entregou como esposa a Paltiel. É provável que isso tenha ocorrido porque o casamento com Davi, tecnicamente, ainda não havia sido oficializado. Ela era apenas uma "prometida", um compromisso um pouco mais sério que o noivado no Ocidente, mas um passo antes de um casamento real (sua posição era similar à de Maria, quando ela engravidou e José pensou em divorciar-se dela para protegê-la, não apenas romper o compromisso). Agora, Mical deve voltar para Davi: sabemos o que Paltiel sentiu, mas não sabemos nada sobre o sentimento de Mical.

Como Abner, Is-Bosete também pode ver para que lado o vento está soprando e, assim, coopera com a demanda de Davi por Mical. Abner, como todo bom negociador político, não está apenas mudando de lado pessoalmente; ele sabe que pode prometer a Davi o apoio da liderança em Benjamim que atualmente apoia Is-Bosete. O problema é que ser um negociante político tem as suas desvantagens; Joabe pode, de modo plausível, alegar que Abner não é merecedor de confiança e, assim, fundamentar a realização de seu desejo pessoal de matá-lo como reparação pela morte de Asael, seu irmão. Por seu turno, Is-Bosete sabe que, se perder, a sua vida estará em grande perigo, mas a demonstração de não desejar ficar no caminho de Davi não é suficiente para evitar a sua morte.

Como nos capítulos anteriores, essas histórias são contadas para manter a imagem de Davi como o "mocinho". As mortes de pessoas como Abner e Is-Bosete são extremamente convenientes a Davi, mas ele pode alegar não ter nenhum envolvimento naquelas mortes e de ainda ter honrado as vítimas e/ou de ter trazido justiça aos seus assassinos. Ele é o homem segundo o coração de Deus, o homem divinamente escolhido. Deus faz as coisas cooperarem para o bem de Davi por meio dos atos equivocados das pessoas que o rodeiam.

2SAMUEL **5:1–25**
COMO SEGUIR AS SUAS BOAS IDEIAS, MAS NÃO SE LEVAR MUITO A SÉRIO

[1]Todos os clãs de Israel foram a Davi, em Hebrom, e disseram: "Aqui estamos nós; somos a sua carne e o seu sangue. [2]Antes de agora, quando Saul era rei sobre nós, eras tu aquele quem liderava Israel para fora e trazia Israel para dentro. *Yahweh* te disse: 'Você é aquele que pastoreará o meu povo, Israel. Você é aquele que governará sobre Israel.'" [3]Então, todos os anciãos de Israel foram ao rei, em Hebrom, e o rei Davi selou uma aliança com eles em Hebrom, diante de *Yahweh*, e eles ungiram Davi como rei sobre Israel. [4]Davi tinha trinta anos quando se tornou rei; ele reinou como rei por quarenta anos: [5]em Hebrom, ele reinou como rei sobre Judá por sete anos e seis meses, e, em Jerusalém, ele reinou como rei por trinta e três anos sobre todo o Israel e Judá. [6]O rei e seus homens foram a Jerusalém contra os jebuseus, que estavam vivendo na região. Davi foi informado: "Você não entrará aqui. Na verdade, os cegos e os inválidos poderiam repeli-lo, dizendo [a si mesmos]: 'Davi não irá entrar aqui.'" [7]Mas Davi capturou a fortaleza de Sião; é a cidade de Davi. [8]Davi disse naquele dia: "Qualquer um que atacar os jebuseus alcançará o canal [...]." [10]Davi continuou ficando mais poderoso; *Yahweh*, Deus dos

Exércitos, estava com ele. [11]Hirão, o rei de Tiro, enviou ajudantes a Davi com madeira de cedro, carpinteiros e pedreiros. Eles construíram uma casa para Davi. [12]Davi reconheceu que *Yahweh* o tinha estabelecido como rei sobre Israel e que ele tinha exaltado o seu reinado para o bem de seu povo, Israel. [13]Davi tomou mais esposas secundárias e esposas de Jerusalém após ele vir de Hebrom, e mais filhos e filhas nasceram a ele.

[Os versículos 14-21 listam os nomes dos filhos de Davi e, então, descrevem uma vitória sobre os filisteus.]

[22]Os filisteus, no entanto, subiram novamente e se espalharam no vale de Refaim. [23]Davi inquiriu *Yahweh*, mas ele disse: "Você não deve subir; dê a volta por trás deles e vá até eles em frente das árvores de baca. [24]Quando você ouvir o som de marcha nas copas das árvores de baca, então aja, porque *Yahweh* terá saído adiante de você para atacar as forças filisteias." [25]Davi fez como *Yahweh* ordenou e derrotou os filisteus desde Geba até quando você chega a Gezer.

Estou chegando ao fim de meu quadragésimo ano como professor. No domingo à noite, um dia antes de um novo trimestre começar, uma amiga me fez uma pergunta que, sem ser a sua intenção, me afetou. Após ter tido tantos "reinícios" de trimestre, ela me perguntou se eu tenho maneiras particulares de orar ou coisas pelas quais espero ao me encontrar com um novo grupo de alunos. Isso me afetou porque eu ainda não havia orado sobre o assunto e não possuía nenhuma expectativa especial da parte de Deus. Mas senti-me muito pior quando, num sábado à noite, outro amigo me perguntou sobre o sermão que iria pregar no dia seguinte, e fui obrigado a confessar que ainda não sabia sobre o que pregar. Todavia, tudo ocorreu bem no sermão (pelo menos, uma ou duas pessoas expressaram apreciação); e a aula foi bem melhor, em minha avaliação, do que as aulas do trimestre anterior (que tinha sido o pano de fundo da pergunta feita). Tudo isso não prova coisa alguma; talvez Deus estivesse falando por meio do sermão e operando nas aulas pelo bem do seminário e dos alunos, enquanto revirava os olhos para a minha irresponsabilidade. Ou pode ser que tudo corra bem para mim porque, em geral, consigo fazer as coisas com rapidez (como estou fazendo agora, ao escrever esta série do Antigo Testamento para todos e, assim, deixo essa decisão para você) ou por deixar tudo para o último minuto e confiar na minha personalidade para me safar do sufoco.

Davi operava das duas maneiras, às vezes buscando a Deus e, em outras ocasiões, fazendo o que lhe parecia uma boa ideia e sendo grato, posteriormente, pelo envolvimento de Deus. Ele chegou ao trono sem tentar; os seus rivais e adversários caíram à beira do caminho. Agora, uma vez mais, a unção humana complementa a unção divina. Davi já era rei sobre **Judá** por sete anos, desde a morte de Saul, sendo Is-Bosete rei sobre os clãs do norte, "Israel" (i.e., **Efraim**). Então, ele também é ungido rei sobre aqueles clãs do norte. O curso dos eventos aponta para a fragilidade da unidade entre os clãs e prenuncia o caminho que eles trilharão em relação a dois reinos, após Salomão.

O estabelecimento de Jerusalém como a capital da nação unificada tem relação com essa fragilidade. Como ocorre no caso de Davi tornar-se rei, é difícil imaginarmos uma situação na qual Jerusalém não seja a capital. Na época, a ideia de Jerusalém ser a capital da nação era tão revolucionária quanto a ideia de Canberra ser a capital da Austrália como um compromisso entre Sydney e Melbourne. Mais tarde, Jerusalém será descrita como a cidade escolhida por Deus, mas aqui ela ainda é apenas a cidade que Davi escolheu. Talvez Davi tenha buscado a orientação divina para essa decisão, mas a narrativa não transmite essa impressão. Algumas vezes, Deus toma a iniciativa quanto a uma escolha e a ação humana vem a seguir, em concordância com a decisão divina, como aconteceu com a ascensão de Davi ao trono; em outras, um ser humano toma a iniciativa da escolha e Deus a acompanha. (Claro que, às vezes, os seres humanos resistem à escolha de Deus, como inicialmente ocorreu com os clãs do norte em relação a Davi; e, em outras, Deus resiste à escolha humana, conforme ocorreu, a princípio, com o desejo de Davi pela construção de um templo.)

Hebrom é a cidade-chave na região sul do território controlado por Davi, enquanto Gibeá constitui a base de Saul. Jerusalém é apenas uma obscura vila jebusita entre esses dois locais, logo após a cadeia de montanhas, mas isso significa que ela está em território neutro. Além disso, o fato de os jebuseus ainda controlarem a região reflete a realidade de que ela também está numa localização de boa defesa, ao fim de sua pequena colina, com encostas íngremes em três direções, tornando a sua captura uma tarefa árdua. Esse é, de certo modo, o ponto quanto ao comentário sobre os cegos e inválidos. Não é preciso nem de guerreiros habilidosos para defender a cidade.

A ideia de Davi sobre o canal era a chave para provar que os jebuseus estavam errados. A construção de uma cidade envolve um dilema. A localização desejável é no topo de uma colina, a fim de tornar a sua defesa mais fácil; mas não há suprimento de água no topo de uma colina. Portanto, os jebuseus tinham que confiar no suprimento de água em algum ponto na parte inferior da colina, a fonte de Giom, cuja água flui para o posterior "tanque de Siloé". Então, os jebuseus precisam descobrir uma forma de proteger esse suprimento de água quando a cidade estiver sob ataque. Havia uma teoria romântica sobre os homens de Davi escalando um poço que levava a água da fonte para a cidade e, assim, surpreendendo os confiantes jebuseus. Todavia, o comentário de Davi significa que seus homens assumiram o controle da própria área da fonte, cortando o suprimento de água e esperando pela rendição forçada da cidade.

Desse modo, a cidade dos jebuseus se tornou "a cidade de Davi" (em relação a Judá e Efraim, ela permanece neutra; como Washington, ela não pertence a nenhum dos clãs ou estados). Tudo isso ocorre porque ***Yahweh*** (Deus) **dos Exércitos** estava com Davi, mas também porque o rei era um político sagaz, assim como um guerreiro hábil. Não obstante, a forma em que os eventos acontecem permite a Davi reconhecer que Deus estava por trás dos eventos. Ele poderia vangloriar-se pelo grande homem que era, poderia passar a acreditar em sua própria publicidade ou crer no que as pessoas diziam sobre ele ("Saul derrubou os seus milhares; Davi, seus dez milhares"). Eis o que ocorre a líderes bem-sucedidos. Mas a história nos revela que ele é exceção. Davi viu que Deus o havia exaltado para o bem de Israel. A expressão "líderes servos" não é especialmente bíblica (a Bíblia é mais propensa a ver líderes como servos de Deus do que servos de seus povos). Todavia, ao mesmo tempo, a ideia é bíblica. O que importa é o povo, não o líder. O líder importa apenas pelo bem do povo.

Em conflito com essa percepção de Davi está a sua predileção por acumular esposas e filhos. Em sociedades tradicionais, essas são marcas de um líder, de modo que Davi está se comportando como tal. A narrativa não faz nenhum comentário abertamente crítico, mas os eventos se desenrolarão de maneira que sugiram que a atitude de Davi com relação às mulheres e filhos é a causa de sua derrocada.

A ação de Davi, ao seguir a sua própria iniciativa em relação a Jerusalém e ao casamento, contrasta com suas atitudes na guerra, eventos nos quais ele é mais inclinado a consultar Deus. Isso é irônico porque a ideia de Deus estar envolvido na guerra é motivo de embaraço às pessoas modernas; talvez se considerássemos a ideia de consultar Deus mais seriamente, as guerras seriam menos frequentes em nossa vida. Os **filisteus** percebem que precisam colocar Davi em seu devido lugar antes que ele se torne poderoso demais e, assim, marcham em direção a Jerusalém e acampam no vale de Refaim, a sudoeste da cidade. Davi não apenas consulta Deus sobre se deve atacar os filisteus; na segunda ocasião, Deus lhe transmite instruções precisas para a batalha. Considerando como o **éfode** funcionava, imagino que Davi tenha feito sugestões e descoberto se Deus respondia sim ou não. Deus também lhe faz promessas. Não sabemos que espécie as árvores de baca eram, mas o farfalhar que Davi ouvirá na copa delas será o som de exércitos celestiais que também estarão envolvidos no conflito. De fato, é *Yahweh*, o Deus dos Exércitos, quem vai com Davi.

2SAMUEL **6:1-23**

PEQUENAS COISAS PODEM TER CONSEQUÊNCIAS TERRÍVEIS E PRENUNCIAR A TRAGÉDIA

[1]Davi reuniu, novamente, todos os soldados de elite em Israel, trinta mil deles. [2]Davi partiu e foi, ele e toda a companhia com ele, a Mestres de Judá para trazer de lá o baú de Deus, sobre o qual o nome é proclamado (o nome de *Yahweh* dos Exércitos Que Está Assentado [Entronizado] sobre os Querubins). [3]Eles colocaram o baú sobre uma carroça nova e o carregaram da casa de Abinadabe, na colina, com Uzá e Aiô, os filhos de Abinadabe, guiando a carroça nova. [4]Eles a transportaram da casa de Abinadabe, na colina, com o baú de Deus e Aiô indo à

frente do baú, [5]e Davi e toda a casa de Israel celebrando diante de *Yahweh* com toda a madeira de cipreste [instrumentos], guitarras, banjos, tamborins, chocalhos e címbalos. [6]Quando eles chegaram à eira de Nacom, Uzá esticou a mão para o baú e o segurou porque os bois o tinham deixado deslizar. [7]A ira de *Yahweh* se acendeu contra Uzá, e Deus o atingiu ali por causa de seu grave erro. Ele morreu ali, ao lado do baú de Deus. [8]Davi se inflamou porque *Yahweh* tinha irrompido contra Uzá (aquele lugar é chamado de "Destruição de Uzá" até este dia), [9]mas Davi teve medo de *Yahweh* naquele dia e disse: "Como pode o baú de *Yahweh* vir a mim?" [10]Davi não estava disposto a direcionar o baú de *Yahweh* para ele, na cidade de Davi. Então, Davi o desviou para a casa de Obede-Edom, o geteu.

[11]O baú de *Yahweh* permaneceu na casa de Obede-Edom, o geteu, por três meses, e *Yahweh* abençoou Obede-Edom e toda a sua casa. [12]O rei Davi foi informado: "*Yahweh* tem abençoado a casa de Obede-Edom e tudo o que pertence a ele por causa do baú de Deus." Então, Davi foi e trouxe o baú de Deus da casa de Obede-Edom para a Casa de Davi com festividades. [13]Quando as pessoas que carregavam o baú de *Yahweh* davam seis passos, ele sacrificava um touro e um bezerro cevado. [14]Davi ficou dançando diante de *Yahweh* com todas as suas forças, e Davi estava vestido com um éfode de linho [15]enquanto ele e toda a casa de Israel levavam o baú de *Yahweh* com um grito e um sopro no chifre, [16]mas, quando o baú de *Yahweh* chegou à Cidade de Davi, Mical, a filha de Saul, estava olhando pela janela. Quando viu o rei Davi pulando e dançando diante de *Yahweh*, o desprezou por dentro. [...] [21]Davi disse a Mical: "Foi diante de *Yahweh*, que me escolheu, em vez de seu pai e toda a sua casa, para me apontar governante sobre o povo de *Yahweh*, sobre Israel. Eu celebrarei diante de *Yahweh* [22]e menosprezarei a mim mesmo ainda mais que isso e serei humilde aos meus próprios olhos, mas, com as servas das quais você falou, com elas eu encontrarei honra." [23]A Mical, filha de Saul, nenhum filho nasceu até o dia de sua morte.

Escrevo estas palavras durante a Semana Santa. Em meu grupo de estudo bíblico, nesta semana, alguém estava expressando o seu desconforto pela maneira com que falamos sobre Deus enviar o seu Filho para ser crucificado. Deus é alguma espécie de masoquista? A pessoa em questão é capelão hospitalar e, com frequência, expressa a sua agonia pelas experiências sombrias que afligem as pessoas a quem ele ministra, bem como as suas famílias. Por que Deus não impede que tais circunstâncias aconteçam? Por que Deus ainda concorre para que elas aconteçam, como no caso de Jesus? No estudo bíblico, sempre voltamos a essa questão. Esse jovem rapaz sabe que uma das coisas que iremos falar, durante esses debates, é que o problema do bem é, certamente, muito maior do que o problema do mal. Enquanto escrevo, vejo os raios de sol brilhando lá fora e ouço minhas músicas favoritas, ao mesmo tempo que luto com palavras hebraicas obscuras (de fato, alimento paixões estranhas) e aguardo com expectativa a chegada, mais tarde, de meu filho, minha nora e meus netos, que estão vindo para ficar comigo. Todavia, também sinto alguma tristeza pelo fato de que a minha esposa, falecida nove meses atrás, não estará entre nós para celebrar a Páscoa conosco. Por que deveria haver tantas coisas boas na vida e, ao mesmo tempo, tantas coisas más? Quem há de responder?

De modos diversos, Davi e Obede-Edom são os recipientes da bênção de Deus, e Uzá e Mical têm a sua vida tirada ou prejudicada. No entanto, nenhum deles merece isso mais do que a maioria das outras pessoas. Davi é o escolhido de Deus, ele mesmo indica, mas Davi não é uma pessoa tão santa assim (na verdade, talvez enfatizar ser o escolhido de Deus, por si só, seja um sinal da ausência de santidade). A realidade de sua humanidade se expressa com grande clareza nessa história. Os capítulos 4 e 5 de 1Samuel relatam como o **baú da aliança** permaneceu, por um tempo, em Quiriate-Jearim, no caminho entre o território **filisteu** e o coração de Israel, nas montanhas. "Mestres de **Judá**" é, aparentemente, outro termo para o mesmo lugar, embora seja uma designação mais preocupante, considerando a conotação da palavra Mestre, isto é, *baal* (veja o comentário em 3:1—4:12), o que pode explicar o motivo de o nome ter sido mudado. Em contraste, a narrativa enfatiza que "o nome" está vinculado ao baú da aliança; o nome é ***Yahweh* dos Exércitos** Que Está Assentado [Entronizado] sobre os **Querubins**. O relato não revela porque Davi decidiu levar o baú da aliança para Jerusalém, mas parece coerente imaginar que seus motivos eram mesclados. Ele, de fato, está honrando *Yahweh*, mas, ao mesmo tempo, também está fazendo um movimento político sagaz, isto é, uma forma de elevar a condição de Jerusalém perante o olhar do povo de Israel como um todo, além de encorajar os israelitas ao comprometimento com aquela cidade como o centro religioso e político da nação. Ao chegarem à cidade, Davi distribui alimento para todos, o que, decerto, não causou nenhum dano ao entusiasmo deles pelo evento. Não obstante, a celebração e a festividade com as quais Davi, pessoalmente, lidera todo o povo expressam um sincero compromisso de sua parte com *Yahweh*. Quando o acidente ocorre, Deus se ira, e Davi também, mas este, igualmente, demonstra temor. Deus é uma pessoa real, com emoções reais, assim como Davi, e eles expressam uma gama sobreposta de emoções. Quando a jornada do baú chega ao fim, a oferta de sacrifício tanto pode ser uma expressão de agradecimento quanto de súplica.

Obede-Edom simplesmente está no lugar certo e na hora certa para ser o recipiente da bênção divina. Reconheço que, a princípio, aquele não parecia ser o lugar certo na hora certa. Depois da calamidade ocorrida a Uzá, Obede-Edom parece ser suficientemente azarado para morar do outro lado da rua e ter sua casa requisitada pelo rei. Creio que seu coração desfaleceu, mas ele não pôde recusar, dizendo: "Obrigado, mas dispenso a honra!" Ainda mais por ser um geteu, um homem de Gate e, portanto, um filisteu, pelo amor de Deus! Seja qual for o motivo que o levou a morar em Quiriate-Jearim, ele sabe que pode perder o seu visto de residência. Assim, não há alternativa, exceto dizer: "Sim, Sua Majestade", com um sentimento de mau presságio; e, então, ele acaba sendo abençoado (a sua esposa, aparentemente estéril, engravida, as suas colheitas abundam...).

Por outro lado, o desafortunado Uzá comete um erro plenamente compreensível, com a melhor das intenções, e perde a sua vida por isso. A história lembra a Israel, uma vez mais, que é preciso ter cuidado na relação com o baú da aliança. Decerto, Israel conclui que Uzá deveria pensar melhor antes de agarrar o baú, mas talvez ninguém o tenha instruído a ter esse cuidado, ou, ainda, ele agiu de modo instintivo, na intenção de evitar a desonra do baú, não de o tratar com irreverência. Então, ao fim do relato, vemos Mical, que tem sido um joguete político entre seu pai e seus dois maridos e que, agora, foi separada daquele que se importava com ela para estar ao lado de alguém que não conhece o significado de amor. Ela deixa que os seus sentimentos por Davi extravasem e colhe o que planta. Então, o narrador nos conta que ela não teve filhos. Ele não liga diretamente os pontinhos, mas isso sugere a angústia que caracterizou a sua vida.

Logo será a Sexta-feira da Paixão. Para um britânico como eu, é estranho que os norte-americanos passem semanas assegurando a si mesmos que Cristo ressuscitou. Pergunto-me se evitamos os pensamentos sobre a experiência de abandono, aflição, injustiça e execução de Jesus porque não queremos pensar em realidades que cruzam a experiência humana. Isso é sábio? A Bíblia é resoluta quanto à necessidade de enfrentá-las.

2SAMUEL 7:1–29
UMA CASA E UMA FAMÍLIA

[1]Quando o rei tinha se estabelecido em sua casa, após *Yahweh* lhe ter dado descanso de todos os seus inimigos ao redor, [2]o rei disse ao profeta Natã: "Considere isto: eu estou morando em uma casa de cedro, mas o baú de Deus está vivendo em uma tenda." [3]Natã disse ao rei: "Vá e faze tudo o que tiveres em mente, porque *Yahweh* está contigo." [4]Mas, naquela noite, uma palavra de *Yahweh* veio a Natã: [5]"Vá e diga ao meu servo Davi: '*Yahweh* disse isto: "Você irá construir uma casa para eu morar nela? [6]Porque não tenho morado em uma casa desde o dia em que eu tirei os israelitas do Egito até este dia. Eu tenho andado em uma tenda como uma habitação. [7]Em todos os lugares pelos quais passei com os israelitas falei alguma palavra com um dos líderes de clã israelita a quem apontei para pastorear o meu povo, Israel, dizendo: 'Por que não me construiu uma casa de cedro?'?"' [8]Agora, pois, você deve dizer ao meu servo Davi: '*Yahweh* dos Exércitos disse isto: "Eu tirei você do pasto, de seguir o rebanho, para ser governante sobre o meu povo, Israel, [9]e estive com você em todos os lugares que você foi, e eliminei todos os seus inimigos diante de você. Tornarei o seu nome grande, como o nome de grandes homens sobre a terra. [10]Estabelecerei um lugar para o meu povo, Israel, e os plantarei. Eles habitarão lá e não mais tremerão. Povos indignos não os afligirão novamente, como no início, [11]desde o dia em que indiquei líderes sobre meu povo, Israel. Darei a você descanso de todos os seus inimigos. *Yahweh,* aqui, lhe anuncia que fará uma casa para você. [12]Quando os seus dias estiverem completos e você se deitar com os seus ancestrais, eu levantarei a sua descendência depois de você, que sairá de dentro de você, e estabelecerei o reinado dele. [13]Ele construirá

uma casa para o meu nome, e eu estabelecerei o seu trono real em perpetuidade. [14]Eu mesmo serei um pai para ele, e ele será um filho para mim. Quando ele agir errado, eu o disciplinarei por meio do clube dos seres humanos, com o golpe de mãos humanas, [15]mas o meu compromisso não removerei dele como removi de Saul, a quem eu removi antes de você. [16]A sua casa e o seu reinado estarão seguros em perpetuidade diante de você. O seu trono estará seguro em perpetuidade."""

[Os versículos 17-29 registram a resposta de assombro, louvor e súplica de Davi para que tudo ocorra como Deus lhe falou.]

Um de meus colegas gosta de lembrar às pessoas que Jesus jamais falou sobre nós estabelecermos o reino de Deus, ampliá-lo, edificá-lo ou estendê-lo. Nos Evangelhos, as únicas atitudes que devemos tomar em relação ao reino de Deus é aguardar por ele, vê-lo, entrar nele, buscá-lo, recebê-lo, herdá-lo e declarar a sua vinda. Em outras palavras, de modo nenhum temos um relacionamento ativo com ele. Na cultura norte-americana, esse é um ponto impopular a enfatizar, porque as pessoas gostam de sentir que podem fazer a diferença. Elas desejam realizar algo. Gosto de observar os alunos se agitarem em suas cadeiras, descontentes, quando eu repito a perspectiva de meu colega. Não apreciamos o fato de o evangelho ser sobre o que Deus fez por nós, não sobre o que fazemos por Deus. (Sim, eu sei, temos responsabilidades e somos desafiados a servir a Deus, ao mundo, e assim por diante, mas não compreenderemos o nosso papel — e evitaremos desilusões —, a não ser que enxerguemos o ponto sobre o caminho do qual Jesus fala.)

Assim, Davi é o nosso santo padroeiro. Estranhamente (mas, como nós) Davi começou como aquele que Deus simplesmente selecionou. Ele não se tornou o ungido de Deus por algo que havia feito. Na realidade, por um longo tempo, ele mostrou ser bom em não buscar o cumprimento do propósito divino e ficar aguardando Deus fazer as coisas acontecerem. Agora, ele agarra a história pelos chifres. Ele toma a decisão sobre mudar a capital do país e mudar o **baú da aliança** para lá. A seguir, almeja construir uma habitação adequada para ele. Davi sente-se embaraçado pelo fato de viver numa casa adequada, na realidade esplendidamente apropriada, confortavelmente aparelhada com madeira de cedro do Líbano, presenteada pelo rei de Tiro (2Samuel 5:11). O santuário de Deus sempre foi móvel, como a tenda de um beduíno. Na peregrinação rumo à Terra Prometida, a tenda acompanhou o progresso de Israel e tem sido mudada de um lugar para outro desde que Israel chegou em Canaã. Contudo, agora, a tenda pode e, certamente, deve dar lugar a uma habitação adequada, não é mesmo?

"Claro", aquiesce o profeta Natã. Perdão, mas quem é você? Ainda não ouvimos falar sobre você. De onde vem? Natã não é o primeiro profeta a ser mencionado aconselhando Davi; um profeta chamado Gade já fez isso (veja 1Samuel 22:5). Os profetas mais conhecidos, tais como Elias, Isaías e Jeremias, são muito independentes dos reis com os quais eles estão envolvidos, e este é o principal motivo da existência deles. Eles estão ali para resistirem ao rei. Como outras sociedades do Oriente Médio, contudo, Israel também tinha profetas que pertenciam à corte do rei, à disposição para oferecer orientação ao soberano, quando necessário. O problema é que, quando você está na lista de pagamentos, fica difícil morder a mão que o alimenta, especialmente quando ela pode não apenas mordê-lo de volta, mas decretar a sua execução. Então, você é sugado pela instituição. Eis por que é praticamente impossível a um pastor ser também um profeta (meus estudantes me odeiam também por eu falar isso). Os pastores, portanto, precisam cultivar profetas que se posicionarão contra eles, caso necessário, e, da mesma forma, os reis. Acabei de ouvir uma palestra de abertura, apresentada por um de meus colegas, na qual ele comenta a importância de ver as pessoas que discordam de você como uma bênção em vez de um estorvo ou uma ameaça. São essas pessoas que o ajudarão a entender onde você está errando. Assim, veremos que Natã desenvolveu essa capacidade, mas, em sua primeira aparição, ele apenas agiu como alguém que diz amém ao rei. Ele usa o nome de Deus em vão, assegurando a Davi que Deus está com ele, sem antes verificar se é mesmo assim.

Então, naquela noite, Deus vem ter uma conversinha com Natã. Será que Natã teve alguma percepção desagradável de ter sido apressado em sua resposta positiva a Davi? Estaria ele sem sono, revirando-se na cama? "Bem, me perdoe Natã, mas você sabe que essa casa é para minha habitação. Então, você não acha que eu deveria ser consultado sobre isso? Na verdade, eu não ligo muito para casas. Gosto de estar em movimento, como bem sabe." O problema de Deus conosco é que gostamos de limitá-lo, de mantê-lo sob controle. Não queremos Deus à solta, mas é assim que Deus gosta de estar.

Outro problema com Deus é aquele com o qual iniciamos. Davi está ficando muito à vontade na tomada de decisões e ações por Deus. Ele deseja construir uma habitação para Deus; mas Deus se opõe a essa declaração com o anúncio de sua intenção de construir uma casa para Davi. A palavra hebraica para casa, *beth* (como em Bethlehem [Belém] ou Bethel [Betel]), significa tanto uma casa feita de tijolos ou pedra quanto uma casa feita de pessoas, uma família, e Deus usa esse significado duplo em contrapartida ao plano de Davi. Quando Deus restabelece quem detém a soberania nessa relação, ao iniciar a construção de uma casa para Davi no sentido de que seu filho o sucederá no trono, ao contrário do que ocorreu com Saul, então esse filho poderá cumprir o plano de Davi e edificar uma casa a Deus que, na realidade, ele mesmo não deseja.

Desse modo, quando Deus concorda com a edificação de um templo, o significado é similar à concordância divina quanto a Israel ter reis. Deus, na realidade, não deseja isso, mas permitirá que tenhamos o nosso caminho. Em ambos os casos, na verdade, ele vai além de uma concordância relutante. O próprio **compromisso** com a monarquia que Deus estabelece neste capítulo mostra quão longe ele irá conosco em relação a algo que ele mesmo não quer. E isso é positivo, porque o padrão que atravessa 1 e 2Samuel reaparece na igreja. O Novo Testamento não deixa muito espaço para a posição de pastor sênior ou de instalações da igreja (nossos equivalentes ao rei e ao templo), mas a igreja logo os cria e, uma vez mais, Deus dá de ombros e coopera.

"Eu mesmo serei um pai para ele, e ele será um filho para mim." Deus não fala, de modo explícito, em termos de um relacionamento de aliança com Davi e seus sucessores, embora Davi, eventualmente, venha a fazê-lo (veja 2Samuel 23). Em vez disso, Deus discorre em termos de adotar o sucessor de Davi em uma relação de pai para filho. Certa amiga costumava comentar sobre a diferença entre a maternidade e o casamento. Você pode deixar de ser esposa (e ela o fez), mas jamais deixará de ser mãe. Não importa o que meus filhos façam, ela dizia, jamais deixarei de ser a mãe deles. Deus, aqui, contempla a possibilidade de castigar seu filho e lançará mão de uma série de disciplinas sobre Davi e seus sucessores ao longo dos próximos quatrocentos anos. Todavia, quando você adota alguém como seu filho, Deus pressupõe, ele se torna um filho real, como se tivesse sido gerado por você. Você não pode desfiliar um filho da mesma forma que se divorcia de seu cônjuge. Em nossa cultura, há ocasiões nas quais tanto mães de nascimento quanto pais adotivos fazem isso; contudo, Deus nem pode imaginar-se fazendo isso. Foi isso o que manteve a existência de Israel, quando parecia que Deus tinha, de fato, rejeitado os sucessores de Davi, considerando-se que, desde o ano 587 a.C., nenhum rei da linha sucessória de Davi assentou-se no trono de Jerusalém novamente. Isso manteve Israel na expectativa, como também em oração. Algumas vezes, Deus encorajou esse comportamento com a possibilidade de que um rei davídico, de fato, voltasse a reinar um dia (veja Jeremias 23). Em outras, Deus encorajou Israel a se ver como o povo davídico e ver o compromisso de Deus cumprido no relacionamento que todo o povo tinha com Deus (veja Isaías 55). Deus não retrocederá em seu compromisso, exceto para torná-lo em algo melhor.

2SAMUEL **8:1—10:19**

O ÁPICE DA CONQUISTA DE DAVI

[Segundo Samuel 8:1-14a registra as vitórias de Davi sobre os filisteus, os moabitas, os edomitas, os arameus e o rei de Zobá, bem como a dedicação dos despojos de batalha a Deus.]

14b Assim, *Yahweh* livrava Davi aonde quer que ele fosse. **15**Davi reinou como rei sobre todo o Israel e exerceu autoridade de acordo com o que é certo para todo o seu povo [...] **9:1**Davi disse: "Ainda resta alguém da casa de Saul para que eu possa mostrar compromisso com ele pelo bem de Jônatas?" **2**Havia um servo pertencente à casa de Saul, chamado Ziba, e eles o convocaram a Davi [...] **3b**Ziba disse ao rei: "Há ainda um filho de Jônatas; ele é aleijado em ambos os pés." **4**O rei lhe disse: "Onde ele está?" Ziba disse ao rei: "Bem, ele está na casa de Maquir, filho de Amiel, de Lo-Debar". **5**O rei Davi mandou buscá-lo da casa de Maquir, filho de Amiel, em Lo-Debar. [6]Quando Mefibosete, filho de Jônatas, filho de Saul, foi a Davi, ele se prostrou, curvando-se com o rosto em terra. Davi disse: "Mefibosete." Ele disse: "Aqui está o teu servo." [7]Davi lhe disse: "Não tenha medo porque eu, definitivamente, manterei o compromisso com você por causa de seu pai, Jônatas. Devolverei a você toda a terra de Saul, seu avô, e você comerá sempre à minha mesa."

[Os versículos 8-13, relatam como Davi confia a supervisão da terra de Saul a Ziba e sua família, em nome de Mefibosete e sua família. O capítulo 10, então, repete o relato de um conflito entre Israel e os amonitas, para o qual os amonitas também atraíram os arameus. Primeiro Joabe, comandante militar de Davi, e, então, o próprio Davi marcha contra os arameus, e os amonitas recuam.]

Comecei a ler a história social da Grã-Bretanha, desde o fim da guerra de 1939-1945. Ela, portanto, principia-se com a celebração da vitória das forças aliadas sobre a Alemanha nazista, personalizada como o triunfo de Winston Churchill sobre Adolf Hitler (hoje alguém relembrava aquele conflito novamente por causa do jogo entre a Alemanha e a Inglaterra, na Copa do Mundo de futebol da África do Sul). A vitória na guerra sobre a Alemanha nazista foi o auge de Churchill. No entanto, na eleição parlamentar ocorrida logo após a guerra, o povo britânico abandonou Churchill e elegeu Clement Attlee como primeiro-ministro. Pode-se dizer que isso ilustra como o orgulho precede a queda, desde que se diga isso no sentido do Antigo Testamento, onde o orgulho não é uma atitude tão pecaminosa quanto o fato de estar numa posição de majestade e honra. Mesmo se não estiverem pecaminosamente apegados ao seu prestígio e às suas conquistas, as pessoas em tais posições, com frequência, caem por causa delas.

Nesses capítulos de 2Samuel, Davi alcança o apogeu de suas realizações, mas ele está prestes a cair. Os capítulos constituem o clímax de sua história no que tange às suas conquistas políticas, econômicas, militares e religiosas. Em 1Samuel, um fator-chave no anseio do povo por uma monarquia foi a pressão dos **filisteus**, já que israelitas e filisteus estavam competindo pelo controle de Canaã. Davi levou aquele conflito a uma conclusão favorável a Israel. Os filisteus não deixaram de existir, mas se tornaram um povo menor da costa do Mediterrâneo e, assim, deixaram de lado as grandes ambições e não constituem mais uma ameaça a Israel. Davi, igualmente, demonstra a povos como os moabitas, os amonitas, os edomitas, do sudeste e leste, bem como aos ainda mais poderosos arameus, a nordeste, que ele é alguém com quem eles não devem mexer. Na realidade, Davi se torna soberano sobre um pequeno império, a única vez em que Israel exerceu um papel imperial em lugar de ser uma colônia sob a soberania de um outro império qualquer. É possível ver isso como uma amostra do cumprimento do propósito divino de ser senhor sobre toda a terra por intermédio da agenda do rei de Israel.

Os capítulos também constituem um clímax de outra maneira. Eles falam de Davi exercer **autoridade** de acordo com o que é certo para todo o povo. Trata-se de uma expressão de duas palavras cuja tradução sucinta é impossível em nosso idioma. As traduções bíblicas apresentam expressões como "correto e imparcial" ou "direito e justiça". A primeira palavra é um termo para autoridade, liderança ou poder de tomar decisões. O problema é que (como Samuel alertou os israelitas quando eles pediram por um rei em 1Samuel 8) os reis e outros líderes costumam exercer autoridade para cobrar um alto preço de seu povo. Assim, Deuteronômio e os Profetas, usualmente, vinculam essa palavra a outra que denota fazer a coisa certa para o povo em vez de beneficiar-se dele ou ser uma carga ou opressão sobre ele: em geral, traduzo essa expressão por ***fidelidade***. Nos Profetas, uma crítica padrão aos reis é que eles falham em exercer autoridade com fidelidade, segundo o que é certo para o povo. Isso pode ocorrer pelo exercício de justiça nos tribunais; pode ocorrer na imposição de impostos. Afirmar que Davi exerceu autoridade para fazer o certo ao seu povo é um grande tributo a ele. Esse comentário ocupa um espaço diminuto na história, mas sua importância não está de acordo com a sua brevidade. Se formos críticos, podemos dizer que se trata de um exagero; alguém paga pela construção de seu palácio e financia todas aquelas guerras. Se, com efeito, o preço é pago pelos habitantes de Moabe, Edom e, assim por diante, isso não melhora o cenário. Mesmo se o comentário doura a pílula mais do que Davi merecia, ele ainda estabelece o padrão para os seus sucessores, especialmente se eles desejarem ser os beneficiários dos **compromissos** paternais de Deus descritos em 2Samuel 7. O salmo 72 expressa com mais detalhes o que envolve o compromisso do rei quanto a exercer autoridade segundo o que é certo para o povo, bem como associa essa característica com o fato de Davi ser reconhecido pelos demais povos como ele era.

Pode-se dizer que Davi agiu em relação a Mefibosete de uma forma que envolveu o exercício de autoridade de acordo com o que é certo para as pessoas com quem ele tem alguma obrigação de aliança. O triste relato de como Mefibosete ficou deficiente está em 2Samuel 4. Parece que ele ficou sobremodo assustado ao ser convocado por Davi, e tinha bons motivos para isso. Já observamos que, após um golpe, o novo regime pode pensar ser um ato de sabedoria eliminar todas as pessoas associadas ao regime deposto. De modo típico, a ação de Davi alcança o mesmo fim, enquanto faz a coisa certa pelo compromisso que Jônatas demonstrou por ele. O seu gesto podia angariar a aprovação relutante daqueles que ainda apoiavam a casa de Saul e nutriam a esperança de ainda ver alguém de sua família como rei. Isso igualmente significa manter Mefibosete sob sua supervisão e assegurar que ele não esteja interessado em cooperar com alguém que planeje reinstalar a casa de Saul no trono. Haverá algumas notas de rodapé com relação à história de Ziba e Mefibosete em 2Samuel 16, 19 e 21.

Infelizmente, este é, de fato, o ponto alto da história de Davi. A majestade precede a queda. Daqui em diante, é só ladeira abaixo.

2SAMUEL **11:1-27**

MAS DAVI FEZ O QUE ERA DESAGRADÁVEL AOS OLHOS DE *YAHWEH*

[1]Na virada do ano, tempo no qual os reis saem [para a batalha], Davi enviou Joabe e seus servos com ele, e todo o Israel, e eles devastaram os amonitas e sitiaram Rabá, enquanto Davi permaneceu em Jerusalém. [2]Certa noite, Davi levantou-se de sua cama e caminhou sobre o telhado do palácio, e do telhado viu uma mulher se banhando. A mulher era muito bonita. [3]Então, Davi mandou inquirirem sobre a mulher. Ele foi informado: "É Bate-Seba, filha de Eliã, esposa de Urias, o hitita." [4]Davi enviou ajudantes, eles a tomaram, e ela veio a ele. Ele dormiu com ela enquanto ela estava se santificando de seu tabu, e ela voltou para casa. [5]A mulher engravidou e mandou avisar a Davi: "Estou grávida." [6]Davi mandou a Joabe: "Envie Urias, o hitita, a mim." Joabe enviou Urias a Davi. [7]Quando Urias chegou a ele, Davi lhe perguntou sobre quão bem as coisas estavam com Joabe, com a companhia e com a batalha. [8]Então, Davi disse a Urias: "Desça a sua casa e banhe os seus pés." Quando Urias saiu do palácio, um presente o acompanhou.

> [9]Mas Urias dormiu na porta do palácio com todos [os outros] servos de seu senhor. Ele não desceu a sua casa. [...] [14]De manhã, Davi escreveu uma mensagem a Joabe e a enviou por meio de Urias. [15]Ele escreveu na mensagem: "Coloque Urias na vanguarda da batalha mais feroz e retire-se dele para que ele possa ser atingido e morra." [...] [17]Os homens da cidade saíram e lutaram com Joabe, e, da companhia, alguns homens de Davi caíram. Urias, o hitita, também morreu. [18]Joabe mandou avisar Davi sobre todos os detalhes da batalha [...] [25]Davi disse ao ajudante: "Diga isto a Joabe: 'Esta coisa não deve ser errada aos seus olhos, porque a espada consome de um jeito ou de outro. Reforce a sua luta contra a cidade e a destrua.' Portanto, encoraje-o." [26]Quando a esposa de Urias ouviu que o seu marido, Urias, estava morto, ela lamentou por seu senhor. [27]Quando o [tempo de] luto tinha passado, Davi mandou buscá-la para sua casa. Ela se tornou a sua esposa e lhe deu um filho. Mas a coisa que Davi tinha feito era errada aos olhos de *Yahweh*.

Hoje, o noticiário informa que um ex-governador, obrigado a renunciar ao cargo por causa de um escândalo sexual, alguns anos atrás, está agora tentando reabilitar-se aos olhos do público eleitor. Como governador, uma de suas forças era considerar todas as coisas possíveis. Assim, ele ignorou a sabedoria convencional que diz: "Isso você não pode fazer." Em relação ao seu envolvimento no escândalo sexual, um repórter lhe perguntou se não teria havido uma voz em seu interior, dizendo: "Você não pode fazer isso", e ele concordou que, aparentemente, não houve. Em outras palavras, ele também pareceu ignorar aquela sabedoria convencional em sua vida privada, imaginando que poderia sair impune. Desconheço estatísticas sugerindo que os líderes sejam mais propensos a transgressões na área sexual do que outras pessoas, ou que os pastores são mais inclinados a isso do que os leigos, mas também não parecem menos inclinados, e há, pelo menos, uma ou duas maneiras nas quais isso parece perturbador. Gostaria de pensar em nossos líderes como pessoas íntegras, em parte porque queremos que eles liderem com integridade, e não está claro se é possível não serem íntegros em sua vida pessoal, mas manterem a integridade em seu papel público. Além disso, os riscos assumidos por nossos líderes em sua vida sexual parecem estúpidos e, se eles agem com estupidez nessa área, como podemos esperar que ajam com sabedoria em seus cargos públicos? A impressão que isso passa é que eles acreditam poder escapar dos malfeitos exatamente pela posição que ocupam, quando deveria ser o contrário.

Talvez Davi falhe por esse conjunto de presunções e revele essas falhas. É possível que tudo comece pelo fato de ele estar em seu palácio, ocioso o suficiente para tirar uma soneca da tarde, enquanto o seu exército está no campo de batalha. É uma época na qual os reis saem à batalha e "todo" o Israel tem feito isso, exceto Davi. Situada a leste do Jordão, Rabá, a capital amonita (a moderna Amã, capital da Jordânia) está em uma localização equivalente à de Jerusalém, como a capital israelita a oeste do Jordão. O exército de Davi está ali para impor a autoridade israelita sobre a cidade e a região como parte integrante do Império Davídico. Para ser justo, no capítulo anterior, Davi estava deixando Joabe ser o comandante-chefe efetivo, de maneira que pode não ser um despropósito ele permanecer um comandante-chefe a distância, como o presidente dos Estados Unidos. Todavia, isso seria um argumento mais contundente se Davi estivesse no palácio focado no exercício de autoridade para fazer o que é certo para o seu povo, isto é, o compromisso que abordamos em relação ao capítulo 8. Davi não está fazendo nada disso e, no capítulo 12, ele só mostrará disposição em ir a Rabá pela queda da cidade para receber os créditos em detrimento de Joabe, o homem que faz o trabalho sujo.

Não se pode necessariamente culpar Davi por avistar Bate-Seba se banhando, nem ela por banhar-se. Ao que tudo indica, ela estava cumprindo o banho exigido pela **Torá** ao fim de seu período menstrual, e o telhado é, normalmente, o lugar ao qual as pessoas vão quando desejam ter privacidade. É possível que a única residência, cujo telhado ficava acima do dela, fosse o palácio, situado na parte mais elevada da cidade; somente o santuário ficava posicionado acima do palácio. Embora isso simbolizasse a posição elevada do rei em relação ao seu povo, também sugeria a sua responsabilidade. Isso sugere que, literal e metaforicamente, o rei pode manter um olho sobre a cidade. De lá, ele pode ver o que está acontecendo e, portanto, exercer, de fato, autoridade para assegurar que a justiça prevaleça na cidade. Todavia, os seus instintos o levam para outra direção. Embora a história jamais diga que Davi ama alguém, a quantidade de filhos gerados por ele indica que ele mantém relações sexuais com várias esposas, mas (como um homem normal) isso não o impede de se sentir atraído por outra mulher. Num dia desses, certo amigo contou-me sobre um bilionário que, ao ser perguntado sobre quanto dinheiro era suficiente, respondeu dizendo que é "sempre menos do que você já tem". O mesmo é verdadeiro com respeito ao sexo.

Davi e seus agentes são o sujeito de uma série de verbos intimidantes para Bate-Seba — ele viu, ele mandou, ele inquiriu, ele enviou, ele tomou, ele dormiu com. Ele é, então, o sujeito do verbo que, em geral, alegra uma mulher, mas, às vezes, a amedronta: ela engravida. Se isso ocorresse no Ocidente moderno, Davi estaria negociando que ela fizesse um aborto, e em sociedades tradicionais há maneiras de fazer isso, embora isso seja tanto perigoso para a mulher quanto improvável de ter êxito. Todavia, seja como for, a falha do Antigo Testamento em mencionar o aborto e a falha da Torá em não proibir essa prática sugerem que o aborto não estava no escopo do pensamento dos israelitas, mesmo quando a gravidez não era bem-vinda. O primeiro pensamento de Davi é induzir Urias a dormir com Bate-Seba, para que ela possa dizer que o filho é de seu marido, mas Urias não coopera com o plano de Davi.

É horrível como um ato leva a outro. Ao olhar para a cidade, de seu telhado, Davi não podia imaginar que a visão de uma mulher se banhando levaria a um assassinato e, mesmo se tivesse imaginado essa possibilidade, decerto, o mais provável seria ele se apressar em desviar o olhar, mas uma coisa leva a outra. Ele consegue a morte de Urias. Ao descobrir que Bate-Seba era casada com alguém etnicamente hitita (provavelmente não um hitita recém-chegado da Turquia, mas alguém da tribo que vivia na região de Hebrom, no tempo de Abraão), um estrangeiro, é que Davi decidiu trazê-la até ele. Esse fato facilitou a decisão? Afinal de contas, ela é casada com um hitita. Será que a mesma consideração facilitou a decisão sobre o seu assassinato? Afinal, ele é apenas um hitita. Não obstante, ele é evidentemente um adorador de ***Yahweh*** (seu nome significa "*Yahweh* é minha luz"). Na verdade, quando Urias declinou de ir e dormir com a sua mulher, talvez ele estivesse se sentindo sujo demais, mas o que ele realmente disse foi que não poderia ir para casa daquele jeito quando os demais soldados estavam todos envolvidos numa guerra. É exatamente esse tipo de pensamento que deveria estar na cabeça de Davi.

Em vez disso, Davi está agora pensando em assassinato. Ele usa a própria vítima como o mensageiro que leva as instruções que decretam a sua morte. No confronto seguinte, alguns soldados da tropa de Israel são mortos, e Joabe garante que Urias esteja entre eles. A narrativa não diz claramente que as mortes são resultantes da necessidade de matar Urias, embora essa necessidade pareça ter ditado a estratégia de combate de Joabe. O comandante teme que Davi possa pensar que ele tenha assumido riscos tolos na execução do plano, mas ele sabe que o rei não se importará com o sacrifício daqueles soldados, desde que Urias esteja entre eles. A resposta de Davi é tão cínica quanto as instruções de Joabe ao seu ajudante sobre como dar as notícias a Davi.

Problema solucionado. Bate-Seba pode cumprir o luto apropriado por seu marido; então, Davi pode mandar buscá-la em definitivo. Uma vez mais, ela é o objeto de verbos; em nenhum versículo há qualquer sugestão de que ela tenha algo a dizer sobre o que acontece. Afinal, ele é o rei, e não se diz não ao rei (ou ao professor, pastor, governador ou presidente), com respeito a uma noite apenas ou a uma proposta de casamento.

"Mas, a coisa que Davi tinha feito era errada aos olhos de *Yahweh*."

2SAMUEL **12:1–15A**

O HOMEM QUE APRENDEU A SER UM PROFETA

[1]Então, *Yahweh* enviou Natã a Davi. Ele foi a ele e lhe disse: "Havia dois homens em certa cidade, um rico e um pobre. [2]O homem rico tinha rebanhos e manadas muito grandes. [3]O homem pobre nada tinha, exceto uma pequena cordeira que ele tinha adquirido. Ele a tinha criado, e ela havia crescido com ele e seus filhos, todos juntos. Ela costumava comer da porção dele, beber de seu copo e dormir em seus braços. Era como uma filha para ele. [4]Um homem em jornada foi ao homem

rico, mas ele poupou de tirar algo de seus próprios rebanhos e manadas para fazer o jantar ao viajante que tinha ido a ele; antes, tomou a cordeira do homem pobre e fez o jantar para o homem que tinha ido a ele." [5]A ira de Davi se acendeu contra o homem. Ele disse a Natã: "Tão certo como *Yahweh* vive, o homem que fez isso deve morrer. [6]Ele deve pagar quatro vezes mais pela cordeira por ter feito esta coisa e visto que ele não [o] poupou." [7]Natã disse a Davi: "Você é o homem. *Yahweh*, o Deus de Israel, disse isto: 'Eu mesmo o indiquei como rei sobre Israel. Eu mesmo o resgatei da mão de Saul. [8]Eu lhe dei a casa de seu senhor e as esposas dele em seus braços. Eu lhe dei a casa de Israel e de Judá. Se isso fosse [muito] pouco, eu lhe teria acrescentado tanto quanto novamente. [9]Por que você desprezou a palavra de *Yahweh* ao fazer o que é errado aos meus olhos? Urias, o hitita, você derrubou com a espada, e a esposa dele você tomou como sua esposa. A ele você matou com a espada dos amonitas. [10]Assim, agora, a espada jamais se afastará de sua casa, porque você me desprezou e tomou a esposa de Urias para ser a sua esposa.' [11]*Yahweh* disse isso: 'Então, eu irei levantar dificuldades para você de sua casa. Tomarei as suas esposas diante de seus olhos e as darei a alguém mais. Ele dormirá com as suas esposas em plena luz do dia. [12]Porque você mesmo agiu em segredo, mas eu farei esta coisa diante de todo o Israel e em plena luz do dia.'"

[13]Davi disse a Natã: "Agi erroneamente contra *Yahweh*." Natã disse a Davi: "Sim. Mas *Yahweh* removeu a sua transgressão. Você não morrerá. [14]No entanto, porque você mostrou total desprezo aos [inimigos de] *Yahweh* por meio desse ato, sim, a criança nascida a você, definitivamente, morrerá." [15a]E Natã voltou para casa.

Certo feita, um pastor veio conversar comigo por se envolver num caso extraconjugal, apesar de ter "saído impune". Ele acreditava que a sua esposa jamais percebera a sua traição, mas sabia que havia agido de um modo ao mesmo tempo errado e estúpido e que precisava conversar sobre o ocorrido para evitar cair na mesma encrenca novamente. O que me impactou em seu relato foi a maneira gradual como as coisas evoluíram. A mulher o havia procurado em busca de aconselhamento porque sentia uma grande tristeza a permear a sua vida. Ela era atraente, e logo ficou evidente que seu casamento era infeliz. De sua parte, o pastor enfrentava problemas em seu próprio relacionamento conjugal. Tudo isso já seria suficiente para fazer soar todos os alarmes possíveis e, de certo modo, isso ocorreu — pelo menos, ele envolveu uma de suas colegas para assisti-lo naquele aconselhamento. Depois de algum tempo, todos chegaram à conclusão de que haviam feito tudo o que podiam, mas a mulher pediu para ir vê-lo ainda uma última vez, apenas para um café. Bem, o encontro terminou com um abraço de despedida, que passou a um beijo e...

Uma coisa leva a outra. Eis como ocorrera com Davi. Todavia, ele não foi ver o seu pastor e, por seu turno, o seu pastor teria motivos para hesitar ir vê-lo. Os profetas que tomam sobre si a responsabilidade de confrontar reis colocam em risco a própria vida e, às vezes, isso realmente acontece. A primeira característica marcante nesse relato é, portanto, o contraste entre o profeta Natã, do capítulo 7, e ele mesmo, no capítulo 12. Lá, ele era um homem que dizia amém a Davi. Aqui, ele confronta o rei. Divirto-me ao imaginar Natã tendo a mesma reação que, mais tarde, Ananias terá ao ser instruído a ver Saulo de Tarso (veja Atos 9), que (parafraseando grosseiramente) resume-se a dizer: "Senhor, perdeste o juízo?" Então, Deus entrega a Natã essa parábola ou o profeta sonha com ela, que se torna o meio de atravessar as barreiras de defesa de Davi.

Davi não pode reclamar quando o seu próprio comentário sobre como o homem rico deveria ser punido antecipa o que ocorrerá a ele mesmo. Parece haver um contrassenso (morte *e* uma restituição quatro vezes maior?), mas isso corresponde às implicações da **Torá**. O homem deveria morrer, Davi diz: portanto, ele pagará quatro vezes mais por sua maldade. Observamos, com respeito ao relato de Saul com a médium de En-Dor, que muitas das regras da Torá prescrevem a pena de morte por uma ofensa (incluindo homicídio ou adultério; Davi é culpado de ambos), mas que, na prática, Israel não cobra essa penalidade. Afirmar que a pessoa culpada deveria morrer expressa a seriedade da ofensa, mas a não execução da pena prevista; talvez seja um reconhecimento de que a execução cria mais problemas do que soluciona. Ainda, a referência a uma restituição aproxima-se mais do que realmente ocorria nesses casos.

Fora da parábola, a punição que Deus anuncia é, portanto, não a execução, como seria o esperado, mas uma calamidade que emerge dentro da própria família de Davi. Deus concorrerá para a concretização dessa calamidade, mas não haverá nenhuma ação sobrenatural para sua ocorrência. Pode-se dizer que ela será uma consequência natural do próprio comportamento de Davi; certamente, a punição será de acordo com o crime. Davi permitiu que a violência e a imoralidade sexual corressem soltas em sua casa e na casa de Urias; mas, quando você deixa essas feras à solta, talvez não consiga mais prendê-las de volta às suas respectivas celas.

Ambos, Davi e Deus, agem e falam de formas chocantemente misteriosas nesse relato. O primeiro enigma é articulado na pergunta de Deus a Davi. Davi possui muito. Por que cargas d'água ele fez o que fez? A segunda questão é suscitada por sua reação a Natã: "Agi erroneamente contra *Yahweh*."

Por sermos leitores ocidentais, com toda a nossa ênfase quanto a emoções, imaginamos que Davi deveria dizer quão profundamente triste ele está e nos perguntamos se esse reconhecimento é suficiente. Contudo, quando figuras públicas, flagradas em alguma transgressão, vão a público para apertos de mão e confraternização, nos contorcemos internamente. Segundo o modo de pensar de um israelita, igualmente, a confissão primariamente significa encarar e reconhecer os fatos. É impossível afirmar o que está se passando no íntimo de Davi, mas o reconhecimento simples e claro contrasta com a impressão de aflição que, em breve, será expressa por sua reação à enfermidade do filho.

Da mesma forma, é difícil saber o que fazer com a reação de Deus; Deus "removeu" a transgressão de Davi. O que isso significa? Deus o perdoou, e, se assim foi, em que sentido? Deus não cancelou a sentença declarada por Natã, e, nos capítulos seguintes, o que foi dito pelo profeta, de fato, acontece. Talvez isso não seja de todo surpreendente. Na cultura ocidental, quando o culpado por um crime se arrepende, em geral isso não o livra de pagar a sua pena. No caso em questão, Deus impõe uma punição extra: o bebê de Bate-Seba e Davi irá morrer.

Natã declara que Davi desprezou a palavra de Deus. Há dois sentidos nos quais isso ocorre. Davi desprezou a palavra que aparece nos Dez Mandamentos, nos quais Deus proíbe atos como adultério e assassinato. Embora os líderes de qualquer sociedade imaginem poder fazer o que bem entendem, em Israel a Torá impõe restrições específicas em torno do rei. Davi ignorou essas restrições. Contudo, a narrativa enfatiza outro tipo de palavra, isto é, a palavra da promessa de Deus a ele proferida na mensagem anterior de Natã a Davi. A *palavra* de Deus veio a Natã, e Davi instou Deus a estabelecer a *palavra* falada a ele (2Samuel 7:4,25). A referência aqui à palavra de Deus faz Davi recordar as grandes coisas que Deus lhe tem feito, as quais ocorreram em cumprimento daquela promessa, bem como as grandiosas coisas adicionais que Deus planeja para ele, as quais foram designadas ao pleno cumprimento daquela promessa. Davi desprezou aquela palavra, aquela promessa. Pode-se imaginar que ele a colocou em risco, mas essa mesma palavra de promessa não permite a Deus nenhuma forma de escape, deixando de cumpri-la na vida de Davi. Deus pode castigar Davi, mas não pode abandoná-lo.

Por outro lado, esse fato sugere a possibilidade de a remoção da transgressão de Davi por Deus significar a recusa de permitir que isso seja um obstáculo ao cumprimento do propósito de Deus para Israel por meio de Davi, ainda que essa transgressão acarrete outras consequências terríveis. Igualmente, isso suscita a possibilidade de que a remoção da transgressão por Deus não seja uma resposta à condição de Davi. Não faz a menor diferença se aquela confissão expressava uma tristeza real ou apenas remorso e arrependimento por ter sido descoberto. A recusa de Deus em levar Davi à morte ou de abandoná-lo emerge do próprio Deus, de sua graça e de seu compromisso. Deus não exerce misericórdia sobre nós porque a merecemos, mas porque é da natureza divina.

Existe, ainda, um motivo paradoxal e estranho para Davi não ser simplesmente eliminado. Ele demonstrou total desprezo pelos inimigos de *Yahweh*. Coloquei a expressão sobre os inimigos entre colchetes porque isso pode ter sido uma adição tardia ao **texto** — você verá que as traduções modernas a deixam de fora. Contudo, ela é parte do texto e sugere uma reflexão. O trabalho de Davi era governar sobre os inimigos de *Yahweh* e ser o meio pelo qual eles chegariam ao conhecimento de *Yahweh*. Sua ação o tem retratado como alguém a quem os inimigos de *Yahweh* poderiam, com razão, desprezar. Como ele pode, agora, ser esse meio pelo qual os inimigos reconhecerão *Yahweh*? Por seus atos, Davi tem solapado o cumprimento de sua vocação.

2SAMUEL **12:15B–13:14**
O PREÇO QUE A FAMÍLIA COMEÇA A PAGAR

[15b] *Yahweh* atinge a criança que a esposa de Urias gerou a Davi. Quando ele adoece, [16]Davi busca a Deus pelo garoto. Davi jejuou, veio e passou a noite deitado no chão. [17]Os anciãos em sua casa vieram sobre ele para fazê-lo levantar-se do chão, mas ele não estava disposto e não se alimentou com eles. [18]No sétimo dia, a criança morreu. Os servos de Davi ficaram com medo de lhe contar que a criança tinha morrido, porque [eles disseram]: “Ora, quando a criança estava viva, falamos com ele e ele não ouviu a nossa voz. Como podemos lhe dizer: ‘A criança está morta?’ Ele pode fazer algo ruim.” [19]Davi viu que os seus servos estavam sussurrando uns com os outros e percebeu que a criança estava morta. Davi disse aos seus servos: “A criança está morta?” Eles disseram: “Está morta.” [20]Davi levantou-se do chão, banhou-se, passou os óleos em si e trocou suas roupas. Ele foi à casa de *Yahweh* e prostrou-se. Então, ele foi para sua casa e pediu que lhe providenciassem comida e comeu. [21]Seus servos lhe disseram: “O que é isso que fizeste? Quando a criança ainda estava viva, jejuaste e pranteaste. Agora que a criança está morta, te levantas e comes.” [22]Ele disse: “Enquanto a criança ainda estava viva, eu jejuei e pranteei porque disse: ‘Quem sabe? Y*ahweh* pode ser gracioso comigo. A criança pode viver.’ [23]Mas, agora que ela está morta, por que eu deveria jejuar? Sou capaz de trazê-la de volta? Eu irei a ela, mas ela não voltará para mim.”

[24]Davi confortou Bate-Seba, sua esposa, e teve sexo com ela. Ele dormiu com ela, e ela teve um filho, e o chamaram de Salomão. Porque *Yahweh* se importou com ele, [25]ele enviou

por meio do profeta Natã e o chamou de "Amado pelo Senhor", por causa de *Yahweh*.

[Os versículos 26-31 relatam como Davi participou da captura de Rabá, encerrando a história iniciada no capítulo anterior.]

CAPÍTULO 13

[1]Isso ocorreu subsequentemente. Absalão, filho de Davi, tinha uma bela irmã, chamada Tamar, e Amnom, o filho de Davi, a amava. [2]Isso era tão estressante para Amnom que ele ficou doente por causa de Tamar, sua irmã, porque ela era uma garota jovem, mas parecia impossível aos olhos de Amnom fazer algo sobre ela. [3]Mas Amnom tinha um amigo, chamado Jonadabe, filho de Simeia, irmão de Davi, um homem muito esperto. [...] [5]Jonadabe lhe disse: "Deite-se em sua cama e aja como doente. O seu pai virá vê-lo, e você pode dizer a ele: 'Que Tamar, minha irmã, possa vir e me dar algo para comer [...].'" [8]Assim, Tamar foi à casa de Amnom, seu irmão; ele estava deitado. Ela pegou massa, amassou, fez panquecas na frente dele e as cozinhou. [9]Mas, quando ela pegou a panela e as colocou na frente dele, ele se recusou a comê-las. Amnom disse: "Mande todos saírem para mim", e todos saíram de sua presença. [10]Então, Amnom disse a Tamar: "Traga a comida ao meu quarto para que eu possa comer de sua mão [...]." [11]Quando ela ofereceu a ele para comer, ele a segurou e lhe disse: "Venha para a cama comigo, irmã." [12]Ela lhe disse: "Não, irmão. Não me violente, porque tal coisa não é feita em Israel. Não faça essa estupidez. [13]E quanto a mim? Para onde eu levaria a minha desgraça? E você será apenas um dos homens estúpidos de Israel. Assim, agora, por que não vai falar com o rei, pois ele não recusaria dar você a mim." [14]Mas ele não ouviu a voz dela. Ele a segurou, a violentou e deitou-se com ela.

Durante um concerto na noite passada, uma das cantoras estava nos contando a história por trás de uma canção sobre o seu avô. Ele era franco-canadense, falava principalmente francês e tinha morrido quando ela ainda era criança. Compreensivelmente, ela sentia que jamais o conhecera realmente e, com frequência, olhava para uma fotografia tirada nos anos 1920, durante o casamento dele com a sua avó. Naquela foto, ela imagina ver um olhar travesso no olho do avô e nos olhos da avó, uma expressão que diz: "No que eu fui me meter?" A canção imagina o que seu avô estava pensando naquele dia, mas é apenas imaginação; ela não tem como saber se o decifrou corretamente.

Na história bíblica, continuo sem saber se o mais difícil é decifrar Davi ou Deus. O que Deus está fazendo, atingindo essa pobre criança? Como muitas pessoas, sinto-me horrorizado com a ideia de alguém abortar uma criança apenas por não desejar um filho ou filha naquele momento, sem esquecer que há pessoas capazes de matar crianças. A ação de Deus não toma conhecimento de qualquer ideia sobre esse bebê ter o direito individual à vida. A existência de uma criança está sempre vinculada, na teia da vida, aos seus pais; sabemos como os pecados dos pais são visitados em seus filhos. Nessa narrativa, os sentimentos de sua mãe são totalmente ignorados. A morte da criança é apenas uma declaração do julgamento divino sobre o pai do bebê. Uma vez mais, isso reflete o fato de os riscos serem elevados quando se nasce no seio de uma família por meio da qual o propósito divino está em andamento. Podemos dar outro suspiro de alívio por sermos apenas pessoas comuns e, talvez, por Deus não se relacionar conosco como ele se relacionava com Davi e com as pessoas próximas a ele.

Que a ação de Deus é um juízo sobre Davi reflete-se na maneira de a história seguir descrevendo a reação de Davi à enfermidade do menino (novamente, não há qualquer menção à reação da sua esposa, mãe do bebê). Como Deus pode ser tão duro de coração a ponto de não responder ao jejum e às orações de Davi? "Com dificuldade", creio ser a resposta. (Como Deus será capaz de permanecer assentado no céu, vendo Jesus ser executado?) Com frequência, o Antigo Testamento retrata Deus demonstrando a sua misericórdia sobre pessoas que não a merecem. Na verdade, essa história constitui um exemplo; Davi merece morrer por causa de seus atos, e o fato de continuar vivo (e seguindo no trono como rei) advém da graça divina. Por que Deus, simplesmente, não deixou Davi morrer e a criança viver? Talvez Deus já tenha descartado essa opção pelo compromisso expresso em 2Samuel 7. Portanto, Deus está entre tratar Davi segundo ele merece e permitir que ele saia ileso de sua transgressão.

Igualmente, é um mistério o motivo pelo qual Davi estaria tão contrariado pela doença do menino. Ele já possui muitos filhos e não tem demonstrado sinal de consideração por nenhum deles na história até aqui. Além disso, a concepção dessa criança foi (afinal) um acidente com consequências desastrosas. Os serviçais de Davi consideram a profundidade da sua preocupação como desconcertante e, então, compreensivelmente, também consideram confusa a sua reação após a morte do filho. Há uma estranha e implacável lógica quanto a isso. Está certo, acabou. Ele vai ao santuário para prostrar-se diante de Deus em reconhecimento à soberania divina sobre responder ou não às nossas orações e, depois, retoma a sua vida normal. Ele se unirá ao menino no **Sheol**, mas o menino jamais se unirá a ele, novamente, na terra.

Espero que Davi não tenha imaginado que poderia confortar Bate-Seba levando-a para a cama, embora a narrativa possa sugerir essa presunção ou, pelo menos, indicar que a concepção de outra criança pode compensar a perda de outra.

Só que não. Todavia, uma vez mais, a história preocupa-se mais com o propósito maior de Deus do que com os sentimentos de Davi ou de Bate-Seba. A concepção de Bate-Seba é um sinal de que Deus não abandonou Davi e a sua linhagem. A essa altura, Davi e Bate-Seba não sabem, mas os leitores futuros da história têm ciência de que o novo filho que ela concebe é aquele que irá suceder a Davi no trono e no qual aquelas promessas em 2Samuel 7 serão cumpridas (embora ele mesmo se envolva numa confusão que é, de certo modo, tão ruim quanto a de seu pai). O amor de Deus por essa criança não se relaciona apenas a ela como indivíduo, mas ao fato de ser o filho que, no devido tempo, irá suceder Davi. O nome que o menino recebe não é uma correção do nome que lhe foi dado por Bate-Seba ou uma troca pelo nome com que ele será, de fato, conhecido; é mais como os nomes que aparecem em Isaías, ou seja, "Maravilhoso Deus é o Poderoso Deus; o Pai Eterno é um Príncipe da Paz" (Isaías 9:6), que não é exatamente um nome no sentido em que as outras pessoas falam normalmente de alguém. O novo nome é uma espécie de nome de cortesia.

Essa história parece ser ainda mais impactante quando a relacionamos com o salmo 51, cujo título convida os leitores a fazerem uma conexão com esses eventos. Se Davi orou da maneira que o salmo 51 descreve, parece que Deus não atendeu à sua oração. Talvez Deus tenha até considerado a oração excelente, mas não exatamente aquela que Davi queria, de fato, expressar. Ou pode ser que, de certa maneira, era o tipo de oração que Davi deveria ter feito. Ainda, pode ter sido uma oração excelente a princípio, mas não uma que se harmonizasse com os lábios de Davi. Afinal, se Davi disse a Deus: "Contra ti, só contra ti, pequei" (Salmos 51:4), parece que ele ainda tem uma coisa ou duas para aprender sobre o que tinha feito.

A história de Tamar surge na sequência para mostrar que Davi não pecou meramente contra Deus, Urias, Bate-Seba, contra a criança que morreu, contra as tropas israelitas em Rabá ou mesmo contra Israel como um todo. Ele pecou contra Tamar, a sua filha (e, por conexão, contra Amnom, seu filho), porque o perfil de pessoa que ele era se manifesta no comportamento que aparece em sua família e traz o juízo divino à sua casa como um julgamento sobre o próprio Davi. A narrativa pressupõe que os filhos adultos de Davi tenham as suas próprias casas, e o estupro de Tamar por Amnom não envolve incesto no sentido estrito, já que eles têm mães diferentes. Tamar pode, portanto, cogitar a possibilidade de Davi concordar com o casamento dela com Amnom, embora, naquele momento, ela possa estar apenas tentando impedir o estupro.

2SAMUEL **13:15—14:24**

A DOR DE UMA IRMÃ E A CONTENDA ENTRE IRMÃOS

[15]Amnom, então, sente uma grande repulsa por [Tamar], e essa aversão que ele sente por ela era muito maior que o amor que sentia por ela. Amnom lhe disse: "Levante-se; vá." [16]Ela lhe disse: "Não! Este erro de me mandar embora é maior do que o outro que você fez a mim." Mas ele não a ouviu. [17]Ele chamou o rapaz que o atendia e disse: "Vocês podem mandar esta mulher embora, tirá-la de minha presença e trancar a porta depois de ela sair?" [18]Ela tinha um vestido de mangas compridas, porque as filhas mais novas do rei costumavam trajar tais vestes. [19]Tamar colocou terra sobre a sua cabeça, rasgou o vestido de mangas cumpridas que vestia, colocou a mão sobre a cabeça e se pôs a caminho, chorando enquanto ia.

[20]Absalão, seu irmão, lhe disse: "Irmã, foi Amnom, seu irmão, que estava com você? Agora, irmã, acalme-se. Ele é seu irmão.

Não entregue a sua mente a esta coisa." Então, Tamar permaneceu uma mulher desolada na casa de Absalão, seu irmão. [21]O próprio rei Davi ouviu sobre tudo isso e ficou muito irritado. [22]Absalão não falou nada com Amnom, nem bem nem mal, porque Absalão se recusou a ter qualquer coisa com Amnom pelo fato de ele ter violentado Tamar, a sua irmã. [23]Dois anos mais tarde, os tosquiadores de ovelhas de Absalão estavam em Mestre-de-Hazor, que fica próximo a Efraim, e Absalão convidou todos os filhos do rei [...] [28]Absalão ordenou aos seus rapazes: "Observem quando Amnom estiver de bom humor por causa do vinho, e eu lhes direi: 'Derrubem Amnom, matem-no, não tenham medo. Afinal, eu mesmo sou aquele que lhes dá a ordem. Sejam resolutos. Sejam fortes.'" [29]Os rapazes de Absalão fizeram a Amnom como Absalão ordenou [...] [37]Absalão fugiu e foi para Talmai, filho de Amiúde, rei de Gesur, e [Davi] chorou por seu filho o tempo todo. [38]Quando Absalão fugiu e foi a Gesur, ele ficou lá por três anos, [39]mas o rei Davi parou de sair [para lutar] contra Absalão porque ele tinha superado Amnom, que estava morto.

CAPÍTULO 14

[1]Joabe, filho de Zeruia, reconheceu que a mente de Davi estava em Absalão. [2]Joabe mandou a Tecoa e buscou uma mulher astuta de lá. Ele lhe disse: "Você agirá como alguém enlutada e vestirá roupas de luto? Não coloque óleos, seja como uma mulher que tem pranteado durante um longo tempo por alguém que morreu. [3]Vá ao rei e fale a ele desta maneira" (Joabe colocou as palavras na boca dela). [4]Então, a mulher de Tecoa foi ao rei, prostrou-se com o rosto em terra, curvando-se e disse: "Ajuda-me, Majestade!" [5]O rei lhe disse: "Qual é a sua necessidade?" Ela disse: "Na verdade, sou viúva; meu marido morreu. [6]O teu servo teve dois filhos. Os dois brigaram nos campos, e não houve ninguém para separá-los. Um deles atingiu o outro e o matou. [7]E, agora, toda a parentela se levantou contra a tua serva, dizendo: 'Dê-nos aquele que matou o seu

irmão, e nós o mataremos pela vida de seu irmão a quem ele matou. Nós eliminaremos o herdeiro também.' Assim, eles apagarão a última brasa que me resta e não darão ao meu marido um nome ou remanescente sobre a face da terra." [8]O rei disse à mulher: "Vá para casa, e eu darei uma ordem a seu respeito."

[Nos versículos 9-24, a mulher explica que, na realidade, estava falando sobre a atitude de Davi em relação a Absalão, e o rei concorda em trazer Absalão do exílio, embora ele deva ir direto para a sua casa e não comparecer à presença do rei.]

Certa vez, conheci alguém que havia sido vítima de abuso sistemático por parte de um membro de sua própria família, quando ela era jovem. Ela nunca me contou os detalhes do que aconteceu e, para ser honesto, jamais quis que ela o fizesse, mas eu sabia que, vinte anos mais tarde, ela ainda lidava com questões advindas dessa experiência. O que me faz pensar sobre ela, agora, é a maneira de ela falar sobre a pressão dos demais familiares para manter silêncio sobre o ocorrido, quando ela se tornou adulta e quis revelar o abuso, em parte por estar preocupada com outras pessoas que pudessem ser vítimas do mesmo abusador. De maneira similar, Dennis Potter, o dramaturgo da televisão britânica, abusado sexualmente por seu tio, que vivia com sua família, disse sobre como ele não podia falar sobre esse assunto porque achava que, ao fazê-lo, jogaria uma bomba sobre tudo aquilo que o fazia sentir-se seguro.

Deve ser difícil imaginar a dor e a vergonha de Tamar. Para esse fim, o melhor a fazer é retornar mais de uma vez à leitura de sua história e manter os ouvidos bem abertos às suas palavras. Em muitas culturas, o simples fato de tornar público que uma garota já teve uma experiência sexual antes do casamento tem o potencial de trazer sobre ela grande vergonha. Ela se torna um bem usado. As chances de seus pais lhe arranjarem um marido diminuem muito — eis por que a **Torá** exige que o próprio homem se disponha a se casar com ela, se ela assim desejar, especialmente no caso de estupro. Expressando de outra maneira, nessas culturas, ter relações sexuais equivale, praticamente, a consumar um casamento. Relacionado a isso está o fato de Amnom falar em mandá-la embora e ela protestar contra esta ação; "mandar embora" é também um verbo que denota "divórcio". Ela é expulsa da casa que, por direito, deveria ser agora sua, e a porta é trancada após ela sair. Ao levar alimento para o irmão doente, ela é envolvida num pesadelo: forçada ao sexo contra a vontade, repudiada e envergonhada. Sua vida foi arruinada. Colocar terra ou cinza sobre a cabeça, **chorar** em voz alta, segurar a cabeça entre as mãos e rasgar as roupas são sinais regulares de luto: um ponto sobre esse comportamento é que a pessoa não se importa com o que vão pensar. Manter uma boa aparência seria uma contradição a como as coisas estão. Ela estava vestida como uma princesa adolescente se vestiria; não sabemos, ao certo, o significado da expressão traduzida por "de mangas compridas" (é a mesma palavra usada para descrever a túnica do sonho de José), mas, evidentemente, é um modo de se trajar que marca a sua posição na família ou na comunidade. Rasgar esse traje é especialmente revelador.

O seu pai fica contrariado com o ocorrido, mas NÃO FAZ NADA A RESPEITO. Uma vez mais, o mistério enigmático do caráter de Davi vem à tona. Em contextos militares e políticos, ele pode ser decisivo, mas em questões familiares ele é desconcertante e inexplicavelmente omisso. A tradução do **texto**, no grego antigo, acrescenta que o problema de Davi é o fato de Amnom ser o seu primogênito, o que é uma reflexão plausível, embora isso torne a inação de Davi ainda mais grave. Trata-se do filho que deve ser o sucessor, e seu comportamento é similar ao de seu pai, no passado: "Eu sou o rei atual/futuro e posso fazer o que quiser." Talvez o fato de Amnom ser o filho mais velho seja o motivo da estranha omissão de Davi. Ele se vê em Amnom.

A reação de Absalão é, a princípio, enigmática de uma outra maneira. Ele é um daqueles que aconselha a irmã a guardar silêncio sobre o ocorrido. A roupa suja da família não deve ser lavada em público, especialmente o linho da família real. Todavia, é como se aquele evento corroesse Absalão por dentro. A cada novo dia, no desjejum, ele encontra a irmã, a quem convidou para morar em sua casa, com os olhos escuros de tanto chorar, suas roupas de princesa jamais restauradas, não tendo, aparentemente, outra escolha senão o desapego pela própria vida. Com o passar do tempo, ele desenvolve um plano que envolve convidar seu pai e seus irmãos à celebração que, em geral, ocorre por ocasião da tosquia das ovelhas. Davi sente algo no ar; na realidade, os seus serviçais dizem que Absalão está tramando o assassinato de Amnom desde o estupro. Os capítulos posteriores nos contarão sobre a tentativa de Absalão de tomar o trono de seu pai, e pode ser que o seu plano em relação a Amnom também contemple suas intenções futuras em direção ao trono. Davi declina de ir à celebração de Absalão e não dá permissão a Absalão para convidar Amnom (o aparente herdeiro do trono), mas Absalão o faz de qualquer modo, e, de sua parte, Amnom falha em suspeitar do convite.

É possível que Amnom tenha vivido por dois anos com a carga de seu ato e, no subconsciente, esteja disposto a enfrentar o seu destino. Todavia, com respeito a todos esses assuntos o texto mantém silêncio. Ele pouco revela sobre os sentimentos e motivação dos envolvidos, mas deixa a reflexão para nós. O texto faz o mesmo em não tecer nenhum juízo moral sobre os acontecimentos, não por desconsiderar que a história descreva eventos moralmente horríveis, mas por presumir que podemos compreender a natureza do que eles são. Em ambas as conexões (o psicológico e o moral), deixar as coisas sem ser ditas nos leva a fazer julgamentos e, portanto, nos envolve de uma forma que não seríamos pessoalmente envolvidos caso o texto explicitasse todas as respostas.

Parece que Absalão está certo em avaliar que a sua vida, agora, está em perigo e, sabiamente, ele foge, buscando refúgio junto a Talmai, seu avô materno. Davi, então, fica paralisado em sua relação com Absalão. Essa paralisia leva Joabe a adotar uma ação decisiva, embora esse ato contribua para que Absalão possa organizar o seu golpe subsequente e com a maneira pela qual o juízo divino prevalece em todos esses eventos. Uma vez mais, Davi é a vítima ou o beneficiário de uma parábola. A história contada pela mulher é totalmente funcional, assim como a parábola de Natã. De novo, ela penetra na pele de Davi. Para os propósitos da história, Davi tem apenas dois filhos, Amnom e Absalão, e os demais são ignorados. Um matou o outro, e a aceitação de Davi quanto ao autoexílio de Absalão significa que o filho está morto para ele e Israel. Ele concorda que, se é capaz de perdoar o fictício filho assassino da mulher, deveria restaurar o seu próprio e real filho assassino, embora o faça de maneira parcial. Isso parece razoável, mas pode abrigar outro aspecto de bastidor para os futuros problemas que surgirão.

2SAMUEL **14:25—16:23**

O GOLPE DE ABSALÃO

[25]Comparado com Absalão, não havia ninguém em todo o Israel a ser tão admirado pela beleza. Desde a planta de seu

pé até a coroa de sua cabeça, não havia nenhum defeito nele. [26]Quando ele raspava a sua cabeça (ao fim de cada ano ele raspava, porque era muito pesada para ele, de modo que a raspava), ele pesava o cabelo em sua cabeça, duzentos siclos pelo peso real. [27]Havia nascido a Absalão três filhos e uma filha, chamada Tamar; ela se tornou uma linda mulher. [28]Absalão morou em Jerusalém por dois anos, mas não foi à presença do rei. [29]Então, Absalão chamou Joabe para mandá-lo ao rei, mas [Joabe] não foi até ele.

[Nos versículos 30-32, *Absalão manda incendiar o campo de cevada de Joabe para persuadi-lo.]*

[33]Então, Joabe foi ao rei [...] e ele convocou Absalão. Ele foi ao rei e se curvou diante dele, com o rosto em terra, e o rei abraçou Absalão.

CAPÍTULO 15

[1]Algum tempo depois, Absalão preparou para si uma carruagem, cavalos e cinquenta homens que corriam à sua frente. [2]Absalão se levantava cedo e ficava ao lado da estrada para o portão. Quando alguém tinha um caso a levar ao rei para uma decisão, Absalão o chamava: "De que cidade você vem?", e a pessoa dizia: "O teu servo vem de um dos clãs israelitas", [3]Absalão lhe dizia: "Veja, as suas declarações são boas e honestas, mas não há ninguém para ouvir você em nome do rei." [4]Absalão dizia: "Se apenas alguém me fizesse uma autoridade no país para que qualquer um com um caso para decisão pudesse vir a mim, eu asseguraria os seus direitos." [5]Quando alguém se aproximava para curvar-se diante dele, ele estendia a mão, o segurava e o abraçava. [6]Absalão agia dessa maneira com todo o Israel que vinha ao rei para uma decisão. Assim, Absalão roubou o coração dos israelitas.

[Segundo Samuel 15:7—16:23 relata como Absalão consegue fazer-se rei em Hebrom. Davi foge com sua família, acompanhado de algumas tropas leais a ele. Ele deixa para trás

dez esposas secundárias para cuidarem do palácio, Zadoque e Abiatar, os sacerdotes, com o baú da aliança, e um aliado chamado Husai, para fingir ser leal a Absalão. Igualmente, Mefibosete permanece em Jerusalém, imaginando que o conflito possa fazê-lo ganhar o trono de Saul, de modo que Davi entrega a sua propriedade a Ziba, criado de Mefibosete. Outro apoiador de Saul, Simei, lança insultos a Davi enquanto ele passa, mas Davi impede que ele seja morto. Enquanto isso, Absalão chega em Jerusalém, vindo de Hebrom.]

Quando eu era um pastor assistente, uma figura política proeminente na Igreja da Inglaterra veio discursar numa conferência em nossa igreja; ele falou sobre as políticas pelas quais estava trabalhando na Igreja da Inglaterra. Ficou evidente que aquele homem era um habilidoso operador político; ele conhecia o caminho das pedras. Durante o seu discurso, meu reitor sussurrou no meu ouvido: "É muito bom que esse homem seja cristão, pois ele seria um trapaceiro caso não fosse." De fato, é difícil ser alguém devotado a Deus e, ao mesmo tempo, hábil em fazer as coisas acontecerem. É mais fácil ser alguém dedicado a Deus sem ter essa habilidade de negociador, ou ser um cristão que parece tão implacável quanto as demais pessoas do mundo.

Em que pese o fato de as falhas morais de Davi serem realmente graves, ele se torna um padrão para avaliação de reis, como vemos em comentários sobre se o rei fez ou não "o que o Senhor, seu Deus, aprova", como "Davi, seu predecessor" (2Reis 16:2). Observamos que essa avaliação favorável se torna mais compreensível quando consideramos a base das críticas desses futuros reis. Eles são propensos a tolerar, ou mesmo incentivar, a espécie de adoração que *Yahweh* reprova totalmente (no caso em questão, sacrificar um filho a

Yahweh), ou a adoração a outros deuses. Apesar de todas as falhas de Davi e de toda a sua ignorância sobre o seu modo de relacionar-se com *Yahweh* e sua maneira de viver a vida, ele é inflexível em seu compromisso com *Yahweh*. Esse fato acompanha a história do golpe de Absalão. Em certo nível, a amotinação de seu filho advém do juízo de Deus sobre Davi por matar Urias e apossar-se de Bate-Seba, mas, em outro nível, isso resulta da própria incompetência de Davi como pai. Igualmente, a sua reação diante do golpe contrasta com a determinação de suas reações em outros contextos políticos. Isso aprofunda o mistério sobre quem Davi é. Deve haver um ponto positivo sobre contar a história de modo que sugira que Davi perdeu a sua verve. Ela traça um paralelo com outra vertente nos estágios anteriores da história davídica. Ele confia em Deus e deixa o resultado dos eventos nas mãos divinas.

Com certa ironia, Absalão é, agora, o operador político astuto. Ele é feito à imagem de seu pai por ser fisicamente atraente. Outra característica herdada do pai é a facilidade com que ele consegue a adesão das pessoas. A astúcia por meio da qual ele eliminou Amnom reaparece em sua audaciosa estratégia para obter a atenção de Joabe. Absalão estava em débito com Joabe por este manipular Davi a permitir que o filho voltasse do exílio, mas ele deixa claro a Joabe que isso não o torna um subordinado. Joabe deveria ter levado Absalão mais a sério. Assim, Absalão consegue voltar à vida pública em Jerusalém e, então, após um discreto intervalo, ele constrói uma base de poder na cidade e rouba "o coração dos israelitas" — isto é, converte o compromisso do povo a ele em vez de a Davi. Ao lograr isso, ele implica que Davi perdeu a sua força de outra maneira. Absalão oferece ao povo fazer aquilo que Davi costumava fazer, objetivando que as decisões fossem tomadas segundo o que era direito e justo

(2Samuel 8.15). Dificilmente, Absalão poderia fazer tal oferta caso Davi ainda estivesse cumprindo esse aspecto das responsabilidades de um rei.

Absalão também logra obter a cooperação de Aitofel, conselheiro de seu pai, a quem a narrativa descreve oferecendo o tipo de conselho que era tão confiável quanto um oráculo feito por um profeta. (Ironicamente, o nome Aitofel parece significar “Irmão da Insensatez”; presumidamente, trata-se de uma forma derivada de seu nome real, que pode ter sido algo como Aipelete, “Irmão da Libertação”, ou, ainda, Aibaal, “Irmão do Mestre” – o que soaria como uma homenagem a Baal.) Ele inventa uma história para explicar a necessidade de visitar Hebrom e cumprir uma promessa que havia feito quando estava no exílio, caso Deus tornasse possível o seu retorno (uma história que envolve tomar o nome de Deus em vão). Ele aproveita essa visita e, com renovada audácia, coroa a si mesmo em Hebrom, como Davi havia sido.

Mesmo quando foge, Davi demonstra a sua confiança em Deus. É como se ele pudesse se dar ao luxo de não lutar, pois Deus é a base de sua posição. Quando Zadoque, o sacerdote, traz o **baú da aliança** para acompanhar o rei, Davi o envia de volta, dizendo: “Leve a arca de Deus de volta para a cidade. Se o Senhor mostrar benevolência a mim, ele me trará de volta e me deixará ver a arca e o lugar onde ela deve permanecer. Mas, se ele disser que já não sou do seu agrado, aqui estou! Faça ele comigo o que for de sua vontade” (2Samuel 15:25-26). Além disso, enviar Zadoque de volta a Jerusalém também resultará em ter um aliado útil lá. Ao ouvir que Aitofel está entre os conspiradores, a reação de Davi foi orar: “Ó Senhor, transforma em loucura os conselhos de Aitofel.” Quando Simei grita insultos a ele e um de seus soldados deseja cortar a cabeça de Simei, a reação de Davi é sugerir que Deus enviara Simei com seus insultos e que, se Deus assim desejasse, ele é que deveria recompensar Simei por seus insultos, não Davi.

O capítulo termina com Absalão buscando o conselho de Aitofel sobre o próximo passo a ser dado por ele. Aitofel o aconselha a ter relações sexuais com as esposas secundárias de seu pai, o que seria uma maneira de reivindicá-las e de enfatizar o fato de ele ter assumido o trono como rei. Absalão segue o conselho no terraço do palácio, cumprindo ainda mais a declaração que Deus tinha feito sobre os problemas que afligiriam Davi por ele haver matado Urias e se apossado de Bate-Seba. Na verdade, o próprio comportamento e as palavras de Davi, quando ele abandona a cidade, sugerem uma atitude de penitência. Uma vez mais, o que as mulheres pensam sobre os eventos é irrelevante.

2SAMUEL **17:1—19:40**
CONSELHO SÁBIO TRATADO COMO TOLO

[1]Aitofel disse a Absalão: "Eu deveria escolher doze mil homens e partir para perseguir Davi esta noite [2]para chegar sobre ele quando ele estiver desgastado e fraco. Irei fazê-lo entrar em pânico, e toda a companhia com ele fugirá. Eu matarei apenas o rei [3]e trarei toda a companhia de volta para ti. Quando todos retornarem [exceto] o homem a quem persegues, todo o povo estará em paz." [4]As palavras pareceram sólidas aos olhos de Absalão e de todos os anciãos israelitas, [5]mas Absalão disse: "Convocarão Husai, o arquita, para também podermos ouvir o que ele diz?" [6]Então, Husai veio até Absalão, e Absalão lhe disse: "Isto é o que Aitofel falou. Devemos agir de acordo com o que ele diz? Se não, fale você." [7]Husai disse a Absalão: "O conselho que Aitofel deu desta vez não é bom." [8]Husai disse: "Sabes que teu pai e seus homens são guerreiros. Eles possuem um espírito feroz como uma ursa selvagem que perdeu os seus filhotes. E teu pai é um homem de guerra: ele não

passará a noite com a companhia. [9]Sim, ele já está, agora, escondido em um dos poços ou em algum [outro] lugar. E, quando alguns dos homens [de Absalão] caírem cedo, alguém que ouvir dirá: 'O desastre veio sobre a companhia que segue Absalão!' [10]Aquela pessoa, mesmo se for um homem forte cujo espírito é como o espírito de um leão, desmaiará totalmente, porque todo o Israel sabe que teu pai é um guerreiro, assim como são os homens fortes com ele. [11]Portanto, eu aconselho que todo o Israel, desde Dã até Berseba (como a areia da praia em números) se reúnam para unir-se a ti, e tu, pessoalmente, indo no meio. [12]Então, viremos contra ele, em algum lugar, onde ele possa ser encontrado e desceremos sobre ele como o orvalho cai sobre a terra. Nada será deixado dele e de todos os homens com ele, nem mesmo um" [...] [14]Absalão e todos os homens israelitas com ele disseram: "O conselho de Husai, o arquita, é melhor do que o conselho de Aitofel." *Yahweh* tinha ordenado a frustração do bom conselho de Aitofel para que *Yahweh* pudesse trazer problemas sobre Absalão [...] [23]Quando Aitofel viu que o seu conselho não foi seguido, ele selou o seu jumento e foi para casa, para a sua cidade. Ele deu ordens com relação a sua casa e enforcou-se. Ele morreu e foi sepultado no túmulo de seu pai.

[Os capítulos 17, 18 e 19 também relatam como Husai envia informações a Davi sobre o plano de Absalão, o que dá a Davi tempo para atravessar o Jordão. A companhia de Davi derrota a de Absalão lá, e, contrariando as ordens de Davi, os soldados matam Absalão. Quando Davi é subjugado pelo sofrimento, Joabe adverte o rei por não se importar com a dedicação de seus homens por ele. O povo, como um todo, concorda em pedir a Davi para retornar a Jerusalém como rei.]

Durante os anos 1990, houve uma crise política no Estado de Israel quanto ao bom nome do rei Davi. O ministro das

Relações Exteriores foi acusado de difamar Davi num debate parlamentar, e suas palavras incitaram três moções de desconfiança contra o governo de coalizão. Embora o partido governante tenha conseguido atravessar essa crise particular, ficou temeroso de que o incidente viesse a ter efeitos sobre a eleição geral que se aproximava, uma vez que o episódio poderia unir toda a comunidade religiosa contra o partido. O presidente da coalizão conclamou o ministro a fazer um pedido público de desculpas, mas ele não se mostrou disposto a isso, embora tenha dito que sua intenção não era difamar a imagem do rei Davi por comentários que havia feito sobre o relacionamento do rei com Bate-Seba. Suas palavras reais foram: "Nem tudo o que o rei Davi fez, seja no chão, seja nos telhados, é aceitável a um judeu ou algo que eu aprecie."

Já comentamos que Davi apresenta um caráter consistentemente misterioso e enigmático. Há muitas facetas sobre ele e muitos lados de o Antigo Testamento retratá-lo. Portanto, é possível ser seletivo nessa avaliação; na realidade, é quase inevitável. Ele pode ser retratado como um grande herói, como um grande homem de Deus, como um maquiavélico articulador, como um hábil líder e guerreiro, ou como incompetente e hesitante. De certo modo, os dilemas e as escolhas que as pessoas fazem enquanto leem a história de Davi traçam um paralelo às escolhas e dilemas que seus súditos e seus serviçais tiveram que fazer.

Talvez Absalão traduza isso. Embora ele possa ter sido movido puramente pelo egoísmo e pela ambição, ainda há alguns atenuantes para a sua ação, especialmente pela omissão de Davi em relação a Amnom e Tamar, bem como por sua (possível) negligência em assegurar que a **autoridade** fosse exercida de um modo justo para o povo. Igualmente, Aitofel simboliza isso. Talvez ele também não veja nenhum futuro para Davi, o hesitante, e tenha uma percepção de afronta pela falha de Davi em governar apropriadamente. Se for assim, parece que, no entanto, eles fizeram a escolha errada por motivos que eles podem ou não ter sido capazes de considerar. A estratégia de Aitofel era correta; é imperativo perseguir e matar Davi agora, antes de ele ter a chance de se reagrupar e se reabastecer. A estratégia de Absalão em também ouvir o conselho de Husai era, de igual modo, acertada; quanto mais conselhos você tiver, tanto mais provável será tomar uma boa decisão. O conselho de Husai era plausível o suficiente para enganar Absalão. O problema de Aitofel e Absalão era o fato de Deus não estar do lado deles. Deus tinha assumido um compromisso com Davi do qual ele não poderia recuar, mesmo Davi sendo um pai hesitante e incompetente, um rei sedutor e assassino. Sem dúvida, a aceitação do conselho de Husai pode ser explicado por sua plausibilidade; não é preciso imaginar que Deus tenha manipulado Absalão para aceitá-lo (embora em outros contextos Deus esteja preparado para agir assim). Parecia um conselho robusto, mas, na realidade, não era. O seu sucesso também está ligado ao compromisso de Deus com Davi. Deus não estava dificultando a vida de Absalão por ele ser uma pessoa perversa, mas por ele tentar eliminar o homem que Deus havia colocado no trono; ou pode-se dizer que essa era exatamente a sua perversidade. Por que Aitofel cometeu suicídio? Pelo sentimento de fracasso em levar a efeito o que precisava acontecer? Por ele saber que seus dias estavam contados quando Davi retornasse? Ou porque ele compreendeu que estivera resistindo a Deus?

A demora na ação de Absalão permitiu a Davi cruzar o Jordão, conseguir suprimentos de seus aliados ali e organizar as suas tropas. Ele cede à pressão de suas tropas para não participar da batalha e permanecer a salvo em Maanaim, onde, na prática, ele estabelece um governo no exílio. Quando as tropas saem para a batalha, a sua última ordem é para que eles sejam condescendentes com Absalão, seu filho. Todos estão cientes disso. As tropas de Davi enfrentam as muito mais numerosas forças israelitas em meio à floresta de Efraim, o que os beneficia muito mais do que se fosse em campo aberto. Segundo a narrativa, "naquele dia, a floresta matou mais que a espada". Com certa ironia, a magnífica cabeleira de Absalão fica presa entre os galhos de uma árvore sob a qual ele passava enquanto cavalgava. Sua mula prossegue, e Absalão busca refúgio na copa da árvore, mas alguns dos homens de Davi o veem ali e contam a Joabe, o comandante deles. Apesar das ordens de Davi, Joabe e alguns de seus homens matam Absalão. Isso acarreta o fim da batalha; o exército de Absalão foge. Joabe envia mensageiros para contar a Davi as boas-novas, mas ele se desespera ao ouvir que Absalão está morto; "Ah, meu filho Absalão! Meu filho, meu filho Absalão! Quem me dera ter morrido em seu lugar! Ah, Absalão, meu filho, meu filho!"

O pragmático Joabe adverte Davi de que o seu abatimento pela morte do filho ameaça, uma vez mais, solapar o apoio de seus homens, já que eles se sentem envergonhados pela vitória em vez de estarem orgulhosos dela. Ele se preocupa com os seus inimigos (o que parece bom), mas age com inimizade em relação às pessoas que se importam com ele (o que é, na melhor das hipóteses, pouco sábio). O comportamento de Davi passa a ideia de que ele estaria contente caso Absalão estivesse vivo e seus próprios apoiadores estivessem todos mortos. Um líder não pode permitir que considerações familiares dominem a sua vida. Assim, Davi se recompõe e recebe as suas tropas, e o povo, como um todo, relembra os motivos pelos quais, outrora, era feliz por ter Davi como rei. Dessa forma, Davi consegue encorajar as pessoas a dar as boas-vindas ao seu retorno. Ele resiste a qualquer tentação ou pressão para vingar-se das pessoas que o rejeitaram, mas recompensa as pessoas que o apoiaram.

2SAMUEL **19:41—21:22**
CÁLCULO DE LÍDER E AMOR DE MÃE

[Segundo Samuel 19:41—20:26 relata conflitos adicionais entre os clãs do norte e Judá sobre o reassentamento de Davi e descreve uma outra rebelião contra Davi, liderada por um homem chamado Seba, à qual Davi também coloca um fim.]

CAPÍTULO 21

[1]Nos dias de Davi, houve fome por três anos, ano após ano. Então, Davi buscou uma audiência com *Yahweh*, e *Yahweh* disse: "É em conexão com Saul e a casa manchada de sangue, porque ele matou os gibeonitas." [2]Assim, o rei convocou os gibeonitas e lhes falou. (Os gibeonitas não eram israelitas, mas, sim, parte do que foi deixado dos amorreus, e os israelitas tinham feito um juramento a eles, mas Saul tinha tentado eliminá-los em seu zelo pelos israelitas e por Judá.) [3]Então, Davi disse aos gibeonitas: "O que devo fazer por vocês? Como devo fazer expiação, para que vocês possam abençoar o próprio povo de *Yahweh*?" [4]Os gibeonitas lhe disseram: "Não temos [direito a] prata ou ouro com Saul e sua casa e não temos [direito a] determinar um homem à morte em Israel." Assim, ele disse: "Seja o que for que me disserem, eu farei a vocês." [5]Eles disseram ao rei: "O homem que acabou conosco e pensou que poderíamos ser exterminados para que não mantivéssemos um lugar em qualquer território israelita; [6]sete dos homens dentre os seus filhos devem ser dados a nós, e nós os empalaremos diante de *Yahweh* em Gibeá de Saul, o escolhido de *Yahweh*." O rei disse: "Eu mesmo os entregarei [...]" [10]Então, Rispa, filha de Aiá, pegou um pano de saco e o estendeu para si sobre uma

rocha desde o início da colheita até a água ser derramada sobre eles dos céus. Ela não deixou que as aves dos céus descessem sobre eles, de dia, ou as feras selvagens, de noite.

[A passagem de 2Samuel 21:11-22 relata como Davi, então, providencia um enterro apropriado aos restos mortais dos homens, bem como aos de Saul e de Jônatas, após o que Deus respondeu à oração pela nação. Ainda, reporta inúmeras batalhas efetuadas contra os filisteus.]

Sem dúvida, nos preocupamos com o que acontece aos corpos de nossos entes queridos. Minha esposa e eu, muito tempo atrás, concordamos que seríamos cremados e, então, teríamos as nossas cinzas espalhadas no vale onde passamos a primeira noite de nossa lua de mel. Agora que ela faleceu, esse será um lugar que associarei, de modo especial, a ela, o qual sempre visitarei e no qual sempre pensarei nela. Fico feliz em saber que, quando eu morrer, os meus filhos espalharão as minhas cinzas no mesmo vale para que estejamos unidos novamente. Admito que, durante alguns meses após a morte de minha esposa, às vezes me aborreci por permitir que ela fosse cremada, mesmo sabendo que a cremação apenas acelera o processo de decomposição que ocorre naturalmente quando enterramos alguém. Além disso, não sei como conciliar a dissolução de seu corpo e a dispersão de suas cinzas com o fato de que, em algum outro sentido, como pessoa ela não está naquele vale, mas adormecida, aguardando o dia da ressurreição, quando Deus nos recriará. Tampouco sei como Deus realizará essa ressurreição. O que sei é que será necessário haver algum relacionamento entre o corpo que temos e o corpos ressurreto que iremos adquirir (caso contrário, ele não será o *nosso* corpo). Desse modo, o que acontece com o nosso corpo importa.

A história de Rispa reflete esse fato, embora ela nada saiba sobre ressurreição; será uma surpresa para ela, seus filhos e os outros homens que Davi condenou à morte. Uma vez mais, a ação de Davi faz as nossas sobrancelhas levantarem. O Antigo Testamento reconhece que dificuldades como uma safra ruim (a exemplo de desastres pessoais ou enfermidades), em geral, são consideradas "coisas que acontecem", mas que também podem ser a punição divina por alguma transgressão. Seja como for, isso significa que devemos buscar a Deus e, ao fazermos isso, devemos perguntar se a calamidade é por alguma transgressão ou malfeito. No caso em questão, quando a fome perdurou ano após ano é que Davi percebeu a necessidade de fazer essa pergunta. "Buscar uma audiência com *Yahweh*" (lit., "buscar a face de *Yahweh*") implica ir à tenda do encontro, como Moisés costumava fazer, embora fazer isso também não exclua questionar o seu corpo de serviçais (incluindo os profetas) sobre possíveis explicações para as dificuldades e/ou utilizar o **Urim e o Tumim**.

De um modo ou de outro, descobre-se que Israel havia falhado em manter o compromisso assumido com os gibeonitas. Como a própria narrativa observa, os gibeonitas não eram israelitas. Eles haviam enganado Josué quanto à identidade deles e o tinham manipulado para obter de Josué uma **aliança** com eles (veja Josué 9). Na ocasião, Josué explicitamente tinha reconhecido que a ira divina cairia sobre Israel caso eles falhassem em manter o juramento feito. Evidentemente, Saul quebrou a aliança, tentando eliminar os gibeonitas, e, claro, não há estatuto de limitações aplicável a essa transgressão. A exemplo de pessoas nos Estados Unidos ou na Grã-Bretanha que ainda precisam aceitar alguma responsabilidade pelas ações de seus ancestrais em relação aos afro-americanos ou aos nativos das colônias britânicas, igualmente a geração de Davi tem de aceitar alguma responsabilidade pelas ações de seus antepassados. Então, o rei pergunta aos gibeonitas o que ele deve fazer para acertar as relações entre eles. A **Torá** inclui regras para responder a questões desse tipo, relativas a transgressões pessoais. Imagine, por exemplo, uma pessoa que destruiu a plantação de outra; ela teria que fazer uma compensação por seu ato. Num caso mais grave, caso um homem matasse o cabeça de outra família, ele teria que assumir alguma responsabilidade pela família da sua vítima.

Ironicamente, embora Josué tenha declarado que os gibeonitas estavam amaldiçoados a serem servos dos israelitas como resultado do fraudulento teatro que fizeram, agora eles é que trazem uma maldição sobre Israel; pode ser que eles tenham feito isso de modo deliberado. Davi, portanto, deseja agradá-los para que eles abençoem Israel em vez de amaldiçoá-lo — para que façam orações positivas, não negativas, pelos israelitas. A réplica dos gibeonitas é enigmática. Pode ser que eles, abertamente, reconheçam não possuir direitos legais naquela situação, ou é possível que estejam sendo apenas polidos, como os hititas com os quais Abraão foi obrigado a negociar em Gênesis 23. Seja como for, eles estão devolvendo a bola para a corte de Davi. Que espécie de oferta ele deseja fazer? O rei devolve a questão para eles. A resposta deles, então, provoca um arrepio na espinha.

No entanto, a resposta pode muito bem ter beneficiado Davi. Pode-se até mesmo questionar se essa versão abreviada da negociação omite alguma proposta de Davi que segue a mesma linha. A morte de sete pessoas mais, dentre os descendentes de Saul, decerto significa a eliminação de sete potenciais rivais ao trono. Segundo Samuel 20 encerra as inúmeras tentativas de remover Davi do trono, e os capítulos derradeiros do livro constituem uma série de apêndices à história. Não é preciso supor que esses relatos estão em ordem cronológica, pois eles fariam sentido no contexto dos anos iniciais do reinado de Davi, quando ainda era necessário consolidar a sua posição contra possíveis rivais. Essa ação o ajuda a lograr isso. Talvez os próprios gibeonitas tenham concebido os termos que lhes agradariam, e Davi aproveitou a chance para agir em benefício próprio. Ele, então, não se preocupou muito em verificar o que a Torá dizia a respeito desse pedido dos gibeonitas (resposta: não se importou mesmo, porque a Torá não acredita em pessoas sendo punidas pelas transgressões de outras, especialmente quanto a crianças sofrendo punições pelos erros cometidos por seus pais).

O Antigo Testamente menciona somente uma esposa de Saul, isto é, Ainoã, e uma **esposa secundária**, Rispa. Um preço que ela pagou anteriormente por ter se casado com Saul foi a investida sexual de Abner (2Samuel 3:7). O preço que ela, agora, paga é a morte de seus filhos, com outros cinco netos de Saul. O Antigo Testamento, em geral, aceita o fato de que, após a morte, as pessoas se unem aos seus ancestrais. Ser sepultado no túmulo de sua família adicionou um posfácio ao suicídio de Aitofel, de maneira que amenize a tragédia que foi a sua vida e a sua morte. Todavia, se os abutres e os coiotes se alimentarem de seu corpo, não haverá quase nada a ser enterrado; o preço que você paga ao morrer é aumentado pelo preço pago após. Rispa não permite que isso aconteça, e sua ação, talvez, tenha sensibilizado a consciência de Davi, que, então, vê a necessidade de providenciar um sepultamento apropriado não somente para os sete mortos, mas também aos corpos de Saul e Jônatas. Essa ação também lhe traria uma associação positiva com a família de Saul, desencorajando a mensagem de que ele era uma traidor de Saul que não deveria ser aceito como o sucessor do rei morto. Ao mesmo tempo, era um gesto de reverência adequado. Foi após esse ato reverente (não após a execução) que Deus respondeu às orações pelo término da onda de fome. Quem pode dizer quais eram as intenções de Davi? A ambiguidade da história, uma vez mais, atua para nos lembrar de sermos realistas quanto à natureza difusa de nossos próprios motivos e, em especial, quanto à mescla de interesses que afeta as pessoas em posições de liderança.

2SAMUEL **22:1-20**
O DEUS DA TEMPESTADE

[1]Davi falou as palavras de seu cântico a *Yahweh* no dia em que *Yahweh* o resgatou das mãos de todos os seus inimigos e das mãos de Saul.

[2]"*Yahweh*, meu rochedo, minha fortaleza, meu resgatador,
[3]Deus que é a minha rocha na qual me refugio!
Meu escudo, o chifre que me liberta; meu baluarte,
meu refúgio, meu libertador: tu me livras da violência.
[4]Clamo a *Yahweh*, aquele que deve ser louvado, e de meus inimigos encontro libertação.
[5]Pois ondas de morte me subjugaram, torrentes de destruição me tragaram,
[6]As cordas do Sheol me envolveram, os ardis da morte me confrontaram.
[7]Em minha vulnerabilidade, clamei a *Yahweh*, ao meu Deus eu clamei.
Ele ouviu a minha voz de seu palácio, meu grito de socorro em seus ouvidos.
[8]Então, a terra tremeu e balançou, as fundações dos céus estremeceram, eles tremeram porque ele estava furioso.
[9]Fumaça subiu de suas narinas, e fogo consumidor, de sua boca; brasas brilharam dela.

[10]Ele espalhou os céus e desceu, com nuvem de tempestade sob seus pés.

[11]Ele montou em um querubim e voou e apareceu sobre as asas do vento.

[12]Ele fez da escuridão ao redor dele a sua tela — uma massa de água, nuvens de névoa.

[13]Do brilho diante dele, brasas ardentes flamejaram.

[14]*Yahweh* trovejou dos céus, o Altíssimo soltou a sua voz.

[15]Ele atirou flechas e as espalhou, [atirou] relâmpagos e retumbou.

[16]Os canais do mar se tornaram visíveis, as fundações do mundo ficaram à vista.

[17]Ele mandou do alto e me segurou, tirou-me de águas poderosas.

[18]Ele me resgatou do meu inimigo, do forte, de meus adversários, porque eles eram muito poderosos para mim.

[19]Eles me confrontaram no dia da minha calamidade, mas *Yahweh* tornou-se o meu amparo.

[20]Ele me trouxe a um lugar amplo; ele me resgatou porque se agradou de mim."

A conhecida canção diz: "Nunca chove no sul da Califórnia", mas ela prossegue comentando como ninguém alerta você sobre quanto, às vezes, chove. Eu mesmo jamais precisei usar galochas na Grã-Bretanha, onde, em geral, temos somente chuvas leves, embora sejam mais frequentes. Em Los Angeles, certa feita, fui surpreendido por um aguaceiro durante três minutos e fiquei tão molhado quanto se tivesse entrado no chuveiro sem tirar a roupa. Todavia, nenhuma chuva britânica é comparável a uma tempestade que enfrentamos, certa ocasião, dirigindo numa estrada no sul da França. Em pleno dia, o céu ficou tão escuro quanto a noite, exceto nos momentos em que sucessões de relâmpagos iluminavam o céu por alguns instantes. A chuva caía como uma cachoeira, e a terra estremecia.

Esse "cântico" davídico pressupõe que o compositor conhecia tempestades assim. O fato de Davi ter "falado" a canção não significa que ele mesmo a tenha composto; como os presidentes, presume-se que os reis não escrevam os seus próprios discursos ou canções. Não obstante, evidentemente, Davi e/ou o autor de 2Samuel imaginou/imaginaram que era um cântico apropriado aos lábios do rei.

Pode-se constatar isso pelas palavras iniciais do cântico. Há uma sequência de imagens para glorificar a Deus como o grande protetor. Essa é a maneira pela qual Deus provou ser Deus para Davi naqueles anos de fuga da fúria de Saul. Deus foi um rochedo no qual ele pode subir, um escudo atrás do qual Davi pode se proteger, um refúgio no qual se esconder. Deus foi um chifre — isto é, Deus agiu com a força e a agressividade de um touro com seus chifres. Deus poderia, portanto, afastar qualquer um que atacasse Davi com violência, tal como Saul fizera inúmeras vezes. Nessas ocasiões, parecia como se a morte estivesse prestes a envolvê-lo, como se o **Sheol** estivesse pronto a tragá-lo antes do tempo. Aquelas foram as circunstâncias nas quais Davi resistiu a qualquer tentação de agir com violência contra o seu rei. Ele confiou na proteção de Deus, e foi protegido. Em meio a essas circunstâncias, em lugar de reagir, Davi clamou ao seu Rei.

Ao se tornar rei em Jerusalém, Davi passou a viver num palácio na parte mais elevada da cidade. Em nosso comentário sobre a história de Bate-Seba, observamos que essa posição permitia ao rei manter-se vigilante quanto aos eventos que ocorriam na cidade abaixo. Esse fato fornece a Israel uma forma de visualizar o relacionamento de Deus com o mundo. Deus vive em um palácio celestial do qual é possível olhar para baixo e observar o que acontece aqui (decerto, alguns israelitas compreendiam tratar-se de uma metáfora, enquanto outros eram mais literais quanto a essa imagem). Além disso, um cidadão pode ir ao palácio e pedir ao rei para verificar e intervir quando outro cidadão está agindo de modo injusto; qualquer ser humano pode, igualmente, apelar ao Rei celestial para fazer prevalecer a justiça.

Como é quando o Rei celestial age? As realidades da terra, dos céus e do espaço entre eles, uma vez mais, fornecem um modo de retratar o que acontece. A tempestade que experimentei nos Alpes propicia ao compositor uma forma de retratar Deus vindo dos céus e agindo com efeito na terra. Deus vem sobre uma carruagem que é carregada por **querubins** e impulsionada pelo vento. As nuvens de tempestade formam o cenário que protege a humanidade de ver Deus e, portanto, de ficar cega. Os trovões são o rugir de *Yahweh*. Os relâmpagos são as flechas ardentes atiradas por Deus. Até mesmo os mares são divididos de modo que os reservatórios de água ocultos sejam expostos.

A importância desse resultado aparece em algumas das linhas que precedem e seguem a canção. Davi vive em constante perigo de morte, em situações nas quais ele encarava a morte de frente. É como se a morte ou o Sheol tivesse cordas com as quais pudesse capturá-lo, como um caçador aprisiona um animal selvagem, ou como se a morte ou o Sheol fosse uma inundação de águas com força suficiente para tragá-lo, ou como se ele já estivesse morto e enterrado na terra. Em situações assim, Deus desce para nos resgatar do caçador inimigo ou divide o mar para alcançar essas inundações, ou vai até o reino debaixo deste mundo terreno para onde a morte quase nos leva. O fato de esse cântico parecer uma versão levemente diferente do salmo 18, com uma ligação nessa narrativa, indica que ele é designado a ser usado por pessoas como nós, em nossa oração e adoração; não somente para Davi.

A implicação da linguagem usada no cântico não é de que a ação divina envolva, de fato, uma ruidosa tempestade — pelo menos, quando o Antigo Testamento retrata Deus agindo no mundo, não tem por hábito referir-se a tempestades. O cântico é uma obra de poesia; a tempestade propicia uma forma de descrever os dramáticos resultados da ação divina no mundo. A sobreposição entre o literal e o metafórico aparece no versículo 18, quando a letra fala de um inimigo forte (que soa como a personificação da Morte), mas, então, faz referência aos adversários poderosos (no plural). Os ataques *do* inimigo vêm na forma dos ataques desses adversários; os ataques deles sãos os meios pelos quais a Morte busca tragar alguém antes do tempo. A chegada de Deus e a ação divina contra a Morte para trazer **libertação** assumem a forma de um miraculoso livramento das mãos desses adversários que a pessoa sob ataque experimenta. Antes disso ocorrer, a pessoa estava sob restrição (a palavra hebraica para *vulnerabilidade* sugere estar confinado em um lugar apertado); quando isso acontece, ele ou ela é levado(a) a um lugar de liberdade, a um "lugar amplo."

2SAMUEL **22:21-51**

TENHO GUARDADO OS CAMINHOS DE *YAHWEH*?

[21]"Ele me pagou de acordo com a minha fidelidade; de acordo com a pureza de minhas mãos, ele me recompensou.

[22]Pois guardei os caminhos de *Yahweh* e não fui infiel ao meu Deus.

[23]Pois todas as suas regras estão diante de mim; suas leis — eu não me afastei delas.

[24]Eu fui uma pessoa de integridade para com ele e me guardei da transgressão que pudesse ter feito.

[25]Então, *Yahweh* me recompensou de acordo com a minha fidelidade, de acordo com a minha pureza diante de seus olhos.

[26]À pessoa comprometida te mostras comprometido, ao guerreiro de integridade mostras integridade.

[27]Ao puro tu mostras pureza, mas ao desonesto te mostras refratário.

[28]Aos humildes libertas, mas desvias teus olhos das pessoas importantes.

[29]Porque tu, *Yahweh*, és a minha lâmpada; é *Yahweh* quem ilumina minhas trevas.

[30]Porque contigo posso avançar contra uma barricada, com meu Deus posso escalar um muro.

[31]Deus: teu caminho tem integridade, a palavra de *Yahweh* é provada; ele é um escudo a todos os que buscam refúgio nele.

[32]Pois quem é Deus à parte de *Yahweh*, quem é um rochedo à parte de nosso Deus?

[33]Deus é a minha fortaleza, [minha] força; ele liberou aquele que estava de pé em seu caminho.

[34]Ele é quem faz as minhas pernas como as da corça, capacita-me a permanecer nas alturas.

[35]Ele é quem treina as minhas mãos para a batalha; meus braços podem dobrar um arco de bronze.

[36]Tu me dás o teu escudo que liberta; a tua resposta me fez grande.

[37]Tu me deste espaço sob os meus passos; meus tornozelos não desistiram.

[38]Persegui meus inimigos e os aniquilei; não retornei até que tivesse acabado com eles.

[39]Eu os consumi, os despedacei, eles não puderam se levantar; caíram debaixo de meus pés.

[40]Tu me cingiste com força para a batalha; colocaste meus adversários debaixo de mim.

[41]Tu fizeste meus inimigos fugirem de mim, meus oponentes; e os eliminaste.

[42]Eles buscaram, mas não havia libertador, [olharam] para *Yahweh*, mas ele não respondeu.

[43]Eu os golpeei como o pó da terra; como a poeira nas ruas, eu os esmaguei, os venci.

[44]Tu me resgataste dos conflitos do meu povo; preservaste-me como cabeça das nações, um povo que não reconheci me serve.

[45]Estrangeiros se encolhem diante de mim; ao ouvirem com seus ouvidos, eles me atendem.

[46]Estrangeiros murcham; eles saem tremendo de suas fortalezas.

[47]*Yahweh* vive! Louvado seja o meu rochedo! Deus, o rochedo, minha libertação, deve ser exaltado.

[48]Deus, que me dá reparação, sujeita povos debaixo de mim,

[49]Que me resgata de meus inimigos, exalta-me acima de meus adversários, salva-me dos homens violentos.

[50]Portanto, eu te confessarei, *Yahweh*, entre as nações e farei música ao teu nome.

[51]Uma torre trazendo libertação ao seu rei, mostrando compromisso ao seu ungido, a Davi e sua semente, para sempre."

Ontem à noite, eu estava conversando com um de meus alunos que serviu nas forças norte-americanas no Iraque, numa operação antiterrorismo. A exemplo de muitos soldados, ele voltou para casa traumatizado e, por consequência, tentou conversar sobre seus traumas durante longo tempo. Há uma resiliência nele que é um de seus pontos fortes, mas que, ao mesmo tempo, manifesta-se como uma inadequação em seus relacionamentos e como certa incoerência em seu modo de articular as coisas. Embora eu não conheça como ele era antes de participar dessas missões, não consigo evitar a percepção de que ele voltou com feridas em seu espírito, apesar da ausência de ferimentos em seu corpo. Sinto-me especialmente impactado pelo fato de ele não ser o único aluno que deixou de ser soldado para ser um pacifista. Às vezes, parece que o mundo cristão é dividido entre os que são entusiasmados pela guerra e os que são pacifistas absolutos; talvez a natureza dos conflitos modernos tenha tornado mais difícil manter uma posição intermediária entre esses dois extremos.

A nossa consciência dos traumas causados pela guerra aos militares que dela participam nos faz questionar como Davi foi afetado por sua vida de guerreiro. Ler as entrelinhas de sua história como um todo nos faz refletir se essa experiência militar não influencia, de alguma forma, o enigma da pessoa que ele é. Não obstante, o mais estranho sobre esse salmo é que ele não leva a nenhuma reflexão sobre essa questão. O fato de haver pessoas que passam de combatentes comprometidos a pacifistas resolutos reflete a ambiguidade (para dizer o mínimo) do envolvimento num conflito militar. O cântico não reconhece essa ambiguidade.

A passagem anterior (2Samuel 22:1-20) terminou com uma declaração de que Deus deu a vitória a Davi porque "agradou-se" dele. O que levou Deus a agradar-se de Davi? Não é possível explicar por que Deus escolhe alguém e, talvez, também não seja possível explicar por que Deus se regozija com alguém. Esse sentimento é fruto da **fidelidade**, do **compromisso**, da integridade, da pureza das mãos, de trilhar nos caminhos de Deus, de viver pelos preceitos de Deus e de evitar a infidelidade e a desobediência.

Tais alegações têm a capacidade de preocupar os leitores cristãos como uma questão de princípios porque soam como autojustificação. No entanto, tanto o Antigo quanto o Novo Testamentos expressam a convicção de que há algo estranho caso pessoas supostamente comprometidas com Deus não possam fazer alegações dessa espécie (no Novo Testamento, veja, p. ex., 2Timóteo 3:10—4:9). Tais afirmações não significam ausência de pecado; apenas implicam que a vida daquela pessoa é orientada em uma direção, não em outra.

Assim, a princípio, um cântico não deve ser considerado estranho por contemplar tais alegações. O estranho é elas serem oriundas dos lábios de Davi. Existem inúmeras considerações que emergiram anteriormente na história de Davi que podem estar por trás delas. Já observamos que as recorrentes declarações do Antigo Testamento sobre a fidelidade de Davi fazem sentido caso as relacionemos ao seu compromisso com *Yahweh*, em vez de a outros deuses, e a formas de adoração aprovadas por *Yahweh*, em lugar das proibidas por ele, tais como a adoração por meio de imagens ou de sacrifício humano (embora o cap. 21 possa ter prejudicado essa alegação). Nos lábios de Davi, esse cântico constitui um grande reconhecimento por parte de um incrivelmente bem-sucedido guerreiro e rei de sua dependência de Deus e de este Deus ser o motivo por trás de seu sucesso, embora ele mesmo seja aquele que avança, escala, persegue e despedaça.

Outra consideração é sugerida pela ambivalência quanto ao preâmbulo do cântico, que fala sobre a sua **libertação** das mãos de Saul. Seria surpreendente que Davi, ao fim de sua vida, ainda estivesse se regozijando nesse livramento em particular, em detrimento de outros que ocorreram após este. Todavia, já observamos que os capítulos derradeiros de 2Samuel constituem uma série de notas de rodapé à história principal e que o capítulo 21 relaciona-se a eventos ocorridos no tempo de Saul. Assim, é possível que esse cântico diga respeito à primeira parte da história davídica. O início de seu reinado, quando a sua libertação de Saul ainda era recente, teria sido um período mais plausível a Davi para alegar a sua fidelidade a Deus, num espectro mais amplo, do que fazer essa alegação ao fim de seu reinado. O posicionamento do cântico aqui, portanto, nos lembra, uma vez mais, da ambiguidade que caracterizou a vida de Davi. Ele era, outrora, uma pessoa íntegra, mas não permaneceu como tal.

Há uma terceira consideração relacionada. Teria o próprio Davi sido capaz de refletir sobre a sua vida? Será que alguma vez ele refletiu sobre a sua ambiguidade? Será que alguma vez ele pensou sobre a tensão entre a sua lealdade e a sua confiança em Deus e o seu fracasso como marido e pai, bem como sobre como isso afetou outras pessoas e até mesmo o exercício de seu poder? Não somos capazes de responder a essas perguntas com respeito a Davi; trata-se de um assunto entre ele e Deus. Tudo o que podemos fazer é responder às perguntas a nosso respeito.

Os seus inimigos, Davi diz, buscaram por um libertador e não encontraram nenhum. Eles buscaram em Deus, mas Deus não lhes respondeu. O próprio Davi conhece essa experiência; Deus não respondeu quando ele orou por seu filho enfermo. Talvez haja uma forma de olhar para Deus que o leva a responder e outra que o leva a nos ignorar. Contudo, temos que ser cautelosos para não pensar que devemos manter a nossa mente em torno do fundamento no qual Deus, algumas vezes, responde e, em outras, não. Quando Jó buscou a Deus, não havia nada nele que impedisse Deus de lhe responder (exceto, paradoxalmente, o fato de ele ser uma pessoa plenamente comprometida com Deus, e, com a permissão divina, esse comprometimento estava sob teste). Uma vez mais, a escolha de alguém por Deus, a sua demonstração de graça ou o seu silêncio podem refletir algo sobre o propósito maior de Deus, não algo presente ou ausente nas pessoas e comunidades envolvidas.

2SAMUEL **23:1-38**

AS ÚLTIMAS PALAVRAS DE DAVI

[1]Estas são as últimas palavras de Davi.
"Uma declaração de Davi, filho de Jessé, uma declaração do homem exaltado pelo Altíssimo,
O ungido do Deus de Jacó, do deleite das composições de Israel.

[2]O espírito de *Yahweh* falou por meu intermédio, sua mensagem estava em minha língua.

[3]O Deus de Israel disse, o Rochedo de Israel falou a mim:
'Quando aquele que governa sobre o povo é fiel, quando ele governa em reverência a *Yahweh*,

[4]Ele é como a luz da manhã quando o sol se levanta, uma manhã sem nuvens;
Por causa da claridade, por causa da chuva, há crescimento da terra.'

[5]Não está a minha casa estável com Deus, porque ele fez uma aliança permanente para mim, estabelecida em todos os aspectos e garantida?
Não trará ele à realização toda a minha libertação e todo o meu desejo?

[6]Mas os perversos são como cardos, lançados fora, todos eles, porque as pessoas não os pegam nas mãos.

[7]A pessoa que os toca se equipa com ferro ou com a madeira de uma lança, e eles são totalmente queimados onde caem."

[O restante do capítulo prossegue fornecendo uma lista com os nomes dos guerreiros de Davi e algumas de suas realizações.]

Mesmo considerando a forma de a chuva cair, viver no sul da Califórnia, é claro, deixa você mal acostumado. Meu filho e sua família vieram da Inglaterra e acabaram de passar uma semana conosco. Eles acharam graça quando me desculpei por não estar fazendo muito calor. Na realidade, este mês tem chovido muito. Ontem à noite, um amigo comentou: "Sei que você deve ficar satisfeito quando chove, mas quero deixar bem claro: 'Chega de chuva!'" Ao mesmo tempo, no dia seguinte à chuva, o ar está sempre mais limpo, com a névoa totalmente dissipada e as montanhas parecendo puras. Na primavera, então, nos maravilhamos com o verde das montanhas e as flores silvestres. Não se pode ter as duas coisas. (Bem, seria ótimo se Deus fizesse chover apenas durante a noite. Na verdade, acabei de ler que na Costa Rica o sol brilha durante toda a manhã e, então, a chuva vem depois do almoço, e o sol brilha novamente, durante a tarde. Todavia, o fato de isso não ocorrer em toda a parte mostra — como Deus indica em Jó 38 e 39 — que o mundo não é organizado apenas para o nosso benefício.)

As "últimas palavras" de Davi reconhecem a importância tanto do sol quanto da chuva. Desconhecemos em que sentido estas são as suas derradeiras palavras; o que elas oferecem é um outro olhar para a sua significância. O poema no capítulo 22 era similar a um salmo. Este poema é mais distinto, sendo chamado de *declaração*, o que, usualmente, denota uma mensagem de Deus e, assim, sugere algo como uma profecia, embora não seja sobre o futuro. O ponto é confirmado por Davi, pela descrição de que é uma mensagem que está em sua língua, porque o espírito de Deus estava falando por meio dele. Para o caso de não entendermos o ponto, Davi acrescenta ser algo dito por Deus, que ele falou. Desse modo, a mensagem é caraterizada como sendo algo que Davi e/ou Deus julga realmente importante.

Inicialmente, o poema é uma declaração geral e objetiva. Não é sobre alguém em particular; simplesmente declara como a liderança deve funcionar, com um governante sendo **fiel** e governando em reverência a Deus. No Antigo Testamento, essas são duas ideias-chave. Novamente, há certa ambiguidade ou potencial ironia no uso da palavra "fiel". Davi poderia alegar ter sido fiel a Deus pelo fato de não ter servido a outros deuses ou de não ter encorajado formas de adoração não aprovadas por Deus. Nesse sentido, fidelidade e reverência não são tão distintas entre si. As traduções, com frequência, apresentam "temor de Deus" em vez de "reverência a Deus", mas isso é enganoso. Embora existam contextos nos quais seja apropriado ter medo de Deus (p. ex., quando você faz algo seriamente errado ou quando Deus se manifesta de modo assombroso e poderoso), o mais usual é as palavras hebraicas denotarem uma atitude positiva de adoração e obediência.

Na poesia hebraica, é comum ter as duas metades de uma mesma linha expressando coisas similares com palavras diferentes. Isso, igualmente, significa que acompanhar uma referência à fidelidade com uma menção à reverência a Deus poderia implicar apenas que a fidelidade caracteriza a relação de Davi com Deus. No entanto, as alusões do Antigo Testamento à fidelidade, normalmente, aplicam-se também às relações entre seres humanos, não apenas a Deus. Essa preocupação perde prioridade na vida pessoal de Davi e em sua liderança com o passar dos anos. Então, é possível que o comentário sobre fidelidade tenha que operar dentro de uma compreensão estreita do significado dessa palavra (Davi poderia alegar ter vivido dessa maneira em relação a Deus, mas não em relação às outras pessoas). Ou pode ser que o comentário seja aplicável apenas aos anos iniciais de seu reinado. Ainda, é possível, de modo mais solene, que a definição genérica do poema sobre a liderança condene Davi, aparentemente, sem que ele reconheça isso. Ele sabe que a liderança envolve fidelidade; mas não encarou o fato de haver falhado em relação a isso. Além disso, caso devêssemos considerar que a fidelidade se aplica aos relacionamentos humanos tanto quanto ao relacionamento com Deus, a falha quanto à fidelidade suscita a questão se Davi pode realmente alegar ter vivido em reverência a Deus, porque isso também implica cumprir o que Deus diz sobre o nosso relacionamento com as demais pessoas; e Davi não tem vivido de acordo com isso.

Imagine um líder que realmente cumpra a visão de Deus ao governar em fidelidade e reverência a Deus. Eis quando entra em cena a imagem do sol e da chuva. Na natureza, o crescimento depende de ambos, do sol e da chuva. As referências hebraicas quanto à claridade e a chuva são, na verdade, um tanto obscuras, mas não há dúvida de que Davi se refere a ambos, tão certo quanto o crescimento na natureza depende da chuva e do sol. No sul da Califórnia (como em Israel), podemos ter certeza quanto à presença constante do sol e teríamos que nos preocupar com a ausência de chuva caso não captássemos água do norte do estado. Na Grã-Bretanha, podemos contar com a chuva, mas nos preocupamos com a ausência de sol. Uma colheita decente necessita de ambos. Quando você os tem, sol e chuva, então tudo floresce. De forma paralela (e Davi sabe disso), quando há uma liderança que prioriza a fidelidade e a reverência a Deus, então a sociedade floresce.

Acabei de responder a um *e-mail* de uma aluna sobre um artigo que ela precisa escrever. Ela pretende considerar os reinados de Saul, Davi e Salomão à luz do que Ezequiel afirma sobre bons e maus "pastores" — isto é, reis; e ela quer, então, refletir sobre esse tema com base em como pensamos em liderança na igreja, considerando o que diz o Novo

Testamento. Na verdade, considerei ser essa uma grande ideia, mas lhe disse que, ao refletir sobre as implicações do Antigo Testamento, hoje ela não deveria restringir-se a pensar sobre liderança na igreja. Saul, Davi e Salomão eram reis, e a imagem dos pastores no Antigo Testamento é uma imagem para reis. Assim, a significância de seu estudo está relacionada à nossa compreensão e à nossa visão quanto aos governantes e políticos, tanto quanto às lideranças na igreja. Isso é verdadeiro quanto à visão de Davi aqui, quer ele tenha cumprido essa visão quer não.

Davi prossegue sendo ambíguo ao falar da estabilidade de sua casa. Ele está alegando que ele e a sua família têm sido estáveis em sua maneira de se relacionar com Deus? Esse não é o retrato que a narrativa transmite ao leitor. Ou Davi quer dizer que eles são estáveis no sentido de que Deus os guardará seguros no trono? Isso não deve ser considerado garantido, como os capítulos anteriores bem mostram. Assim, é significativo que Davi vincule a estabilidade de sua casa à **aliança** que Deus estabeleceu com ele. Considerando que Davi e a sua casa não são muito estáveis em sua fidelidade e reverência a Deus, é justo imaginar que essa aliança é mais como a aliança de Deus com Noé e com Abraão do que como a aliança no Sinai ou a de Deuteronômio. Ou seja, trata-se de um compromisso que apenas Deus decide assumir; não é uma resposta de Deus a qualquer merecimento de Davi, assim como as alianças com Noé após o dilúvio e a aliança com Abraão não foram fundamentadas no merecimento deles. As promessas de Deus a Davi em 2Samuel 7 deixam isso explícito. Deus exaltou Davi e o ungiu. Davi se tornou a pessoa sobre a qual Israel amava contar histórias e entoar canções. Deus abriu mão da opção de ser livre para desistir do compromisso com Davi. A aliança de compromisso de Deus com Davi é aquela à qual seus sucessores e seu povo, como um todo, sempre poderão apelar. Sim, a sua casa será estável. Deus os manterá no trono.

A ambiguidade e a ironia continuam nas duas últimas linhas do poema. O sol e a chuva fazem coisas boas crescerem; também contribuem para o crescimento de cardos, e estes não são apenas inúteis, mas também nocivos. Jamais esquecerei a nossa primeira viagem a Israel, quando eu e meus filhos pequenos ficamos com as mãos cheias de espinhos de cactos que jamais tínhamos visto. Assim, você não deve tocá-los com as mãos nuas, Davi adverte, mas usar alguma ferramenta para reuni-los e queimá-los (as partes espinhosas, pelo menos). Eis o que ocorre a pessoas que manifestam perversidade e irreverência em lugar de fidelidade e reverência a Deus. O fato de a aliança de Deus com Davi ser uma iniciativa da vontade divina, não das ações e atitudes de Davi, não significa que o comportamento e as decisões de Davi não importam. O compromisso de aliança de Deus demanda uma resposta. Não se pode confiar na graça divina sem dar a devida importância à reação da parte humana.

2SAMUEL **24:1-16A**

PREFIRO CAIR NAS MÃOS DE DEUS A CAIR NAS MÃOS DOS HOMENS

[1]A ira de *Yahweh* se acendeu contra Israel novamente, e ele incitou Davi contra eles, dizendo: "Vá e conte Israel e Judá." [2]Então, o rei disse a Joabe, o comandante do exército com ele: "Vá por todos os clãs israelitas, de Dã a Berseba, e avalie a companhia, para que eu possa saber os números da companhia." [3]Joabe disse ao rei: "Que *Yahweh*, o teu Deus, de fato, acrescente à tua companhia cem vezes mais, comparado com o que eles são agora, enquanto os olhos de meu senhor veem, mas por que meu senhor, o rei, deseja isso?" [4]Mas a palavra do rei foi firme com Joabe e com os oficiais do exército. Assim,

Joabe e os oficiais do exército deixaram a presença do rei para avaliar a companhia, Israel. [5]Eles atravessaram o Jordão e acamparam em Aroer, à direita da cidade, que fica no meio do canal de Gade, e [prosseguiram] para Jazar. [6]Eles chegaram a Gileade, à terra de Tatim-Hodsi, a Dã-Jaã e ao redor de Sidom. [7]Eles chegaram à fortaleza de Tiro e a todas as cidades dos heveus e dos cananeus e seguiram para o Neguebe de Judá (Berseba). [8]Eles foram por todo o território e, ao fim de nove meses e vinte dias, chegaram a Jerusalém. [9]Joabe deu ao rei os números da avaliação da companhia: Israel chegou a oitocentos mil soldados empunhando a espada, e os homens de Judá chegaram a quinhentos mil.

[10]A consciência de Davi o atacou após ele ter contado a companhia. Davi disse a *Yahweh*: "Agi muito erroneamente naquilo que fiz. Mas agora, *Yahweh*, removas a transgressão de teu servo, porque fui muito estúpido." [11]Quando Davi se levantou de manhã, a palavra de *Yahweh* veio ao profeta Gade, o vidente de Davi: [12]"Vá e fale a Davi: '*Yahweh* disse isto: Estou oferecendo três coisas a você. Escolha uma delas, e eu a farei a você.'" [13]Então, Gade foi a Davi e lhe falou. Ele lhe disse: "São sete anos de fome a virem sobre você na terra, ou você deve passar três meses em fuga de seus inimigos enquanto eles o perseguem, ou deve haver três dias de epidemia em sua terra? Agora, reconheça e veja que resposta eu devo dar àquele que me enviou." [14]Davi disse a Gade: "Estou muito vulnerável. Deixe-nos cair nas mãos de *Yahweh*, porque a sua compaixão é grande. Eu não cairei nas mãos humanas." [15]Então, o Senhor enviou uma epidemia sobre Israel, desde aquela manhã até o tempo estabelecido, e ali morreram da companhia, de Dã até Berseba, setenta mil homens. [16a]O ajudante estendeu a sua mão sobre Jerusalém para destruí-la, mas *Yahweh* se arrependeu da calamidade e disse ao ajudante que estava destruindo a companhia: "Isso é o bastante! Agora, abaixe a sua mão!"

Por uma feliz coincidência, este mês é de recenseamento nos Estados Unidos. Há muita propaganda governamental incentivando a população a não esquecer de preencher os formulários; mesmo nos anúncios, durante os serviços na igreja, essa exortação é repetida, e o governo contrata centenas de pessoas para ir a um terço das casas dos norte-americanos que não devolvem os seus formulários. "Não podemos avançar até você enviar as suas respostas", adverte o lema da campanha. Esse recenseamento será usado para decidir quantos assentos um estado terá na Câmara dos Representantes. Ele fornecerá uma base para decidir sobre despesas quanto a serviços e infraestrutura. Há pessoas que se opõem ao recenseamento porque o considerarem uma invasão de privacidade e pela suspeita de intervenção governamental na vida dos cidadãos.

O censo de Davi e a desaprovação divina tiveram um pano de fundo distinto. Em si mesmo, não havia nada errado em realizá-lo. Deus determinou um recenseamento após os israelitas saírem do Egito e ainda outro quando eles estavam prestes a entrar em Canaã (veja Números 1 e 26). Em parte, isso visava atender necessidades similares a um censo moderno. A terra devia ser distribuída de um modo apropriado entre os clãs de Israel, e, claro, seus respectivos números eram importantes nesse aspecto; esse foi o motivo pelo qual os levitas não foram incluídos no levantamento, já que a eles nenhuma porção de terra seria distribuída. O recenseamento de Davi, agora, tem uma motivação distinta. Quando ele ordena Joabe a realizar o censo, algumas traduções expressam que ele está pedindo o levantamento de toda a população. No entanto, há inúmeras histórias em 1 e 2Samuel nas quais a palavra hebraica para "povo", na verdade, implica exército — nesses casos, tenho usado a palavra "companhia" porque ela é tanto uma palavra cotidiana quanto um termo militar. Aqui, o recenseamento é realizado pelos militares, e a contagem de seus resultados refere-se à quantidade de homens empunhando uma espada em **Efraim** e em **Judá**. Na realidade, Davi está avaliando o tamanho de seu poderio militar.

É aí que reside, pelo menos, parte do problema. A implicação de que o tamanho do exército é de fundamental importância para a sobrevivência e o florescimento da nação. Pode-se alegar em sua defesa que Davi está apenas sendo um líder responsável e pensando na estratégia militar, mas histórias como a de Gideão, em Juízes 7, lembram a Israel que, quando Deus está envolvido, o tamanho do exército não é o fator crucial – ou nem sequer um fator a ser levado em conta – na execução do propósito de Deus. Davi se esqueceu de uma consideração crucial para todo líder do povo de Deus.

A execução da decisão de Davi revela outro aspecto do problema. Os oficiais do exército vão por todo o país, com a narrativa descrevendo os limites da área recenseada por eles. O censo começa com o território israelita do outro lado do Jordão, o que é suficientemente justo, e, então, segue nas direções norte e oeste, mas antes de seguir o caminho sul, rumo ao Neguebe, direciona-se à Fenícia, na região do Líbano moderno, uma área ocupada por heveus e **cananeus**. Politicamente, eles fazem parte do pequeno império controlado por Davi, mas não há algo questionável no fato de eles serem contados como parte de Israel e incluídos nas forças militares israelitas? Paradoxalmente, até mesmo Joabe e outros oficiais do exército reconhecem que o censo de Davi é uma ideia discutível, embora não digam porque estão desconfortáveis em realizá-lo. Talvez eles compartilhem do incômodo sobre o censo que é percebido em outras sociedades tradicionais. Recensear dá azar, e as pessoas ou animais que são recenseados podem morrer, em parte porque isso pode ser considerado uma expressão de orgulho ou de encorajamento a esse sentimento.

A história começa com uma declaração surpreendente quanto ao motivo pelo qual Davi decide ordenar o censo. Embora, com o passar do tempo, pareça que Deus está irado com Davi por ele ordenar o censo, a narrativa começa nos revelando que Deus está irado antes mesmo do recenseamento. A própria ideia do censo veio de Deus como uma expressão da sua ira. O motivo da ira divina não nos é revelado, talvez porque seja irrelevante para a história, já que o importante é o que vem em seguida. É possível que o narrador simplesmente desconheça a origem da ira; pode ser que a única explicação para Davi ter decidido empreender essa ação reprovável foi o fato de Deus estar zangado com ele. Falar que Deus incitou Davi a fazer aquilo não significa que o rei foi, de algum modo, forçado por Deus. A linguagem traça um paralelo com outras passagens nas quais Deus endurece o coração das pessoas ou aumenta a determinação delas. A experiência é similar a ocasiões nas quais alguém nos sugere uma ideia e a aceitamos livremente, mas depois, em retrospectiva, reconhecemos ter sido uma má ideia desde o início. A história sabe que, de certo modo, Deus está por trás de tudo o que acontece, especialmente tudo o que envolve um servo de Deus como Davi, cujas ações são sobremodo importantes para o povo.

O resultado da ação de Davi nos faz recordar a história de Davi, Bate-Seba e Urias. Um lado solene desse fato é como isso confirma a nossa percepção de que nada corre bem para Davi após aquela série de eventos. Novamente, Davi faz a coisa errada e, de novo, ele percebe o erro quando já é tarde. Uma vez mais, Deus envia a Davi um de seus próprios profetas, embora nessa ocasião não seja para levar Davi a compreender o erro (ao que parece, Davi, de algum modo, já chegou sozinho a essa conclusão), mas para definir o que acontece a seguir. Davi repete palavras anteriores: "Agi muito erroneamente", embora aqui ele enfatize o reconhecimento do erro mais do que na história de Bate-Seba e Urias. E, uma vez mais, a sua ação leva a terríveis implicações para outras pessoas, que pagam o preço por seu erro, como em geral ocorre quando erramos (especialmente quando os líderes erram).

A percepção de Davi em sua resposta nos surpreende; o homem é uma desconcertante combinação de estupidez e lucidez. "É melhor cair nas mãos de *Yahweh* do que em mãos humanas", ele afirma, "porque sabemos que *Yahweh* é compassivo". O juízo que vem a seguir comprova o seu ponto. Reconhecidamente, o povo paga um preço terrível. O relato recorda a história do êxodo, na qual o destruidor de Deus exerce julgamento sobre o povo do Egito. Então, a situação inverte-se aqui, pois o anjo destruidor está exercendo juízo sobre os próprios israelitas. Como Deus pode destruir Israel da mesma maneira que destruiu os cananeus, ele também pode tratar Israel como tratou o Egito. Israel não pode confiar em sua posição de privilégio. Todavia, no último instante, Deus não pode permitir que Jerusalém seja destruída. Para as pessoas que leem essa história mais tarde, essa é uma declaração pungente. Bem mais tarde, Deus reunirá a determinação e a resolução para permitir a destruição de Jerusalém. Nesse meio-tempo, o relato encoraja as pessoas a recordarem que *Yahweh* é o Deus compassivo. Mesmo quando erramos, sempre é válido suplicar a Deus que não aplique a punição que merecemos. Talvez possamos ver essa verdade nas nações, que continuam a existir, apesar do que nós merecemos.

2SAMUEL 24:16B–25

NÃO PRESTAREI CULTO QUE NÃO ME CUSTE NADA

[16b]Então, o ajudante de *Yahweh* estava perto da eira de Araúna, o jebuseu. [17]Davi disse a *Yahweh* quando ele viu o ajudante matando a companhia – ele disse: "Ora, fui eu que agi erroneamente. Sou aquele que se extraviou. Essas ovelhas, o que elas fizeram? A tua mão deveria ser contra mim e contra a casa de meu pai." [18]Gade foi a Davi naquele dia e lhe disse: "Vá, levante um altar para *Yahweh* na eira de Araúna, o jebuseu." [19]Assim, Davi foi de acordo com a palavra de Gade, como *Yahweh* ordenara. [20]Araúna olhou para baixo e viu o rei e seus servos vindo em sua direção. Araúna saiu e curvou-se diante do rei, com o rosto em terra. [21]Araúna disse: "Por que o meu senhor, o rei, veio ao seu servo?" Davi disse: "Para adquirir a sua eira, construir um altar para *Yahweh*, para que a epidemia possa recuar do povo." [22]Araúna disse a Davi: "Pode tomá-la, meu senhor, e oferecer o que for bom aos teus olhos. Veja os bois para a oferta queimada e os debulhadores e o equipamento dos bois para lenha. [23]Tudo isso Araúna dá ao rei, Majestade." Araúna disse ao rei: "Que o Senhor, o teu Deus, o aceite." [24]O rei disse a Araúna: "Não, porque eu, definitivamente, os comprarei de você por um preço. Não oferecerei a *Yahweh*, meu Deus, ofertas queimadas que não me custem nada." Então, Davi adquiriu a eira e os bois por cinquenta siclos de prata. [25]Davi construiu um altar ali para *Yahweh* e ofereceu ofertas queimadas e sacrifícios de comunhão, e *Yahweh* respondeu às intercessões pela nação. A epidemia recuou de Israel.

Ao sairmos de um concerto ontem à noite, um de meus amigos comentou que ele sempre sai com renovada energia de ouvir música ao vivo. Também sou assim. Isso me fez recordar como me senti após um louvor dinâmico, animado e fantástico na outra semana. Todos cantávamos com grande entusiasmo, batendo palmas ritmadamente. (Na verdade, eu não batia palmas no ritmo, pois isso é um desafio para mim, mas, pelo menos, fazia barulho com as mãos com grande alegria; meus pés são ritmados.) O grupo de louvor (especialmente o guitarrista) estava em excelente forma. As três cantoras nos encorajavam com fervor. Saí do culto com minhas forças renovadas, assim como ocorrera após o concerto de música. Então, para o benefício de quem eu estava adorando?

Segundo Samuel nos surpreende seguidamente e nos faz levantar as sobrancelhas até o fim, quando o ato pecaminoso de Davi resulta no terrível julgamento que leva o rei a edificar um **altar** em torno do qual Salomão construirá o templo. Talvez parte do motivo pelo qual a história em 2Samuel 24 seja um pouco intrigante (p. ex., ao não revelar a razão da ira de Deus) relaciona-se ao fato de que o seu real interesse é como esse evento conduz à edificação desse altar, de suma importância para todas as gerações futuras de israelitas. Eles também devem achar intrigante e um pouco preocupante que o grande rei Davi não tenha, ele mesmo, construído o templo, e a história mostra alguma preocupação em deixar claro que Davi está por trás de sua construção. A narrativa em 2Samuel 7 esclarece isso de uma forma; a história atual esclarece de outra. (Por seu turno, 1Crônicas reconta a história davídica com maior ênfase no papel de Davi quanto à preparação da construção do templo e também oferece uma visão alternativa do pano de fundo quanto à decisão de Davi pelo censo. Primeiro Crônicas 21 atribui essa decisão a um "adversário", não diretamente a Deus. Algumas traduções apresentam "Satanás" em lugar de "um adversário", o que é um pouco enganoso; Crônicas tem em mente um dos subordinados de Deus no céu, por meio do qual Deus, às vezes, opera. Contudo, isso oferece uma visão das intrigantes questões levantadas pelo início dessa narrativa que, aparentemente, perturbou os israelitas, assim como nos perturba.)

Os fazendeiros posicionam a eira da família ou da comunidade em locais elevados, nos quais o vento possa separar o grão quando o fazendeiro os lança para o alto, após esmagá-los. A palha é mais leve e, assim, o vento a carrega para longe, mas o próprio grão é mais pesado e, portanto, cai de volta ao chão. A cidade de Jerusalém, ao tempo de Davi, situava-se numa posição segura, ao fim de uma pequena cordilheira, enquanto a eira de Araúna ficava numa posição mais elevada, no cume acima da cidade, e o destruidor sobrenatural está ali. Davi havia conquistado a cidade dos jebuseus, mas, evidentemente, não havia exterminado todos os seus ocupantes anteriores. Araúna, o jebuseu, pelo menos, reconhecia *Yahweh*, a exemplo de outros estrangeiros, como Urias, o hitita.

A importância do relato em conexão com a história sobre a construção do templo pode também explicar os sobressaltos com que ela é contada. Parece que mais de uma versão está combinada em 2Samuel 24, e é difícil ter clareza sobre a sequência dos eventos. A princípio, ficamos com a impressão de que o altar foi construído sobre a terra de Araúna para comemorar o fato de o **ajudante** sobrenatural estar ali quando a epidemia cessou, mas a maneira pela qual a narrativa se desenrola sugere que a construção do altar e a oferta de sacrifícios, enquanto o ajudante estava ali, foram, na verdade, o que levaram à interrupção da epidemia. Assim, o relato sobre Deus limitando os efeitos da epidemia (v. 16a) resume os resultados da história que, então, se desenrola (v. 16b-25).

Com a ousadia típica de seu relacionamento com *Yahweh*, Davi desafia Deus sobre a epidemia, a exemplo do desafio de Moisés a Deus pela punição divina sobre o povo no Sinai, após Arão ter feito o bezerro de ouro. Como nós, Davi sente-se ofendido pelo fato de o povo ter de sofrer pela transgressão que ele, Davi, cometeu. O rei também não reconhece como uma liderança má pode acarretar problemas terríveis aos liderados, enquanto uma boa liderança traz grande bênção sobre eles. Como Moisés, ele busca uma identificação com seu povo e não deseja que ele mesmo (e seus sucessores) seja excluído da punição, embora, ao contrário de Moisés, Davi tenha que aceitar a culpa pelo que acontece ao povo. Similarmente a Moisés, ele mostra que a ousadia na oração pode produzir grandes resultados, mesmo quando estamos errados.

Ele já havia comentado sobre a compaixão divina, e é essa compaixão que limita o preço cobrado pela epidemia. Deus não deseja aceitar a oferta de Davi e, depois, puni-lo, a ele e a seus sucessores. Em vez disso, Gade, o profeta de Davi, o aconselha sobre como obter a compaixão de Deus. Ele deve construir um altar no local em que o ajudante está, ao que tudo indica no meio de sua missão de provocar uma epidemia durante três dias, conforme dito por Gade. Sempre que um ajudante divino surge no Antigo Testamento, ele o faz representando Deus e, praticamente, mediando a própria presença de Deus. A construção do altar em honra a Deus, portanto, corresponde ao modo pelo qual outras figuras do Antigo Testamento, como, por exemplo, Gideão, edificam um altar quando um ajudante divino aparece a elas. Edificar um altar também é algo que as pessoas fazem quando há uma crise e elas precisam clamar a Deus, como Saul fez em 1Samuel 14. Embora, em tais circunstâncias seja possível simplesmente, orar, a construção de um altar e a oferta de sacrifícios reforçam a oração. Na verdade, isso significa que a adoração custa algo ao suplicante. Não são apenas palavras. Desse modo, as ofertas queimadas e a oração, com frequência, complementam-se.

As ofertas sempre custam ao ofertante. Isso é especialmente evidenciado nas ofertas feitas por Davi, porque elas envolvem o holocausto de um animal inteiro para que suba em forma de fumaça a Deus, por completo. Davi também oferece sacrifícios de comunhão, dos quais Deus e os ofertantes compartilham — isto é, parte é consumida em fumaça e parte os ofertantes consomem como uma ceia de comunhão com Deus. Assim, mesmo essas ofertas têm um custo. Nessa ocasião, Davi também paga uma boa quantia pela terra na qual o altar é construído. Em sua negociação com Davi, Araúna pode estar sendo sincero quando fala em simplesmente doar a terra para esse propósito, ou está apenas sendo educado. Em outras palavras, ele pode estar esperando que Davi lhe faça uma oferta (a conversa lembra a negociação de Abraão com os hititas sobre um lugar para sepultar Sara, relatada em Gênesis 23). Seja como for, isso dá a Davi a oportunidade de declarar que ele não deseja realizar essa ação sem custo algum.

Com a resposta divina à oração de Davi e o término da epidemia, o livro de 2Samuel é concluído. Não é o fim da história. A derradeira cena na vida de Davi aparece em 1Reis. Como de costume, esses livros narrativos param em vez de terminar. Assim, seremos obrigados a continuar lendo.

⌜ GLOSSÁRIO ⌟

Ajudante. Um agente sobrenatural por meio do qual Deus pode aparecer e operar no mundo. As traduções, em geral, referem-se a eles como "anjos", mas essa designação tende a sugerir figuras etéreas dotadas de asas, ostentando vestes brancas e translúcidas. Os ajudantes são figuras semelhantes aos humanos; por essa razão, é possível agir com hospitalidade sem perceber quem são (Hebreus 13:2). Ainda, eles não possuem asas; por isso, necessitam de uma rampa ou escadaria entre o céu e a terra (Gênesis 28). Eles surgem com a intenção de agir ou falar em nome de Deus e, assim, representá-lo plenamente, falando como se fossem Deus (Juízes 6). Eles, portanto, trazem a realidade da presença, da ação e da voz de Deus, sem trazer aquela presença real que aniquilaria os meros mortais ou danificaria a sua audição. Isso pode ser uma garantia quando Israel é rebelde, e a presença de Deus pode representar, de fato, uma ameaça (Êxodo 32—33), mas eles mesmos podem ser meios de implementar o castigo, assim como a bênção de Deus (Êxodo 12; 2Samuel 24).

Aliança. A palavra hebraica *berit* abrange alianças, tratados e contratos, mas todas essas são formas pelas quais as pessoas estabelecem um compromisso formal sobre algo, mas tenho utilizado o termo "aliança" para expressar todas as três. Onde há um sistema legal para o qual as pessoas podem apelar, os contratos pressupõem um sistema para resolver disputas e ministrar justiça que pode ser utilizado se uma das partes não cumpre com os seus compromissos. Em contraste, um relacionamento de aliança não pressupõe uma estrutura legal executável dessa espécie, mas a aliança envolve algum procedimento formal que confirme a seriedade do compromisso solene que as partes assumem uma com a outra. Desse modo, o Antigo Testamento frequentemente fala sobre *selar* uma aliança;

literalmente, cortá-la (o pano de fundo reside no tipo de procedimento formal descrito em Gênesis 15 e Jeremias 34:18-20, embora esse tipo de procedimento dificilmente viesse a ser exigido toda vez que alguém assumisse um compromisso de aliança). Às vezes, as pessoas selam alianças *para* outras pessoas e, às vezes, *com* outras pessoas. A primeira implica algo mais unilateral; a outra, envolve algo mais mútuo.

Altar. Uma estrutura para oferta de sacrifício (o termo vem da palavra para sacrifício), feita de terra ou pedra. Um altar pode ser relativamente pequeno, como uma mesa, e o ofertante deve ficar diante dele. Ou pode ser mais alto e maior, como uma plataforma, e o ofertante tem de subir nele.

Apócrifos. O conteúdo do principal Antigo Testamento cristão é o mesmo das Escrituras judaicas, embora estas sejam dispostas em uma ordem diferente, como a Torá, os Profetas e os Escritos. Seus limites precisos, como Escritura, vieram a ser aceitos em algum período nos anos anteriores ou posteriores a Cristo. Não sabemos exatamente quando ou como. Por séculos, as igrejas cristãs, em sua maioria, utilizaram uma coleção mais ampla de textos judaicos, incluindo livros como Macabeus e Eclesiástico, que, para os judeus, não faziam parte da Bíblia. Esses outros livros passaram a ser chamados "apócrifos", os livros que estavam "ocultos" — que veio a implicar "espúrios". Agora, com frequência, são conhecidos como "livros deuterocanônicos", um termo mais complexo, porém menos pejorativo. Isso indica simplesmente que esses livros detêm menos autoridade que a Torá, os Profetas e os Escritos. A lista exata deles varia entre as diferentes igrejas.

Assíria, assírios. A primeira grande superpotência do Oriente Médio, os assírios expandiram o seu império rumo ao Ocidente, até a Síria-Palestina, no século VIII a.C., no tempo de Amós e Isaías. Primeiro, eles anexaram **Efraim** ao seu império; então, quando Efraim persistiu tentando retomar a sua independência, os assírios invadiram Efraim e, em 722 a.C., destruíram a sua capital, Samaria, levando cativo grande parte de seu povo e substituindo-os por pessoas oriundas de outras partes do seu império. Invadiram também **Judá** e devastaram uma extensa área do país, mas não tomaram Jerusalém. Profetas como Amós e Isaías descrevem o modo pelo qual Deus estava, portanto, usando a Assíria como um meio de disciplinar Israel.

Autoridade. Indivíduos como Eli, Samuel, os filhos de Samuel e os reis "exerciam autoridade" sobre Israel e para Israel. A palavra hebraica para alguém que exerce tal autoridade, *shopet*, é tradicionalmente traduzida por "juiz", mas essa liderança é mais ampla que isso. No livro chamado Juízes, esses líderes são pessoas que não possuem posição oficial como os reis posteriores, mas que se levantam e tomam a iniciativa de trazer **libertação** ao povo do problema no qual ele se meteu. É função do rei exercer autoridade de acordo com a **fidelidade** a Deus e ao povo.

Babilônia, babilônios. Um poder menor no contexto da história primitiva de Israel, ao tempo de Jeremias, os babilônios assumiram a posição de superpotência da Assíria, mantendo-a por quase um século, até ser conquistada pela **Pérsia**. Profetas como Jeremias descrevem como Deus estava usando os babilônios como um meio de disciplinar **Judá**. Eles tomaram Jerusalém em 587 a.C. e transportaram muitos dentre o povo. Suas histórias sobre a criação, os códigos legais e os textos mais filosóficos nos ajudam a compreender aspectos de escritos equivalentes presentes no Antigo Testamento, embora sua religião astrológica também constitua o cenário para polêmicos aspectos nos Profetas.

Baú. O "baú da aliança" é uma caixa com pouco mais de um metro de comprimento e cerca de setenta centímetros de altura e de largura. A versão Almeida Corrigida e Fiel, bem como outras versões, em geral fazem referência a uma "arca", mas a palavra significa uma caixa, embora seja apenas usada ocasionalmente para expressar baús usados para outros fins. É denominado de baú da **aliança** porque contém as tábuas de pedra inscritas com os Dez Mandamentos, expectativas-chave que Deus estabeleceu em relação à aliança do Sinai. É mantido, regularmente, no santuário, mas há um sentido no qual o baú simboliza a presença de Deus (considerando que Israel não possui imagens para representar isso). Dado esse simbolismo, os israelitas, algumas vezes, carregam o baú com eles. Às vezes, também é denominado de "baú da declaração", com o mesmo significado: as tábuas "declaram" as expectativas da aliança de Deus.

Canaã, cananeus. Como designação bíblica da terra de Israel como um todo, e referência a todos os povos autóctones daquele território, "cananeus" não constitui, portanto, o nome de um grupo étnico em particular, mas um termo genérico para todos os povos nativos da região.

Chorar, clamar. Ao descrever a reação dos israelitas quando eles são derrotados pelos inimigos, 1 e 2Samuel utilizam a mesma palavra que o Antigo Testamento usa para descrever o sangue de Abel clamando a Deus, o clamor do povo de Sodoma debaixo da opressão dos perversos, o grito dos israelitas no Egito. O termo denota um choro urgente que pressiona Deus por **libertação**, um grito que Deus ouve, mesmo quando as pessoas merecem a experiência pela qual estão passando.

Compromisso. O termo corresponde à palavra hebraica *hesed*, que as traduções expressam de modos distintos: amor inabalável, benignidade ou bondade. Trata-se do equivalente, no Antigo Testamento, à palavra para amor no Novo Testamento, isto é, *agapē*. O Antigo Testamento utiliza a palavra "compromisso" em referência a um ato extraordinário por meio do qual uma pessoa se dedica a alguém, num ato de generosidade, lealdade ou graça, quando não há um relacionamento prévio entre as partes, de modo que alguém estabelece um compromisso que não está obrigado a firmar. Essa é a natureza do compromisso de Jônatas em relação a Davi (1Samuel 20). Pode também referir-se a um ato extraordinário similar que ocorre quando há uma relação prévia, na qual uma das partes decepciona a outra e, assim, não tem o direito de esperar qualquer fidelidade da outra parte. Caso a parte que foi ofendida continue sendo fiel, trata-se de uma demonstração desse compromisso. Deus promete esse tipo de compromisso a Davi (2Samuel 7).

Devotar, devoção. Devotar algo a Deus significa entregar a Deus de modo irrevogável. As traduções usam verbos como "aniquilar" ou "destruir", e, em geral, essa é a implicação correta, porém isso não expressa o ponto distintivo do ato. É possível devotar uma terra ou um animal, como um jumento, e, com efeito, Ana irá devotar Samuel; o jumento ou o ser humano, então, pertence a Deus e está comprometido a servi-lo. Na verdade, os israelitas devotaram muitos cananeus ao serviço de Deus nesse contexto; eles se tornaram pessoas que cortavam madeira e retiravam água para o **altar**, para as ofertas e os rituais do santuário. Devotar pessoas a Deus, matando-as como uma espécie de sacrifício, era uma prática conhecida de outros povos, que Israel adota por sua própria iniciativa, mas que Deus valida. Israel sabe que é assim que a guerra funciona em seu mundo e passa a operar da mesma forma, com a concordância divina.

Efígies. A palavra hebraica para efígies é *teraphim*. Primeiro Samuel 15:23 pressupõe uma ligação entre o *teraphim* e a adivinhação, que envolve técnicas (como as da astrologia) na tentativa de descobrir coisas sobre o futuro, para tomarmos decisões sensatas ou nos prevenir de problemas que possam surgir. Uma forma de adivinhação envolve a consulta aos mortos. As efígies seriam imagens de membros da família já falecidos (como fotografias de família), às quais as pessoas buscariam consultar na presunção de que pudessem conhecer hoje coisas que seus parentes, ainda vivos, desconhecem. Israel não deveria se envolver nesses procedimentos, pois o esperado seria eles confiarem mais diretamente na orientação de Deus.

Éfode. Em algumas passagens, o Antigo Testamento implica que um éfode seja uma espécie de manto usado pelo sacerdote, mas em outros trechos essa vestimenta incorporava, pelo menos, algo que continha o **Urim e o Tumim**.

Efraim, efraimitas. Após a morte de Saul, os clãs israelitas se dividiram em dois grupos por um período e, então, essa divisão se tornou permanente depois da morte de Salomão. Politicamente, o maior dos dois grupos, abrangendo os clãs do norte e do leste, manteve o nome de **Israel**, enquanto o grupo menor, concentrado na região sul, passou a ser chamado de **Judá**. Isso é confuso porque Israel ainda é o nome do povo que pertence a Deus. Portanto, o nome Israel pode ser usado em ambas as conexões. O Estado do norte, contudo, pode também ser referido pelo nome de Efraim, por ser um de seus clãs principais. Assim, uso esse termo como referência aos clãs do norte, no período de Davi e no contexto posterior, na tentativa de minimizar a confusão.

espírito. A palavra hebraica para espírito é a mesma para fôlego e para vento, e o Antigo Testamento, às vezes, sugere uma ligação entre eles. Espírito sugere um poder dinâmico; o espírito de Deus sugere o poder dinâmico de Deus. O vento, em sua força e capacidade para derrubar árvores poderosas, constitui uma incorporação do poderoso espírito de Deus. O fôlego é essencial à vida; quando não há fôlego, inexiste vida. E a vida provém de Deus, de modo que o fôlego de um ser humano, e mesmo o de um animal, é extensão do fôlego divino. O espírito de Deus veio sobre Saul, assim como veio sobre as pessoas no livro de Juízes, capacitando-os a realizar coisas que parecem humanamente impossíveis.

Esposa secundária. As traduções usam a palavra “concubina” para descrever mulheres como Rispa e algumas das esposas de Davi, mas o termo hebraico usado em relação a elas não sugere que não sejam apropriadamente casadas. Ser uma esposa secundária indica possuir uma posição diferente das outras esposas. Talvez implique que seus filhos tenham direitos limitados ou mesmo nenhum direito sobre a herança do pai. É possível a um homem rico ou poderoso ter inúmeras esposas com plenos direitos e muitas esposas secundárias, ou mesmo apenas uma de cada. Pode, ainda, ter apenas a esposa principal ou somente a esposa secundária.

Exílio. No final do século VII a.C., a **Babilônia** se tornou o maior poder no mundo de **Judá**, mas os judaítas estavam determinados a se rebelar contra a sua autoridade. Então, como parte de uma campanha vitoriosa para obter a submissão de Judá, em 597 a.C. e

587 a.C. os babilônios levaram muitos israelitas de Jerusalém para a Babilônia, particularmente pessoas em posições de liderança, como membros da família real e da corte, sacerdotes e profetas. Essas pessoas foram, portanto, compelidas a viver na Babilônia durante os cinquenta anos seguintes ou mais. Pelo mesmo período, as pessoas deixadas em Judá também viviam sob a autoridade dos babilônios. Assim, não estavam fisicamente no exílio, mas também viveram em exílio por um período de tempo.

Fidelidade, fiel. Nas Bíblias do idioma inglês, as palavras hebraicas *sedaqah* ou *sedeq* são, usualmente, traduzidas por *righteousness*, e nas Bíblias em português, normalmente por "justiça" ou "retidão", mas isso denota uma tendência particular quanto ao que podemos exprimir com esse termo. Elas sugerem fazer a coisa certa em relação à pessoa com quem alguém está se relacionando, aos membros de uma comunidade e a Deus. Portanto, a palavra "fidelidade", ou mesmo "salvação", está mais próxima do sentido original do que "justiça" ou "retidão". No hebraico mais contemporâneo, *sedaqah* pode referir-se a dar esmolas. Isso sugere algo próximo a generosidade ou graça.

Filístia, filisteus. Os filisteus eram um povo oriundo do outro lado do Mediterrâneo para se estabelecer em **Canaã**, na mesma época do estabelecimento dos israelitas na região, de maneira que os dois povos formaram um movimento acidental de pressão sobre os habitantes já presentes naquele território, bem como se tornaram rivais mútuos pelo controle da área.

Grécia. Em 336 a.C., forças gregas, sob o comando de Alexandre, o Grande, assumiram o controle do Império **Persa**, porém após a morte de Alexandre, em 333 a.C., o seu império foi dividido. A maior extensão, ao norte e a leste da Palestina, foi governada por Seleuco, um de seus generais, e seus sucessores. Judá ficou sob o controle grego por grande parte dos dois séculos seguintes, embora estivesse situado na fronteira sudoeste desse império e, às vezes, caísse sob o controle do Império Ptolomaico, no Egito, governado por sucessores de outro dos generais de Alexandre.

Israel. Originariamente, Israel era o novo nome dado por Deus a Jacó, neto de Abraão. Seus doze filhos foram, então, os patriarcas dos doze clãs que formam o povo de Israel. No tempo de Saul, Davi e Salomão, esses doze clãs passaram a ser uma entidade política. Assim, Israel significava tanto o povo de Deus quanto uma nação ou Estado, como as demais nações e Estados. Após Salomão, esse Estado foi dividido em dois Estados distintos, **Efraim** e **Judá**. Pelo fato de Efraim ser maior, manteve como referência o nome de Israel. Desse modo, se alguém estiver pensando em Israel como povo de Deus, Judá está incluído. Caso pense em Israel politicamente, Judá não faz parte. Uma vez que Efraim não existe mais, então, para todos os efeitos, Judá *é* Israel, como o povo de Deus.

Judá, judaítas. Um dos doze filhos de Jacó e, portanto, o clã que traça a sua ancestralidade até ele e que se tornou dominante no sul dos dois Estados, após o reinado de Salomão. Mais tarde, como província ou colônia persa, Judá ficou conhecido como Jeúde.

Libertar, libertador, libertação. Traduções modernas do Antigo Testamento, com frequência, usam as palavras "salvar", "salvador" e "salvação", mas elas transmitem uma impressão equivocada. No contexto cristão, elas usualmente se referem ao nosso relacionamento pessoal com Deus e ao deleite do céu. O Antigo Testamento, de fato, fala sobre a nossa relação pessoal com Deus, porém não utiliza esse grupo de palavras nessa conexão. Antes, referem-se à intervenção prática de Deus para tirar Israel ou um indivíduo de algum tipo de dificuldade, como, por exemplo, acusações falsas por membros da comunidade ou a invasão de inimigos.

Paz. A palavra *shalom* pode sugerir paz após um conflito, mas, com frequência, indica uma ideia mais rica, ou seja, da plenitude de vida. A versão Almeida Corrigida e Fiel, às vezes, a traduz por "bem-estar", e as traduções modernas usam palavras como "segurança" e "prosperidade". De qualquer modo, a palavra sugere que tudo está indo bem para você.

Querubins. Não se trata de figuras angelicais infantis (como a palavra pode sugerir em seu uso moderno), mas incríveis criaturas aladas que transportam *Yahweh*, assentado em um trono acima delas. Havia estatuetas dessas criaturas no templo, mantendo guarda sobre o **baú da aliança**; portanto, eles indicam a presença de *Yahweh* ali, invisivelmente entronizado acima deles.

Sheol. Um dos nomes hebraicos para o lugar ao qual vamos quando morremos; é também referido como o "Poço". No Novo Testamento, é chamado de "Hades". Não se trata de um lugar de punição ou sofrimento, mas simplesmente de um local de descanso para todos, uma espécie de análogo não físico para a sepultura, como lugar de repouso para o nosso corpo.

Texto. Há um aspecto estranho no estudo de 1 e 2Samuel; apreciar esses livros demanda uma compreensão de um quadro mais abrangente. O texto básico em hebraico do Antigo Testamento, que está por trás das inúmeras traduções da Bíblia, remonta a um grupo de eruditos judeus chamados massoretas. Eles é que realizaram o trabalho no milênio iniciado no tempo do Novo Testamento. O nome deriva de um termo hebraico para "tradição", e eles assumiram a responsabilidade de preservar a tradição daquilo que o texto do Antigo Testamento dizia e de como ele deveria ser lido. Apesar de todo o cuidado e comprometimento do trabalho deles, não seria surpresa se, por uma razão ou outra, eles, às vezes, preservassem não a tradição original, mas uma forma do texto que havia sido levemente alterada ao longo do tempo. Uma indicação disso é que, ocasionalmente, o leitor encontra algumas excentricidades no texto que o fazem pensar: "Isso está realmente certo?" Por motivos que desconhecemos, 1 e 2Samuel levantam essa questão com certa frequência. Por exemplo, no texto massorético de 1Samuel 1:24 Ana pega três touros para o sacrifício em Siló, o que parece exagerado, mas no versículo seguinte ela sacrifica apenas um. Entre os rolos de Qumran, manuscritos encontrados no mar Morto na metade do século XX, há um documento desses dois livros que relata Ana usando apenas um touro, o que faz mais sentido. Essa versão do Antigo Testamento aparece numa tradução do texto hebraico para o grego, conhecida por Septuaginta, realizada, aproximadamente, na mesma época em que os manuscritos de Qumran estavam sendo copiados; da mesma forma, isso, às vezes, faz mais sentido. Pode ser que os manuscritos de Qumran e os textos gregos tenham "corrigido" a versão original porque (como nós) eles também acharam que não fazia sentido. Ainda, é possível que eles tivessem em mãos a versão original. Há inúmeros exemplos, em 1 e 2Samuel, de diferenças desse gênero entre o texto hebraico dos massoretas e os manuscritos de Qumran e/ou os textos gregos. Em geral, sigo o texto massorético, mas, ocasionalmente, dou preferência aos documentos de Qumran ou ao texto grego.

Torá. A palavra hebraica para os cinco primeiros livros da Bíblia. Eles, em geral, são referidos como a "Lei", mas esse termo propicia uma impressão equivocada. No próprio livro de Gênesis, não há nada como "lei", bem como Êxodo e Deuteronômio não são livros "jurídicos". A palavra *torah*, em si, significa "ensino", o que fornece uma impressão mais correta da natureza da Torá. Com frequência, a Torá nos fornece mais de um relato do mesmo evento (como a comissão de Deus a Moisés), a exemplo de Samuel-Reis e Crônicas que nos fornecem duas versões da história de Israel, desde Saul até o **exílio**, mas, embora o Antigo Testamento mantenha essas duas versões posteriores separadas (tal como ocorrerá com as quatro versões da história de Jesus nos Evangelhos), na Torá as versões foram combinadas.

Urim e Tumim. O Antigo Testamento jamais descreve a natureza deles, mas eles constituíram, de algum modo, meios de Deus guiar Israel. Ao que parece, eles eram algo como duas pedras que tinham marcas em cada lado, significando sim e não. Portanto, era possível fazer perguntas a Deus e, caso as pedras indicassem dois "sins" ou dois "nãos", a resposta de Deus era clara. Se as posições das pedras indicassem, ao mesmo tempo, sim e não, isso significava que Deus não estava respondendo.

***Yahweh*.** Na maioria das traduções bíblicas, a palavra "Senhor" aparece em letras maiúsculas ou em versalete, como ocorre, às vezes, com a palavra "Deus". Na realidade, ambas representam o nome de Deus, *Yahweh*. Nos tempos do Antigo Testamento, os israelitas deixaram de usar o nome *Yahweh* e começaram a usar "o Senhor". Há duas razões possíveis. Os israelitas queriam que outros povos reconhecessem que *Yahweh* era o único e verdadeiro Deus, mas esse nome de pronúncia estranha poderia dar a impressão de que *Yahweh* fosse apenas o deus tribal de Israel. Um termo como "o Senhor" era mais facilmente reconhecível. Além disso, eles não queriam incorrer na quebra da advertência presente nos Dez Mandamentos sobre usar o nome de *Yahweh* em vão. Traduções em outros idiomas, então, seguiram o exemplo e substituíram o nome de *Yahweh* por "o Senhor". O lado negativo é que isso obscurece o fato de Deus querer ser conhecido por esse nome (veja Êxodo 3). Por essa razão, o texto utiliza *Yahweh*, com frequência, não algum outro nome (assim chamado) deus ou senhor. Essa prática dá a impressão de que Deus é muito mais "senhoril" e patriarcal do que ele o é na realidade. (A forma "Jeová" não é uma palavra real, mas uma mescla das consoantes de *Yahweh* e das vogais da palavra *Adonai* [Senhor, em hebraico], com o intuito de lembrar às pessoas que na leitura da Escritura elas deveriam dizer "o Senhor", não o nome real.)

Yahweh* dos Exércitos.** Esse título para Deus, em geral, no texto bíblico é traduzido por "SENHOR dos Exércitos", todavia é uma expressão mais intrigante do que ela implica. O termo para Senhor é, na realidade, o nome de Deus, ***Yahweh, e a palavra para "Exércitos" é a palavra hebraica regular para as forças militares; é a palavra que aparece na traseira de qualquer caminhão militar israelense. Assim, mais literalmente, a expressão significa "*Yahweh* [dos] Exércitos", que é apenas tão estranho em hebraico quanto "Goldingay dos Exércitos" seria. Todavia, em termos gerais, a implicação da expressão é decerto clara: ela sugere que *Yahweh* é a personificação do ou o controlador de todo o poderio de guerra, quer no céu quer na terra.

SOBRE O AUTOR

John Goldingay é pastor, erudito e tradutor do Antigo Testamento. Ele é professor emérito David Allan Hubbard de Antigo Testamento no prestigiado Seminário Teológico Fuller em Pasadena, Califórnia. É um dos acadêmicos de Antigo Testamento mais respeitados do mundo com diversos livros e comentários bíblicos publicados. O autor possui o livro *Teologia bíblica* publicado pela Thomas Nelson Brasil.

Livros da série de comentários

O ANTIGO TESTAMENTO PARA TODOS

JÁ DISPONÍVEIS pela **Thomas Nelson Brasil**

Pentateuco para todos: Gênesis 1—16 • Parte 1

Pentateuco para todos: Gênesis 17—50 • Parte 2

Pentateuco para todos: Êxodo e Levítico

Pentateuco para todos: Números e Deuteronômio

Históricos para todos: Josué, Juízes e Rute

Históricos para todos: 1 e 2 Samuel

Históricos para todos: 1 e 2 Reis

Históricos para todos: 1 e 2 Crônicas

Históricos para todos: Esdras, Neemias e Ester

Livros da série de comentários

O NOVO TESTAMENTO PARA TODOS

JÁ DISPONÍVEIS pela **Thomas Nelson Brasil**

Mateus para todos: Mateus 1—15 • Parte 1

Mateus para todos: Mateus 16—28 • Parte 2

Marcos para todos

Lucas para todos

João para todos: João 1—10 • Parte 1

João para todos: João 11—21 • Parte 2

Atos para todos: Atos 1—12 • Parte 1

Atos para todos: Atos 13—28 • Parte 2

Paulo para todos: Romanos 1—8 • Parte 1

Paulo para todos: Romanos 9—16 • Parte 2

Paulo para todos: 1Coríntios

Paulo para todos: 2Coríntios

Paulo para todos: Gálatas e Tessalonicenses

Paulo para todos: Cartas da prisão

Paulo para todos: Cartas pastorais

Hebreus para todos

Cartas para todos: Cartas cristãs primitivas

Apocalipse para todos